스스로 학습 강화 시리즈

# 금자랑 놀자!

## 중학교 **기술·가정 ②** 자습서

**기술편**

민창기 · 윤병구 · 박세열 · 류보람
이고은 · 임윤희 · 김민정

금성출판사

# 이 책의 구성과 특징

이 책은 2015개정 교육과정이 추구하는 핵심 성취 기준의 '알아야 할 것(이해)'과 '할 수 있어야 하는 것(능력)'으로 구성되어 있습니다. 각 단원별로 '알아야 할 것'에는 이론적 학습 내용을, '할 수 있어야 하는 것'에는 실천적 활동 내용을 넣었습니다.

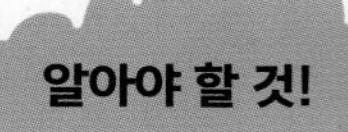

## 알아야 할 것!

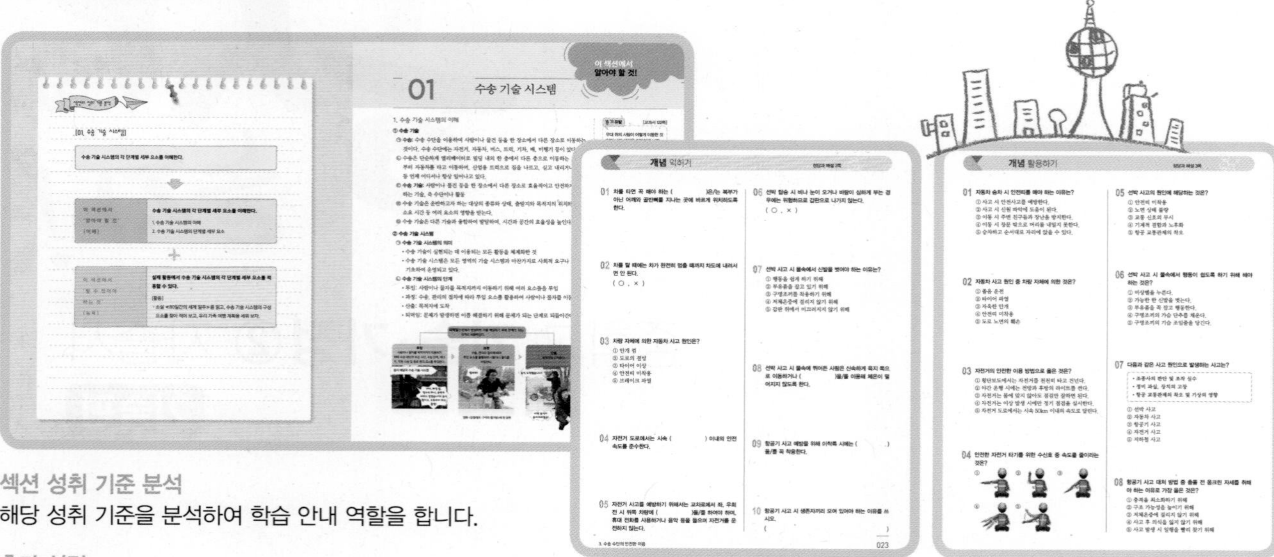

**섹션 성취 기준 분석**
해당 성취 기준을 분석하여 학습 안내 역할을 합니다.

**추가 설명**
교과서의 내용 해설을 제시하였습니다.

**개념 익히기**
간단한 문제 풀이를 통해 핵심 내용을 점검할 수 있습니다.

**개념 활용하기**
학습 내용을 활용한 다양한 문제 유형으로 제시하였습니다.

## 할 수 있어야 하는 것!

**활동 TIP**
활동에 대한 주의 사항을 알 수 있습니다.

**선생님 생각 엿보기**
교과서 활동의 목적, 평가 기준, 예시 답안 등을 제시하였습니다.

**이와 관련된 활동**
주제와 유사한 활동에 대한 정보를 제시하였습니다.

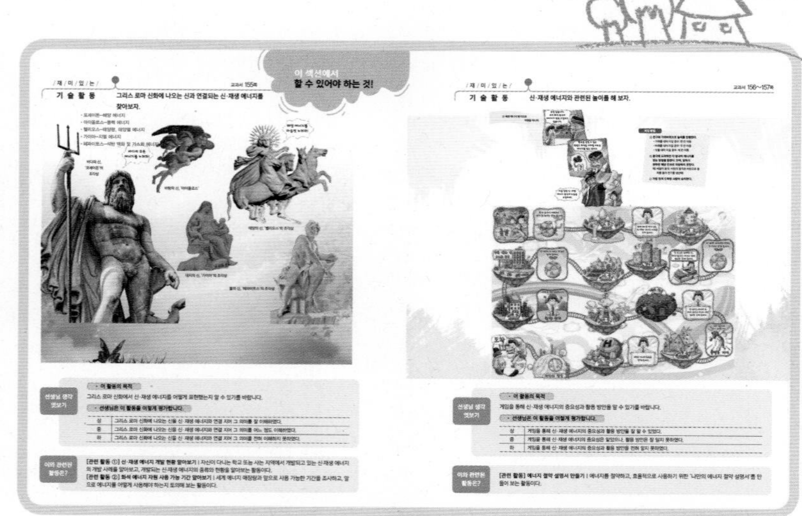

# 차례

## V. 효율적인 이동을 위한 기술

## VI. 세상과 소통하는 기술

## VII. 삶을 창조하는 기술

## VIII. 모두를 위한 지속 가능한 기술

핵심 개념

# 효율적인 이동을 위한 기술

1. 수송 기술 시스템
2. 수송 기술의 특징과 발달
3. 수송 수단의 안전한 이용
4. 수송 기술의 창의적 문제 해결
5. 신·재생 에너지의 이해
6. 에너지 문제의 창의적 해결

V

## 이 단원의 성취 기준

1. 수송 기술 시스템의 각 단계별 세부 요소를 이해한다.

2. 수송 기술의 특징과 발달 과정을 설명한다.

3. 수송 수단의 안전한 이용 방법을 알고, 사고 원인과 예방 및 대처 방법을 조사하고 실천한다.

4. 수송 기술과 관련된 문제를 이해하고 해결책을 창의적으로 탐색하고 실현하며 평가한다.

5. 신·재생 에너지의 활용을 이해하고, 신·재생 에너지 개발의 중요성을 인식하여 효율적인 에너지 이용 방안을 제안한다.

6. 에너지와 관련된 문제를 이해하고, 해결책을 창의적으로 탐색하고 실현하며 평가한다.

[01. 수송 기술 시스템]

**수송 기술 시스템의 각 단계별 세부 요소를 이해한다.**

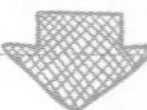

| 이 섹션에서 '알아야 할 것' (이해) | **수송 기술 시스템의 각 단계별 세부 요소를 이해한다.**<br>1. 수송 기술 시스템의 이해<br>2. 수송 기술 시스템의 단계별 세부 요소 |
|---|---|

| 이 섹션에서 '할 수 있어야 하는 것' (능력) | **실제 활동에서 수송 기술 시스템의 각 단계별 세부 요소를 적용할 수 있다.**<br>[활동]<br>· 소설 ≪80일간의 세계 일주≫를 읽고, 수송 기술 시스템의 구성 요소를 찾아 적어 보고, 우리 가족 여행 계획을 세워 보자. |
|---|---|

이 섹션에서 알아야 할 것!

# 01 수송 기술 시스템

## 1. 수송 기술 시스템의 이해

### ① 수송 기술

㉠ **수송:** 수송 수단을 이용하여 사람이나 물건 등을 한 장소에서 다른 장소로 이동하는 것이다. 수송 수단에는 자전거, 자동차, 버스, 트럭, 기차, 배, 비행기 등이 있다.

㉡ 수송은 단순하게 엘리베이터로 빌딩 내의 한 층에서 다른 층으로 이동하는 것에서부터 자동차를 타고 이동하며, 산업용 트럭으로 짐을 나르고, 싣고 내리거나 하는 등 언제 어디서나 항상 일어나고 있다.

㉢ **수송 기술:** 사람이나 물건 등을 한 장소에서 다른 장소로 효율적이고 안전하게 이동하는 기술, 즉 수단이나 활동

㉣ 수송 기술은 운반하고자 하는 대상의 종류와 상태, 출발지와 목적지의 위치와 환경, 소요 시간 등 여러 요소의 영향을 받는다.

㉤ 수송 기술은 다른 기술과 융합하여 발달하며, 시간과 공간의 효율성을 높인다.

### ② 수송 기술 시스템

㉠ **수송 기술 시스템의 의미**

- 수송 기술이 실현되는 데 이용되는 모든 활동을 체계화한 것
- 수송 기술 시스템은 모든 영역의 기술 시스템과 마찬가지로 사회적 요구나 필요에 기초하여 운영되고 있다.

㉡ **수송 기술 시스템의 단계**

- 투입: 사람이나 물자를 목적지까지 이동하기 위해 여러 요소들을 투입
- 과정: 수송, 관리의 절차에 따라 투입 요소를 활용하여 사람이나 물자를 이동
- 산출: 목적지에 도착
- 되먹임: 문제가 발생하면 이를 해결하기 위해 문제가 되는 단계로 되돌아간다.

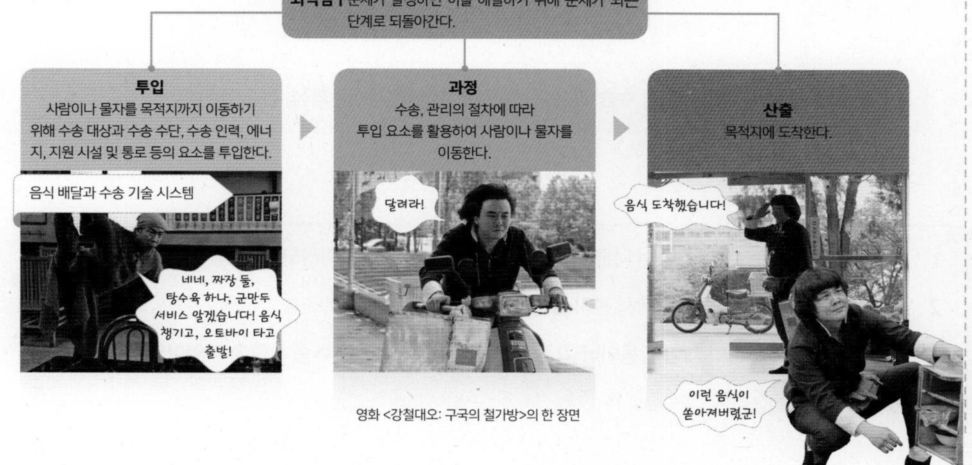

되먹임 | 문제가 발생하면 이를 해결하기 위해 문제가 되는 단계로 되돌아간다.
투입
사람이나 물자를 목적지까지 이동하기 위해 수송 대상과 수송 수단, 수송 인력, 에너지, 지원 시설 및 통로 등의 요소를 투입한다.
과정
수송, 관리의 절차에 따라 투입 요소를 활용하여 사람이나 물자를 이동한다.
산출
목적지에 도착한다.
음식 배달과 수송 기술 시스템
네네, 짜장 둘, 탕수육 하나, 군만두 서비스 알겠습니다! 음식 챙기고, 오토바이 타고 출발!
달려라!
음식 도착했습니다!
이런 음식이 쏟아져버렸군!

영화 <강철대오: 구국의 철가방>의 한 장면

**동기 유발** [교과서 122쪽]

무대 위의 사람이 어떻게 이동한 것인지 나의 생각을 이야기해 보자.

**예시 답안**

무대 아래 비밀 장치를 이용하여 이동하였다.

**보조 노트**

**친환경 수송 시스템**

기존의 자동차, 선박, 철도에서 사용하던 운송 수단을 에너지 효율이 높고 오염 물질이 적은 운송 수단으로 전환해야 한다는 인식에서 출발했으며, 대표적으로 친환경 자동차, 친환경 선박, 첨단 철도 등이 있다.

**작은 활동** [교과서 122쪽]

생활 속에서 수송 기술 시스템의 투입, 과정, 산출, 되먹임에 해당하는 예를 찾아 이야기해 보자.

**예시 답안**

짜장면 배달을 예로 이야기해 본다.

## 2. 수송 기술 시스템의 단계별 세부 요소

① **투입:** 투입 요소에는 인적 자원, 지식, 재료, 에너지, 자본, 자산 등이 있는데, 이는 기술의 하위 체계에 공통으로 포함되는 요소이다.

㉠ **수송 대상:** 목적지까지 이동해야 할 대상으로, 승객 또는 화물이 수송 대상이 된다.

㉡ **수송 수단:** 수송 대상을 목적지까지 운반하기 위한 수송 기관으로, 자동차, 기차, 선박, 비행기 등이 있다.

㉢ **수송 인력:** 수송 기관을 조종하는 사람, 화물을 싣고 내리는 사람, 수송 기관을 정비하는 사람, 수송 시설을 관리하는 사람 등 수송에 필요한 인적 자원을 말한다.

㉣ **에너지:** 수송 기관이 작동하는 데 필요한 에너지로, 휘발유, 경유, 중유, 항공유, 가스, 전기 에너지 등이 있다.

㉤ **지원 시설 및 통로:** 터미널, 정류장, 차량 보관소, 정비소, 주유소, 도로, 선로, 교통관제 시설 등 수송에 필요한 각종 시설과 통로를 말한다.

㉥ **수송 규칙:** 안전하고 효율적인 이동을 위해 교통 법규, 항공 규칙, 화물 운송 규칙 등이 있어야 한다.

② **과정:** 승객이나 물건이 실제로 이동되는 과정으로, 수송 과정과 관리 과정으로 구분할 수 있다.

㉠ **수송 과정:** 수송 기관을 작동하여 목적지까지 이동하는 과정으로, 이동할 것들에 대한 보관, 저장, 짐 싣기, 수송, 운반, 짐 내리기, 최종 목적지로의 배달이 포함된다.

㉡ **관리 과정:** 수송을 위해 계획하고 조직하며, 감독 및 통제에 따라 수송이 잘 이루어지도록 관리하는 과정이다.

- 수송 수단이 이상 없이 운영되도록 관리하는 활동
- 승객과 화물이 안전하게 수송되도록 관리하는 활동
- 수송 관련 시설을 운영하는 활동

③ **산출:** 목적지 도착 즉, 수송 기술 시스템에서 계획했던 수송 과정이 실행된 단계이다.

㉠ 모든 수송 계획이 실행되어 상품이나 원료, 사람이 목적지에 재배치된다.

㉡ 산출 요소가 자연·사회적 문화 환경에 끼치는 영향에 대해서 다루게 된다.

㉢ 이러한 결과는 적절한 되먹임으로 앞 요소들의 평가나 조정에 활용된다.

**이 섹션의 핵심 키워드** | 수송, 수송 기술, 수송 기술 시스템, 투입, 과정, 산출, 되먹임

**스스로 정리하기**

1 사람이나 물건 등을 한 장소에서 다른 장소로 이동하는 기술을 무엇이라고 하는가? 수송 기술

2 수송 기술 시스템의 과정 단계에서 관리 활동은 무엇인가?
- 수송 수단이 이상 없이 운영되도록 관리하는 활동
- 승객과 화물이 안전하게 수송되도록 관리하는 활동
- 수송 관련 시설을 운영하는 활동

3 창의·인성 학교에서의 체험 활동이나 가족 여행을 갔을 때 이용한 수송 수단은 무엇이었는지 이야기해 보자. 자전거, 자동차, 버스, 기차 등

**01** 사람이나 물건 등을 한 장소에서 다른 장소로 이동하는 기술을 (                    )라고/이라고 한다.

**02** 수송 기술 시스템은 수송 기술이 실현되는 데 이용되는 모든 활동을 체계화한 것으로, 투입, 과정, 산출 및 되먹임 등의 단계로 이루어진다.

( ○ , × )

**03** 수송 기술 시스템의 산출은 수송, 관리의 절차에 따라 투입 요소를 활용하여 사람이나 물자를 이동하는 단계이다.

( ○ , × )

**04** 수송 기술 시스템의 투입 요소 중 수송 대상을 목적지까지 운반하는 것은?

① 수송 수단
② 수송 규칙
③ 수송 인력
④ 수송 통로
⑤ 수송 공간

**05** 수송 기술 시스템의 과정에 속하는 요소는?

① 에너지
② 수송 인력
③ 수송 대상
④ 수송 및 관리
⑤ 지원 시설 및 통로

**06** 수송 기술 시스템에서 수송이 이루어지는 단계를 쓰시오.

(                                        )

**07** 다음에서 설명하는 수송 기술 시스템의 단계와 세부 요소를 쓰시오.

> • 수송 수단이 이상 없이 운영되도록 한다.
> • 승객과 화물이 안전하게 수송되도록 한다.
> • 수송 관련 시설물을 운영한다.

(                                        )

**08** 목적지 도착 즉, 수송 기술 시스템에서 계획했던 수송 과정이 실행된 단계를 쓰시오.

(                                        )

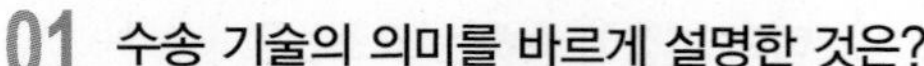

## 개념 활용하기

정답과 해설 2쪽

**01** **수송 기술의 의미를 바르게 설명한 것은?**

① 정보를 생산, 가공하여 주고받는 것이다.
② 사람이 필요로 하는 구조물을 만드는 것이다.
③ 재료를 가공하여 원하는 제품을 만드는 것이다.
④ 사람이나 물건을 다른 곳으로 이동시키는 것이다.
⑤ 생명체를 개량하여 효과적으로 활용하는 것이다.

**02** **수송 기술 시스템의 단계로 옳은 것은?**

① 투입 → 과정 → 산출
② 투입 → 산출 → 과정
③ 과정 → 투입 → 산출
④ 과정 → 산출 → 투입
⑤ 산출 → 투입 → 과정

**03** **문제가 발생하면 이를 해결하기 위해 문제가 되는 단계로 되돌아가는 수송 기술 시스템의 단계는?**

① 투입　② 과정
③ 산출　④ 활용
⑤ 되먹임

**04** **〈보기〉의 (가)와 (나)에 해당하는 수송 기술 시스템의 단계가 바르게 연결된 것은?**

보기
( 가 ): 사람이나 물건을 이동하는 데 필요한 수송 수단, 수송 인력, 에너지, 지원 시설 및 통로 등이 있다.
( 나 ): 수송과 관리 절차에 따라 세부 요소를 활용하여 사람이나 물자를 이동한다.

| | (가) | (나) |
|---|---|---|
| ① | 투입 | 과정 |
| ② | 투입 | 산출 |
| ③ | 투입 | 되먹임 |
| ④ | 과정 | 산출 |
| ⑤ | 과정 | 되먹임 |

**05** **수송 기술 시스템의 되먹임에 대한 설명으로 옳은 것은?**

① 수송에 필요한 시설과 통로를 확인한다.
② 수송 수단이 이상 없이 운영되는지 관리한다.
③ 승객과 화물이 안전하게 수송되도록 관리한다.
④ 수송의 모든 단계가 효율적이었는지 평가한다.
⑤ 수송 수단을 작동하는 데 필요한 에너지를 공급한다.

**06** **다음에서 설명하는 수송 기술 시스템 단계는?**

• 수송 수단으로 사람이나 물자를 이동한다.
• 수송 수단이 이상 없이 운영되도록 관리한다.
• 승객과 화물이 안전하게 수송되도록 관리한다.

① 투입
② 과정
③ 산출
④ 통과
⑤ 되먹임

**07** **수송 기관이 작동하는 데 필요한 휘발유, 경유, 중유, 항공유 등의 세부 요소는?**

① 에너지
② 수송 대상
③ 수송 수단
④ 수송 인력
⑤ 지원 시설 및 통로

교과서 124~125쪽

이 섹션에서
할 수 있어야 하는 것!

## 기 술 활 동

소설 ≪80일간의 세계 일주≫의 내용을 읽고, 활동을 해 보자.

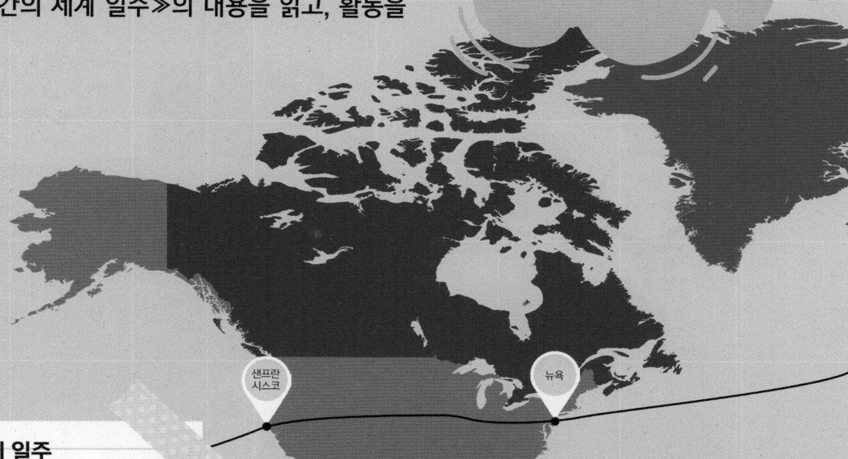


### 80일간의 세계 일주

때는 1872년, 영국 런던에 사는 필리어스 포그는 클럽 사람들과 내기를 하고는, 새로 들어온 하인 파스파르투와 함께 느닷없이 세계 일주 여행을 떠난다. 신문에서 인도에 전 구간 철도가 개통되어서 80일이면 세계를 일주할 수 있다는 기사를 본 포그가 세계를 정확히 80일 만에 한 바퀴 돌아올 수 있다고 장담한 것이다. 그래서 포그는 전 재산의 절반인 2만 파운드를 내기에 걸고, 나머지 절반인 2만 파운드를 여행 경비로 하여 떠난다.

포그가 계획한 세계 일주는 영국의 런던을 출발하여 프랑스의 파리, 이집트의 수에즈, 예멘의 아덴, 인도의 뭄바이와 콜카타를 거치고, 싱가포르와 홍콩, 일본의 요코하마, 미국의 샌프란시스코와 뉴욕, 영국의 리버풀을 지나 다시 런던으로 돌아오는 긴 여로이다.

우여곡절 끝에 5분 늦게 영국의 런던에 도착하여 전 재산을 거의 다 잃게 되는 상황에 처하지만, 필리어스 포그는 자신들이 동쪽으로 날짜 변경선을 넘어오는 바람에 하루를 벌었다는 사실을 알게 되고 자신의 재산과 여행 경비를 되찾았을 뿐만 아니라, 사랑하는 여인까지 얻게 된다.

**여행 스케줄**

| 경로 | 수송 수단 | 기간 |
|---|---|---|
| 런던 → 수에즈 | 기차, 증기선 | 7일 |
| 수에즈 → 뭄바이 | 증기선 | 13일 |
| 뭄바이 → 콜카타 | 기차 | 3일 |
| 콜카타 → 홍콩 | 증기선 | 13일 |
| 홍콩 → 요코하마 | 증기선 | 6일 |
| 요코하마 → 샌프란시스코 | 증기선 | 22일 |
| 샌프란시스코 → 뉴욕 | 기차 | 7일 |
| 뉴욕 → 런던 | 증기선, 기차 | 9일 |
| 계 | | 80일 |

**1** ≪80일간의 세계 일주≫의 내용에서 수송 기술 시스템의 구성 요소를 찾아 적어 보자.

| 투입 | 과정 | 산출 |
|---|---|---|
| • 인원: 2명<br>• 여행 비용: 2만 파운드<br>• 기간: 80일 | 여행 스케줄 참고 | 영국에 도착 |

**선생님 생각 엿보기**

**• 이 활동의 목적**

실생활에서 수송 기술 시스템을 적용할 수 있기를 바랍니다.

**• 선생님은 이 활동을 이렇게 평가합니다.**

| | |
|---|---|
| 상 | 수송 기술 시스템의 구성 요소를 이해하고, 가족 여행 계획에 적용하여 정리하였다. |
| 중 | 수송 기술 시스템의 구성 요소를 이해하였지만, 가족 여행 계획에 적용하여 정리하지 못하였다. |
| 하 | 수송 기술 시스템의 구성 요소를 이해하지 못하고, 가족 여행 계획에 적용하여 정리하지 못하였다. |

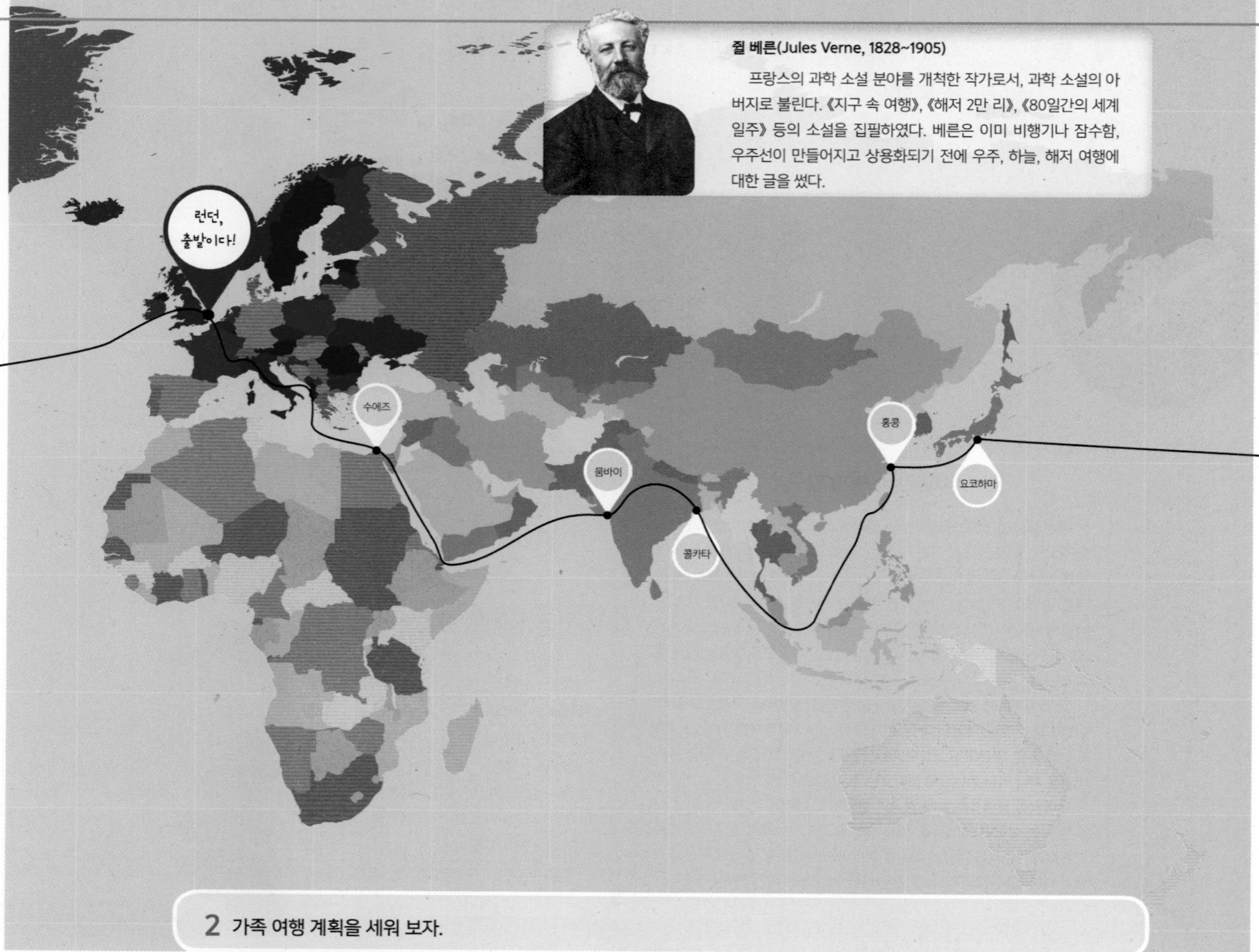
쥘 베른(Jules Verne, 1828~1905)
프랑스의 과학 소설 분야를 개척한 작가로서, 과학 소설의 아버지로 불린다. 《지구 속 여행》, 《해저 2만 리》, 《80일간의 세계 일주》 등의 소설을 집필하였다. 베른은 이미 비행기나 잠수함, 우주선이 만들어지고 상용화되기 전에 우주, 하늘, 해저 여행에 대한 글을 썼다.
런던, 출발이다!
수에즈
뭄바이
콜카타
홍콩
요코하마

## 2 가족 여행 계획을 세워 보자.

1. 장소를 정한다. 제주도
2. 여행 일정을 정한다. 3박 4일
3. 이동할 수송 수단을 정한다. 비행기, 자동차
4. 나의 여정을 수송 기술 시스템에 적용하여 정리한 후, 친구들에게 발표한다.

| 투입 | 과정 | 산출 |
|---|---|---|
| • 수송 대상: 아버지, 어머니, 동생, 나<br>• 수송 수단: 비행기, 자동차<br>• 수송 인력: 비행기와 자동차가 운행되는 데 필요한 사람들<br>• 자본: 부모님이 결정하신다. | • 수송: 비행기로 제주 공항 도착 → 자동차로 목적지 도착<br>• 관리: 공항, 활주로, 주유소 등 비행기와 자동차가 이상 없이 안전하게 운행되도록 관리하는 활동 | 비행기로 제주 공항에 도착한 후 공항에서 자동차로 목적지에 도착 |

**이와 관련된 활동은?**

**[관련 활동] 수송 기술 시스템 구성 요소 알아보기** | 육상·항공·선박 수송 시스템을 구성하는 데 필요한 투입 요소와 역할을 조사하여 적어 보는 활동이다.

[02. 수송 기술의 특징과 발달]

**수송 기술의 특징과 발달 과정을 설명한다.**

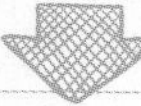

| 이 섹션에서 '알아야 할 것' (이해) | **수송 기술의 특징과 발달 과정을 설명한다.**<br>1. 수송 기술의 특징<br>2. 수송 수단의 종류<br>3. 수송 기술의 발달 과정 |
|---|---|

| 이 섹션에서 '할 수 있어야 하는 것' (능력) | **다양한 수송 기관의 동작 원리를 이해하고, 실제로 동작 원리를 적용한 수송 수단을 제작하여 활용할 수 있다.**<br>[활동]<br>· 바람의 힘을 이용하여 움직이는 물체를 만들어 보자. |
|---|---|

이 섹션에서 알아야 할 것!

# 02 수송 기술의 특징과 발달

동기 유발 [교과서 126쪽]

나의 지각 경험을 떠올려, 가장 빨리 등교할 수 있는 방법을 이야기해 보자.

예시 답안

- 아침 식사를 안 하고 간다.
- 뛰어간다.
- 아빠에게 데려다 달라고 한다.

보조 노트

**수송 기술의 역할**

① 인간의 생활 영역을 확대시킨다.
② 장소의 효용을 증대시킨다.
③ 새로운 시장의 개발과 확장에 이바지한다.
④ 지역 간의 이해력 증진에 이바지한다.

작은 활동 [교과서 127쪽]

땅, 바다, 하늘을 모두 이동할 수 있는 수송 수단이 나오면 어떨지 생각해 보고, 나의 생각을 이야기해 보자.

예시 답안

기차역, 항만, 공항 등의 시설을 따로 지을 필요가 없어 비용이 적게 들며 갈아탈 필요가 없어서 편리할 것이다.

작은 활동 [교과서 128쪽]

가솔린 기관과 디젤 기관의 차이는 무엇인지 이야기해 보자.

예시 답안

가솔린 기관은 휘발유와 공기의 혼합기를 실린더 속으로 흡입하지만, 디젤 기관은 공기만을 실린더 속으로 흡입한다.

## 1. 수송 기술의 특징

① **수송 규칙이 필요하다:** 버스를 안전하고 효율적으로 운행하기 위해 교통 신호, 법규 등이 필요하다.
② **수송 수단을 이용한다:** 버스를 이용한다.
③ **수송 공간이 필요하다:** 버스가 다닐 수 있는 도로가 필요하다.
④ **지원 시설과 인력이 필요하다:** 버스 정류장과 버스 운전사가 필요하다.

## 2. 수송 수단의 종류

**① 육상 수송 수단**

㉠ **자동차:** 원동기를 장치해 그 동력으로 바퀴를 굴려 땅 위를 움직이도록 만든 이동 수단
㉡ **기차:** 기관차에 여객차나 화물차를 연결하여 궤도 위를 운행하는 차량

**② 해상 수송 수단**

㉠ **선박:** 사람이나 가축, 물건 따위를 싣고 물 위로 떠다니도록 나무나 쇠로 만든 구조물을 말한다. 선박은 부력을 이용하여 선체를 물 위에 띄우고 동력 기관에서 발생하는 힘으로 프로펠러를 회전시켜 추진력을 얻는다.
㉡ **잠수함:** 물속을 다니면서 전투를 수행하는 전투 함정

**③ 항공 · 우주 수송 수단**

㉠ **항공 수송:** 제트 기관을 이용하여 사람이나 물건을 운송
- 로켓: 고온 · 고압의 가스를 발생 · 분출시켜 그 반동으로 추진하는 비행물
- 비행기: 항공 수송의 대표적인 수단으로, 양력을 이용하여 사람이나 물건을 싣고 공중을 비행하는 탈것

㉡ **우주 수송:** 로켓 기관을 이용하여 사람이나 물건을 지구의 궤도나 우주 공간으로 운송
- 인공위성: 지구 위에서 일정한 궤도를 돌며 방송, 통신, 지구 및 우주 관측 등의 용도로 만들어진 위성
- 우주 정거장: 사람이 우주 공간에 장기간 머물 수 있도록 만들어진 구조물
- 우주 왕복선: 우주와 지구를 왕복하고 재사용이 가능하도록 만들어진 우주선

**④ 새로운 수송 수단**

㉠ **수륙 양용 자동차:** 물 위나 땅 위를 움직이도록 만든 차
㉡ **비행 자동차:** 하늘을 날거나 땅 위를 움직이도록 만든 차
㉢ **위그선:** 바다 위를 최대 5m의 높이로 떠서 날아가는 선박

## 3. 수송 기술의 발달 과정

**① 육상 수송 기술의 발달**

㉠ **수레바퀴의 발명:** 육상 수송 기술의 발달에 큰 영향

㉡ **자동차의 발달**

- 퀴뇨의 증기 자동차: 1769년 프랑스의 퀴뇨, 동력을 이용한 최초의 자동차
- 벤츠의 가솔린 자동차: 1886년 독일의 다임러와 벤츠, 최초의 가솔린 자동차
- 포드의 자동차: 20세기 초 미국의 포드, 컨베이어 벨트 방식 이용, 자동차의 대중화
- 하이브리드 자동차: 최근, 에너지 절약, 환경 오염 적음

㉢ **기차의 발달**

- 마차 철도: 18세기 경, 말이 끄는 수레를 궤도 위에 올려 운행
- 트레비식의 증기 기관차: 1802년, 영국의 트레비식이 증기 기관차 발명
- 스티븐슨의 증기 기관차: 1825년, 석탄을 싣고 운행, 최초의 상업용 기차
- 디젤 기관차: 20세기, 열효율이 높고 성능이 우수한 디젤 기관차 등장
- 고속 철도: 최근, 시속 250km 이상의 철도

**② 해상 수송 기술의 발달**

㉠ 사람의 힘 – 바람의 힘 – 기계 동력(증기 기관) – 원자력 에너지 이용

㉡ **선박의 발달**

- 통나무 배: 통나무의 속을 파서 만듬
- 노 젓는 목선: 나무로 만든 목선, 사람이 직접 노를 저음
- 범선: 13세기, 목선에 돛을 달아 바람의 힘으로 이동
- 증기선: 1807년, 미국의 폴턴이 세계 최초의 증기선 만듬
- 디젤 기관선: 20세기 초, 디젤 기관을 이용한 배 등장
- 원자력 항공 모함: 20세기 초, 원자력을 이용한 배 등장

**③ 항공 · 우주 수송 기술의 발달**

㉠ 하늘을 날고자 하는 욕망은 19세기 라이트 형제에 의해 실현되었다.

㉡ **항공기 · 우주선의 발달**

- 릴리엔탈의 글라이더: 1891년, 독일의 릴리엔탈, 사람이 탈 수 있는 글라이더 개발
- 라이트 형제의 동력 비행기: 1903년, 최초로 가솔린 기관을 이용한 동력 비행기로 비행 성공
- 로켓: 1926년, 로버트 고더스의 액체 로켓이 비행에 성공
- 제트 비행기: 1939년, 프로펠러가 아닌 제트 엔진의 힘 이용, 더욱 빠른 비행기 등장
- 화성 탐사 로봇(큐리오시티): 2011년 발사, 2012년 화성 표면 착륙, 현재 화성 탐사 중

**이 섹션의 핵심 키워드** | 수송 기술의 특징, 수송 수단의 종류, 수송 기술의 발달

**그림으로 보는 기술 이야기**

[교과서 128~129쪽]
4행정 사이클 기관의 동작 원리를 몸으로 따라 해 보자.

**예시 답안**

2명이 짝을 지어, 가솔린 기관의 4행정 사이클의 각 단계를 표현한다.

**작은 활동** [교과서 130쪽]

미래에는 어떤 육상 수송 기술이 등장할지 생각해 보자.

**예시 답안**

변신하는 로봇처럼 상황에 따라 변하는 수송 수단이 등장할 것 같다.

**작은 활동** [교과서 132쪽]

미래에는 어떤 해상 수송 기술, 항공 · 우주 수송 기술이 등장할지 생각해 보자.

**예시 답안**

- 잠수함 택시가 등장할 것 같다.
- 스케이트보드처럼 두 발을 동시에 올려놓고 하늘을 날아 이동하는 수송 수단이 등장할 것 같다.

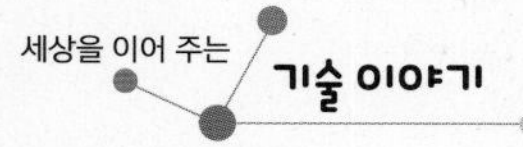


[교과서 135쪽]

다양한 종이비행기를 만들어 보고, 친구들과 종이비행기 날리기 대회를 열어 보자.

**예시 답안**

종이비행기 날리기 대회 규칙을 정하여 대회를 열어 본다.

**스스로 정리하기**

1 동력을 이용한 최초의 자동차는 무엇인가? 퀴뇨의 증기 자동차

2 1957년에 발사된 세계 최초의 인공위성은 무엇인가? 스푸트니크

3 13세기, 목선에 돛을 달아 바람의 힘으로 움직이게 만든 배는 무엇인가? 범선

4 창의·인성 오늘날에는 하이브리드 자동차나 전기 자동차 등이 개발되어 실용화되고 있다. 그 이유가 무엇인지 이야기해 보자. 지금 사용하고 있는 휘발유나 경유 등은 고갈되어 가고 환경 오염을 일으키기 때문이다.

**01** 버스를 안전하고 효율적으로 운행하기 위해 교통 신호, 법규 등이 필요하다.
( ○ , × )

**02** 육상 수송 수단에 해당하는 것은?
① 드론
② 자동차
③ 잠수함
④ 위그선
⑤ 헬리콥터

**03** (　　　　　　)은/는 원동기를 장치하여 그 동력으로 바퀴를 굴려서 땅 위를 움직이도록 만든 차이다.

**04** 선박은 해상 수송 수단으로, (　　　　　　)을/를 이용하여 물 위에 띄워 사람이나 짐 등을 싣고 물 위를 떠다니도록 나무나 쇠 따위로 만든다.

**05** 바다 위를 최대 5m의 높이로 떠서 날아가는 초고속 선박을 무엇이라고 하는지 쓰시오.
(　　　　　　)

**06** 1769년, 프랑스의 퀴뇨는 증기 기관을 이용하여 증기 자동차를 만들었는데, 이는 동력을 이용한 최초의 자동차이다.
( ○ , × )

**07** 20세기에 들어 등장한 것으로 증기 기관차보다 열효율이 높고 성능이 우수한 기차는?
① 마차 철도
② 고속 철도
③ 디젤 기관차
④ 트레비식 증기 기관차
⑤ 스티븐슨 증기 기관차

**08** 다음에서 설명하는 선박을 쓰시오.

- 13세기, 목선에 돛을 달아 바람의 힘으로 움직일 수 있었다.
- 19세기 증기선이 출현하기 전까지 해상 수송에서 수천 년 동안 주요 선박이었다.

(　　　　　　)

**09** 라이트 형제의 동력 비행기에 탑재한 기관을 쓰시오.
(　　　　　　)

**10** 2012년 화성 표면에 착륙하여 화성 탐사 임무를 수행하고 있는 로봇을 쓰시오.
(　　　　　　)

# 개념 활용하기

정답과 해설 2쪽

**01** 〈보기〉에서 수송 기술의 특징만을 모두 고른 것은?

보기

가. 수송 규칙이 필요하다.
나. 수송 수단을 이용한다.
다. 수송 공간이 필요하다.
라. 지원 시설이 필요하다.
마. 생산 자원이 필요하다.
바. 시장 개척이 필요하다.

① 가, 나, 다, 라
② 가, 나, 다, 마
③ 가, 나, 다, 바
④ 나, 다, 라, 마
⑤ 나, 다, 라, 바

**02** 자동차에 대한 설명으로 옳은 것은?

① 전동기의 힘으로 철길을 달리는 수송 수단이다.
② 동력을 바퀴에 전달하여 도로 위를 달리는 수송 수단이다.
③ 로켓 기관을 이용하여 지구 궤도나 우주 공간으로 움직이는 수송 수단이다.
④ 자석의 힘을 이용하여 일정한 높이로 선로 위로 띄워 움직이는 수송 수단이다.
⑤ 디젤 기관으로 발전기를 돌려 전기의 힘으로 철도 위를 달리는 수송 수단이다.

**03** 다음에서 설명하는 수송 수단은?

- 육상 수송 수단이다.
- 철도 위를 달리는 수송 수단이다.
- 많은 양의 짐을 안전 하게 나를 수 있다.
- 정해진 시간에 목적지까지 도착할 수 있어 수송 시간을 절약할 수 있다.

① 기차
② 잠수함
③ 비행기
④ 위그선
⑤ 하이브리드 자동차

**04** 육상 수송 기술의 발달에 큰 영향을 준 발명은?

① 자석의 발명
② 나침반의 발명
③ 수레바퀴의 발명
④ 로켓 기관의 발명
⑤ 원자력 기관의 발명

**05** 육상 수송 기술에서 동력을 이용한 최초의 자동차는?

① 디젤 자동차
② 포드의 자동차
③ 가솔린 자동차
④ 하이브리드 자동차
⑤ 퀴뇨의 증기 자동차

**06** 〈보기〉는 자동차의 발달 과정을 나타낸 것이다. 순서대로 바르게 나열한 것은?

보기

가. 하이브리드 자동차
나. 퀴뇨의 증기 자동차
다. 벤츠의 가솔린 자동차
라. 포드의 자동차

① 가 → 나 → 다 → 라
② 가 → 다 → 나 → 라
③ 나 → 다 → 라 → 가
④ 나 → 라 → 다 → 가
⑤ 다 → 라 → 가 → 나

**07** 석탄을 싣고 운행한 최초의 기차로, 철도 시대를 열게 된 계기가 된 것은?

① 마차 철도
② 고속 철도
③ 디젤 기관차
④ 트레비식 증기 기관차
⑤ 스티븐슨 증기 기관차

**08** 잠수함에 대한 설명으로 옳은 것은?

① 여객을 수송하는 여객선이다.
② 화물을 수송하는 화물선이다.
③ 물속에 잠겨 이동할 수 있는 배이다.
④ 수면의 얼음을 깨고 항해하는 배이다.
⑤ 물속에서 모래나 자갈을 파내는 배이다.

**09** 해양 수송 기술에 대한 설명으로 옳은 것은?

① 대기를 이용하여 사람이나 물건을 이동하는 것
② 도로를 이용하여 사람이나 물건을 이동하는 것
③ 철길을 이용하여 사람이나 물건을 이동하는 것
④ 물 위나 물속을 통해 사람이나 물건을 이동하는 것
⑤ 로켓 기관을 이용하여 사람이나 물건을 지구 궤도나 우주 공간으로 이동하는 것

**10** 항공 수송 수단으로, 양력을 이용하여 사람이나 물건을 싣고 공중을 비행하는 것은?

① 위그선
② 비행기
③ 우주선
④ 쇄빙선
⑤ 쾌속정

**11** 트레비식 증기 기관차에 대한 설명으로 옳은 것은?

① 석탄을 싣고 운행한 최초의 기차이다.
② 자기력을 이용하여 움직이는 열차이다.
③ 증기 기관을 동력원으로 하는 기관차이다.
④ 목재로 만든 궤도 위로 석탄차를 끈 최초의 기차이다.
⑤ 디젤 기관으로 객차나 화차를 견인하는 기관차이다.

**12** 증기 기관을 통한 증기력을 이용하여 움직이는 배는?

① 범선
② 증기선
③ 통나무 배
④ 디젤 기관선
⑤ 원자력 항공 모함

**13** 라이트 형제의 비행기가 가지는 의미는?

① 초음속으로 비행한 최초의 비행기이다.
② 우주 공간을 비행한 최초의 비행기이다.
③ 열을 이용하여 비행한 최초의 비행기이다.
④ 동력을 이용하여 비행한 최초의 비행기이다.
⑤ 사람을 탑승시켜 비행한 최초의 비행기이다.

**14** 인간이 달에 착륙하여 그 활동 영역을 넓힌 것은?

① 나로호
② 콜롬비아호
③ 아폴로 11호
④ 스푸트니크
⑤ 익스플로러 1호

/ 재 / 미 / 있 / 는 / 교과서 134쪽

## 기 술 활 동 바람의 힘을 이용하여 움직이는 물체를 만들어 보자.

① [종이 바람 바퀴 만들기] 245쪽의 실습지를 이용하여 바람의 힘만으로 굴러가는 종이 바람 바퀴를 만들어 보자.

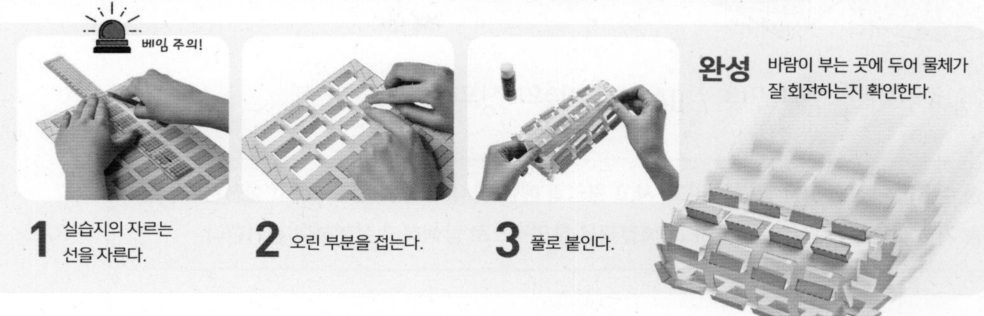

베임 주의!

1 실습지의 자르는 선을 자른다.

2 오린 부분을 접는다.

3 풀로 붙인다.

**완성** 바람이 부는 곳에 두어 물체가 잘 회전하는지 확인한다.

② [종이 헬리콥터 만들기] A4 종이와 가위만을 이용하여 종이 헬리콥터를 만들어 보자.

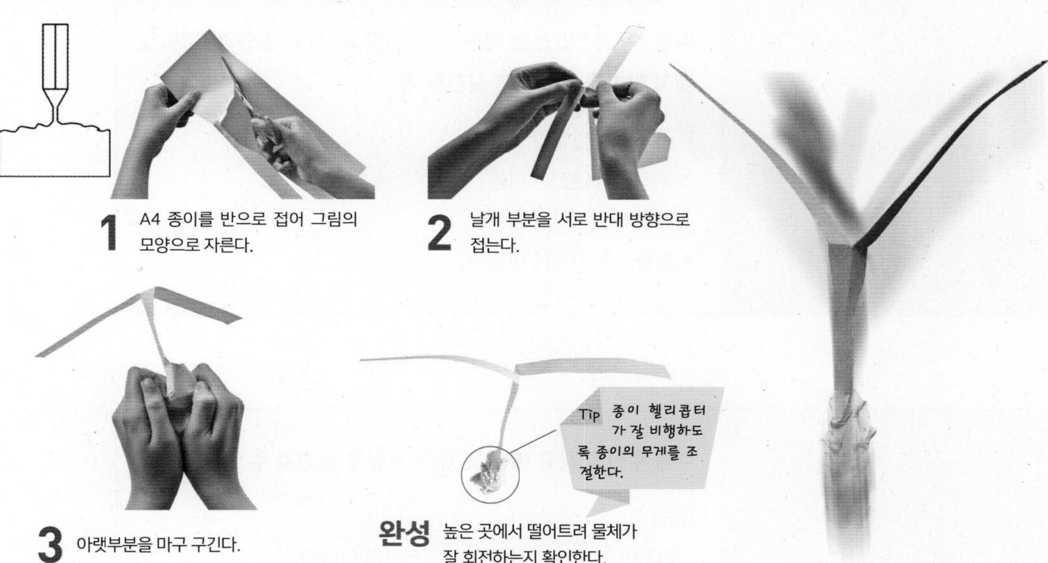

Tip 종이 헬리콥터가 잘 비행하도록 종이의 무게를 조절한다.

1 A4 종이를 반으로 접어 그림의 모양으로 자른다.

2 날개 부분을 서로 반대 방향으로 접는다.

3 아랫부분을 마구 구긴다.

**완성** 높은 곳에서 떨어트려 물체가 잘 회전하는지 확인한다.

## 이 섹션에서 할 수 있어야 하는 것!

### 선생님 생각 엿보기

**• 이 활동의 목적**

종이 바람 바퀴와 종이 헬리콥터 만들기를 통해 수송 기술에 바람의 힘을 적용할 수 있기를 바랍니다.

**• 선생님은 이 활동을 이렇게 평가합니다.**

| | |
|---|---|
| 상 | 바람의 힘을 이용하여 움직이는 물체 2가지 모두 잘 작동되었다. |
| 중 | 바람의 힘을 이용하여 움직이는 물체 1가지만 잘 작동되었다. |
| 하 | 바람의 힘을 이용하여 움직이는 물체 2가지 모두 잘 작동되지 않았다. |

### 이와 관련된 활동은?

**[관련 활동 ①] 수송 수단의 종류 표현하기** | 수송 수단의 종류를 마인드맵으로 표현해 보는 활동이다.
**[관련 활동 ②] '인간 동력' 수송 수단 조사하기** | 인간의 힘을 동력원으로 하여 작동하는 수송 장치를 조사하여 발표해 보는 활동이다.

## [03. 수송 수단의 안전한 이용 / 04. 수송 기술의 창의적 문제 해결]

- 수송 수단의 안전한 이용 방법을 알고, 사고 원인과 예방 및 대처 방법을 조사하고 실천한다.
- 수송 기술과 관련된 문제를 이해하고, 해결책을 창의적으로 탐색하고 실현하며 평가한다.

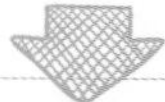

| 이 섹션에서 '알아야 할 것' (이해) | **수송 수단의 안전한 이용 방법을 알고, 사고 원인과 예방 및 대처 방법을 조사하고 실천한다.**<br>1. 자동차의 안전한 이용<br>2. 자전거의 안전한 이용<br>3. 선박의 안전한 이용<br>4. 항공기의 안전한 이용 |
|---|---|

| 이 섹션에서 '할 수 있어야 하는 것' (능력) | **수송 수단의 사고 예방 및 대처 방법을 실천할 수 있다.**<br>[활동 1]<br>• 안전한 자전거 타기를 위해 수신호를 연습해 보자.<br>[활동 2]<br>• 수송 수단의 안전 사례를 보고, 주변에서 첨단 기술을 활용하여 안전을 지키려는 사례를 조사하여 보자.<br>[활동 3]<br>• 수송 수단의 안전사고를 줄일 수 있는 아이디어를 창의적으로 구상하여 그리거나 적어 보자. |
|---|---|

**수송 기술의 창의적 문제 해결 실습**

'바퀴 없는 진동카 만들기'를 통해 수송 기술과 관련된 문제를 이해하고, 해결책을 창의적으로 탐색하고 실현하며 평가한다.

이 섹션에서 알아야 할 것!

# 03 수송 수단의 안전한 이용

## 1. 자동차의 안전한 이용

**① 사고 예방을 위한 안전한 이용 방법**

㉠ 차를 기다릴 때에는 질서를 지켜 차례로 타고 내리며, 차 안에서는 장난하지 않는다.
㉡ 차를 탈 때에는 차가 완전히 멈출 때까지 차도에 내려서면 안 된다.
㉢ 차를 타면 안전띠를 꼭 매고, 창문 밖으로 머리나 손을 내밀지 않는다.

**② 사고 원인**

㉠ **사람에 의한 원인:** 음주 운전, 졸음 및 피로 운전
㉡ **환경에 의한 원인:** 안개 및 도로 노면 상태
㉢ **차량 자체에 의한 원인:** 타이어 및 브레이크 파열

**③ 사고 대처 방법**

㉠ 본인 및 주위 동승자 중 부상자가 있는지 확인한다.
㉡ 환자 발생 시 환자의 의식을 확인하고, 다친 사람이 있으면 119에 신고한다.
㉢ 구조, 구급 차량이 올 때까지 무리한 이송이나 구조를 하지 않는다.

## 2. 자전거의 안전한 이용

**① 사고 예방을 위한 안전한 이용 방법**

㉠ 내 몸에 맞는 자전거를 이용하고, 안전 장비를 착용한다.
㉡ 자전거는 주기적으로 점검한다. 타기 전에는 안전 점검 ABC를 확인한다.
㉢ 횡단보도에서는 자전거를 끌고 건너간다.
㉣ 야간 운행 시에는 라이트를 켜고, 시속 20km 이내의 안전 속도를 준수한다.

**② 사고 원인**

㉠ 자신의 능력을 과신하며 신호를 무시할 경우
㉡ 속도 경쟁, 짐받이에 친구 태우기, 손 놓고 타기, 차량 사이를 지그재그 타기, 병렬 주행 등 올바른 방법으로 타지 않는 경우
㉢ 좁은 길에서 속도를 줄이지 않고 큰길로 나가는 경우
㉣ 교차로에서 좌, 우회전 시 뒤쪽 차량에 수신호를 하지 않는 경우
㉤ 휴대 전화를 사용하거나 음악을 들으며 자전거를 운전하는 경우

**③ 사고 대처 방법**

㉠ 119에 신고하고, 주변에 도움을 요청하며, 사고 현장을 사고 발생 상태로 보존한다.
㉡ 사고 목격자를 확보하여 연락처와 이름을 알아둔다.

## 3. 선박의 안전한 이용

**① 사고 예방을 위한 안전한 이용 방법**

㉠ 구명 장비(구명조끼, 구명줄) 보관 위치와 사용 요령을 알아둔다.
㉡ 비상구 및 탈출 경로를 확인한다.

**동기 유발** [교과서 136쪽]

그림에서 학생의 잘못된 행동을 모두 찾아 이야기해 보자.

**예시 답안**

- 헬멧과 보호대를 착용하지 않았다.
- 이어폰을 꽂고 노래를 듣고 있다.
- 한 손으로 운전을 하고 있다.
- 슬리퍼를 신고 있다.
- 사람이 걷는 인도에서 자전거를 타고 있다.

**보조 노트**

**안전띠**

독일의 비행기 연구가 칼 고터는 비행기에 최초로 안전띠를 적용하였다.

**자전거 안전 주행 거리**

자전거 운전자는 앞의 자동차, 자전거와 안전거리를 충분히 두어야 한다. 자전거와는 평지에서 자전거 1대가 충분히 들어갈 정도(약 3m), 내리막에서는 3대 이상의 거리를 두고 주행한다.

**자전거의 구조**

자전거는 몸통을 이루는 뼈대, 방향을 조절하는 조향계, 앞 · 뒷바퀴, 발판 등 구동 장치, 변속 장치, 제동 장치 등으로 이루어져 있다.

**안전 점검 ABC**

- Air(공기): 타이어 공기압 점검
- Brake(브레이크): 브레이크 작동 상태 확인
- Chain(체인): 페달을 돌려 체인 상태 확인

**보조 노트**

**구명조끼**

각종 해상 사고나 비행기 추락 등으로 물에 빠져 익사하는 상황을 방지하는 물품

**선박 사고 시 유의 사항**

선박 침몰 시 성급하게 바다로 뛰어들면 와류 현상으로 거대한 소용돌이가 일어나 주변을 빨아들여 깊은 물속으로 잠길 수 있으므로 주의해야 한다.

**항공기 탑승 시 안전띠 착용 방법**

비행기 이 · 착륙 시에는 반드시 안전띠를 착용하며, 안전띠 착용 표시등이 꺼진 후에도 기류 변화 등으로 비행기가 흔들릴 수 있으므로 안전띠를 착용한다.

**항공기 사고 비상 탈출 시 유의 사항**

항공기 사고 비상 탈출 시 슬라이드를 이용하여 탈출할 경우에는 머뭇거리지 말고 과감하게 뛰어내려야 하며, 굽이 높거나 스파이크가 박힌 신발 등은 벗고, 목도리나 스카프와 같이 목을 감고 있는 물건은 풀고 뛰어내린다.

[교과서 141쪽]

달걀을 안전하게 수송하라!

**활동 TIP**

안전에 주의하며, 무게 중심을 고려한 균형 있는 장치가 되어야 한다.

ⓒ 승객 출입 금지 표시 장소에는 출입하지 않는다.

ⓔ 비나 눈이 오거나 바람이 심하게 부는 경우에는 갑판으로 나가지 않는다.

ⓜ 부두에 선박이 완전히 정차한 후 승무원의 안내에 따라 질서 있게 내린다.

**② 사고 원인**

㉠ **운항 과실:** 실수, 태만, 안전 수칙 미준수

㉡ **취급 불량 및 결함:** 기계적 결함과 노후화

ⓒ **기타:** 관리 문제와 기상

**③ 사고 대처 방법**

㉠ 사고 발생 시 즉시 큰 소리로 외치거나 비상벨을 눌러 사고 발생 사실을 알린다.

㉡ 위험한 상황이 되었을 때 구명조끼를 입고, 물속에서 행동이 쉽도록 신발을 벗는다.

ⓒ 저체온증에 걸리지 않도록 구명조끼를 착용하고 물속에 뛰어든 사람은 신속하게 육지 쪽으로 이동하거나 부유품을 이용해 체온이 떨어지지 않도록 한다.

ⓔ 선체가 한쪽으로 기울 경우 반대 방향의 높은 쪽으로 대피한다.

## 4. 항공기의 안전한 이용

**① 사고 예방을 위한 안전한 이용 방법**

㉠ 이착륙 시 안전띠를 착용하고, 테이블과 의자를 제자리에 놓는다.

㉡ 위험 물품을 반입하지 않는다.

ⓒ 비상구 위치를 확인해 두고, 승무원의 안내 방송을 잘 따른다.

**② 사고 원인**

조종사의 판단 및 조작 실수, 장비 과실 및 장치 고장, 항공 교통관제의 착오 및 기상

**③ 사고 대처 방법**

㉠ 흉기가 될 수 있는 소지품은 제거하고, 충돌 전 웅크린 자세로 충격을 최소화한다.

㉡ 사고 발생 시 일행을 찾지 말고 먼저 신속히 탈출하고, 구명조끼는 탈출 후 부풀린다.

ⓒ 생존자끼리 모여 있어야 구조될 가능성이 높다.

**이 섹션의 핵심 키워드** | 자동차의 안전한 이용, 자전거의 안전한 이용, 선박의 안전한 이용, 항공기의 안전한 이용

**스스로 정리하기**

1 자동차 탑승 시 꼭 안전띠를 매야 하는 이유는 무엇인가?
사고 시 생명을 보호하기 위해 안전띠를 꼭 매야 한다.

2 사고 예방을 위한 자전거의 안전한 이용 방법 중, 자전거의 안전 속도는 시속 몇 km 이내를 준수해야 하는가? 20km

3 선박 사고 시 구명조끼를 입고 가능한 한 신발을 왜 벗어야 하는가?
물속에서 행동을 쉽게 하기 위해 가능한 한 신발을 벗는다.

4 창의·인성 항공기 사고 시 생존자끼리 모여 있어야 하는 이유를 이야기해 보자.
함께 모여 있어야 발견될 확률이 높아 생존 가능성이 커진다.

01 차를 타면 꼭 매야 하는 ( )은/는 복부가 아닌 어깨와 골반뼈를 지나는 곳에 바르게 위치하도록 한다.

02 차를 탈 때에는 차가 완전히 멈출 때까지 차도에 내려서면 안 된다.
( ○ , × )

03 차량 자체에 의한 자동차 사고 원인은?
① 안개 낌
② 도로의 결빙
③ 타이어 이상
④ 안전띠 미착용
⑤ 브레이크 파열

04 자전거 도로에서는 시속 ( ) 이내의 안전 속도를 준수한다.

05 자전거 사고를 예방하기 위해서는 교차로에서 좌, 우회전 시 뒤쪽 차량에 ( )을/를 하여야 하며, 휴대 전화를 사용하거나 음악 등을 들으며 자전거를 운전하지 않는다.

06 선박 탑승 시 비나 눈이 오거나 바람이 심하게 부는 경우에는 위험하므로 갑판으로 나가지 않는다.
( ○ , × )

07 선박 사고 시 물속에서 신발을 벗어야 하는 이유는?
① 행동을 쉽게 하기 위해
② 부유품을 잡고 있기 위해
③ 구명조끼를 착용하기 위해
④ 저체온증에 걸리지 않기 위해
⑤ 갑판 위에서 미끄러지지 않기 위해

08 선박 사고 시 물속에 뛰어든 사람은 신속하게 육지 쪽으로 이동하거나 ( )을/를 이용해 체온이 떨어지지 않도록 한다.

09 항공기 사고 예방을 위해 이착륙 시에는 ( ) 을/를 꼭 착용한다.

10 항공기 사고 시 생존자끼리 모여 있어야 하는 이유를 쓰시오.
( )

**01** 자동차 승차 시 안전띠를 매야 하는 이유는?

① 사고 시 안전사고를 예방한다.
② 사고 시 신원 파악에 도움이 된다.
③ 이동 시 주변 친구들과 장난을 방지한다.
④ 이동 시 창문 밖으로 머리를 내밀지 못한다.
⑤ 승차하고 순서대로 자리에 앉을 수 있다.

**02** 자동차 사고 원인 중 차량 자체에 의한 것은?

① 졸음 운전
② 타이어 파열
③ 자욱한 안개
④ 안전띠 미착용
⑤ 도로 노면의 훼손

**03** 자전거의 안전한 이용 방법으로 옳은 것은?

① 횡단보도에서는 자전거를 천천히 타고 건넌다.
② 야간 운행 시에는 전방과 후방의 라이트를 켠다.
③ 자전거는 몸에 맞지 않아도 점검만 잘하면 된다.
④ 자전거는 이상 발생 시에만 정기 점검을 실시한다.
⑤ 자전거 도로에서는 시속 50km 이내의 속도로 달린다.

**04** 안전한 자전거 타기를 위한 수신호 중 속도를 줄이라는 것은?

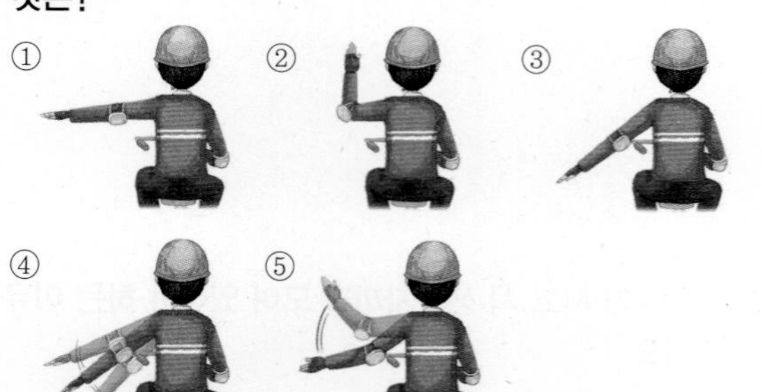


**05** 선박 사고의 원인에 해당하는 것은?

① 안전띠 미착용
② 노면 상태 불량
③ 교통 신호의 무시
④ 기계적 결함과 노후화
⑤ 항공 교통관제의 착오

**06** 선박 사고 시 물속에서 행동이 쉽도록 하기 위해 해야 하는 것은?

① 비상벨을 누른다.
② 가능한 한 신발을 벗는다.
③ 부유품을 꼭 잡고 행동한다.
④ 구명조끼의 가슴 단추를 채운다.
⑤ 구명조끼의 가슴 조임줄을 당긴다.

**07** 다음과 같은 사고 원인으로 발생하는 사고는?

> • 조종사의 판단 및 조작 실수
> • 정비 과실, 장치의 고장
> • 항공 교통관제의 착오 및 기상의 영향

① 선박 사고
② 자동차 사고
③ 항공기 사고
④ 자전거 사고
⑤ 지하철 사고

**08** 항공기 사고 대처 방법 중 충돌 전 웅크린 자세를 취해야 하는 이유로 가장 옳은 것은?

① 충격을 최소화하기 위해
② 구조 가능성을 높이기 위해
③ 저체온증에 걸리지 않기 위해
④ 사고 후 의식을 잃지 않기 위해
⑤ 사고 발생 시 일행을 빨리 찾기 위해

/ 재 / 미 / 있 / 는 /

## 기 술 활 동

교과서 137쪽

**안전한 자전거 타기를 위해 수신호를 연습해 보자. 앉은 자리에서 앞뒤 친구와 짝을 지어 한 명은 수신호를 주고, 다른 한 명은 수신호의 뜻을 맞혀 본다.**

<출처: 행정자치부>

왼쪽으로 이동한다.

오른쪽으로 이동한다.

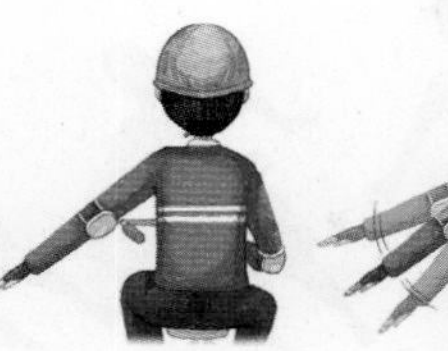
정지한다.

속도를 줄인다.

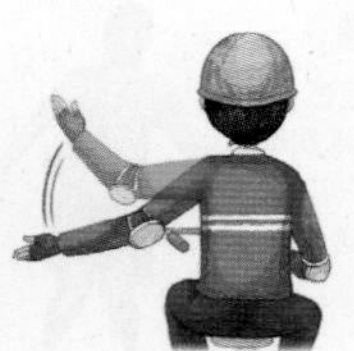
앞지르라는 신호이다.

**선생님 생각 엿보기**

**· 이 활동의 목적**

자전거 이용 시 수신호를 익혀 안전하게 자전거를 탈 수 있기를 바랍니다.

**· 선생님은 이 활동을 이렇게 평가합니다.**

| | |
|---|---|
| 상 | 앞 자리에 앉은 친구의 수신호를 모두 맞혔다. |
| 중 | 앞 자리에 앉은 친구의 수신호를 잘 맞히지 못하였다. |
| 하 | 앞 자리에 앉은 친구의 수신호를 모두 맞히지 못하였다. |

**이와 관련된 활동은?**

**[관련 활동] 안전 사다리 타기** | 자동차, 자전거, 선박, 항공기 사고 원인과 대처 방법에 관한 내용을 읽고, 빈칸을 채운 후 사다리 타기를 하여 정답을 확인해 보는 활동이다.

/ 재 / 미 / 있 / 는 /

## 기 술 활 동

교과서 138쪽

**수송 수단의 안전 사례를 보고, 주변에서 첨단 기술을 활용하여 안전을 지키려는 사례를 조사하여 보자.**

자동차의 자동 정지 기능

침수에 대비한 선박의 블록화

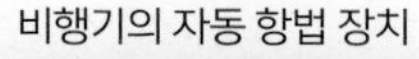
비행기의 자동 항법 장치

**선생님 생각 엿보기**

**· 이 활동의 목적**

수송 수단에 이용되는 첨단 안전 장치 사례들을 알 수 있기를 바랍니다.

**· 선생님은 이 활동을 이렇게 평가합니다.**

| | |
|---|---|
| 상 | 수송 수단에 이용되는 첨단 안전 장치 사례들을 3가지 이상 조사하였다. |
| 중 | 수송 수단에 이용되는 첨단 안전 장치 사례들을 2가지 조사하였다. |
| 하 | 수송 수단에 이용되는 첨단 안전 장치 사례들을 전혀 조사하지 못하였다. |

**이와 관련된 활동은?**

**[관련 활동] 첨단 안전 장치 사례 찾아보기** | 인터넷이나 신문 기사를 통해 첨단 기술을 활용하여 안전을 지키려는 사례들을 찾아 친구들과 공유해 보는 활동이다.

## 기 술 활 동

**수송 수단의 안전사고를 줄이기 위해 적용된 사례를 보고, 기술을 활용하여 안전사고를 줄일 수 있는 아이디어를 창의적으로 구상하여 그리거나 적어 보자.**

**육상 수송 수단의 사례**

자전거 또는 오토바이 운전 시, 몸의 균형을 잃었을 때에 허리의 에어백 센서가 작동하면서 넘어지는 순간 부풀어 몸을 보호한다.

**해상 수송 수단의 사례** 선박 사고 발생 시, 선체가 기울면 자동으로 바닥에 돌기가 나와 승객의 탈출을 돕는다.

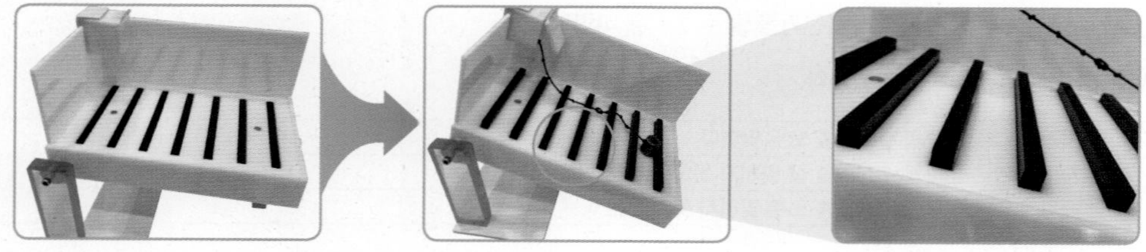

**항공 수송 수단의 사례** 비행기 사고 발생 시 승객이 타고 있는 객실이 분리되어 안전하게 착지한다.

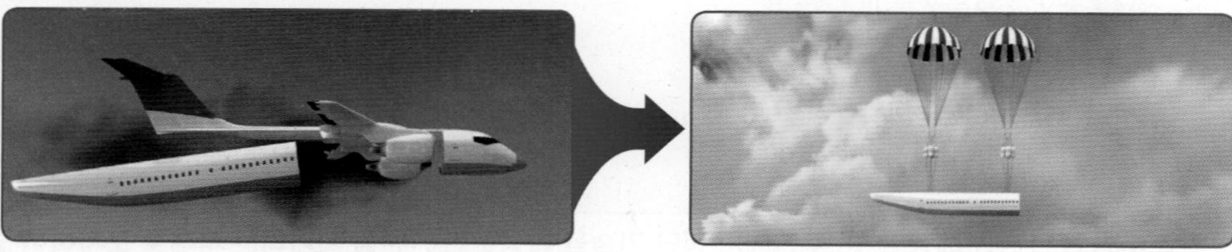

제목 에어백 바퀴

구상한 이유 자전거 이용 시 균형을 잃고 쓰러질 때, 몸을 보호하기 위하여 에어백 바퀴를 구상하였다.

작동 원리 자전거 바퀴 중앙에 에어백을 설치하여 균형을 잃고 쓰러질 때, 에어백 센서가 작동하면서 바닥과의 충격을 최소화하여 몸을 보호한다.

**선생님 생각 엿보기**

**· 이 활동의 목적**

수송 수단의 안전에 관한 아이디어를 구상할 수 있기를 바랍니다.

**· 선생님은 이 활동을 이렇게 평가합니다.**

| | |
|---|---|
| 상 | 수송 수단의 안전에 관한 아이디어가 창의적이고, 실현 가능성이 높았다. |
| 중 | 수송 수단의 안전에 관한 아이디어가 창의적이지만, 실현 가능성이 낮았다. |
| 하 | 수송 수단의 안전에 관한 아이디어가 창의적이지 못하고, 실현 가능성이 낮았다. |

**이와 관련된 활동은?**

**[관련 활동] 교통 안전 신문 만들기** | 교통 수단을 이용할 때 안전한 이용에 대한 신문을 만들어 보는 활동이다.

이 섹션에서
알아야 할 것!

# 04 수송 기술의 창의적 문제 해결

## 1. 문제 확인하기

① **과제명:** 바퀴 없는 진동카를 만든다.

② **제한 사항:** 쉽게 구할 수 있는 재료 사용, 탁구공을 싣고 목적지까지 안전하게 운반

## 2. 아이디어 창출하기

① **정보 수집하기**

㉠ **바퀴 없이 움직이는 수송 수단:** 자기 부상 열차, 에어로 모빌, 호버크래프트 등

㉡ **편심을 이용한 진동 원리:** 어떤 물체의 중심이 한쪽으로 쏠려 있는 편심 이용

② **창의적인 아이디어 구상하기**

## 3. 아이디어 구체화하기

① 프리핸드로 스케치하여 구체화한다.

② 구상도와 제작도를 그린다.

## 4. 실행하기

① **준비물:** 하드보드지, 자, 전동기, 스위치, 전선, 건전지 홀더, 건전지, 병뚜껑, 종이컵, 탁구공, 글루건, 칼, 송곳

② **만들기**

㉠ **마름질하기:** 설계한 대로 하드보드지에 선을 긋고 자른다.

㉡ **가공하기:** 다리 부분을 접고, 송곳으로 병뚜껑에 구멍을 뚫는다.

㉢ **조립하기:** 글루건으로 붙이고, 선들을 연결한다.

㉣ **완성하기:** 탁구공을 넣고 작동해 본다.

## 5. 평가하기

① **자기 평가:** 진동카의 원리와 동력을 이해하였으며, 작업 시 안전 및 유의 사항을 잘 지켰는가?

② **동료 평가:** 창의적인 아이디어를 내고, 적극적으로 실습에 참여한 동료는 누구인가?

③ **제품 평가:** 진동카의 디자인은 창의적인가? 진동카는 견고하게 제작되었는가? 진동카가 탁구공을 떨어뜨리지 않고 목적지까지 주행한 시간은?

**동기 유발** [교과서 142쪽]

바퀴 없는 자동차를 만드는 방법을 생각해 보자.

**예시 답안**

- 자석의 원리를 이용하여 자기 부상 자동차를 만든다.
- 공기의 힘을 이용하여 호버크래프트 자동차를 만든다.

[교과서 146쪽]

진동카의 직진성과 속도를 더 보완할 수 있는 방법을 생각하고 스케치해 보자.

**예시 답안**

속도를 더 보완하기 위하여 비행기처럼 앞부분을 뾰족하게 만들 것이다.

[교과서 147쪽]

사진에서 교통 단속 중인 경찰은 무엇이라고 말했을지 적어 보자.

**예시 답안**

여기는 정차할 수 없는 곳입니다. 앗! 운전자는 어디 있지? 누구에게 교통 위반 사항을 얘기해야 하지?

**스스로 정리하기**

1 축이 회전체의 중심에 있으면 잘 돌아가지만, 중심에서 벗어나면 무엇이 발생하는가? 진동

2 창의·인성 바퀴 없는 진동카 만들기에서 글루건을 사용할 때 주의할 점을 이야기해 보자.
손을 데지 않도록 주의한다.

**01** 바퀴 없는 진동카를 만들기 위해 관련 정보를 수집하고, 창의적인 아이디어를 구상하는 단계는 (　　　　　　) 이다.

**02** 진동카 만들기에서 축이 회전체의 중심에 있으면 잘 돌아가지만 중심에서 벗어나면 진동이 생긴다. 이처럼 어떤 물체의 중심이 한쪽으로 쏠려 있는 것은?

① 편심　② 진동
③ 전동기　④ 다이오드
⑤ 하이브리드

**03** 바퀴 없는 진동카 만들기에서 프리핸드로 스케치하는 단계는 (　　　　　　)이다.

**04** 필요한 재료와 공구를 준비하여 바퀴 없는 진동카를 만드는 단계를 쓰시오.

(　　　　　　　　　)

**05** 바퀴 없는 진동카 만들기에 필요한 준비물이 아닌 것은?

① 송곳
② 병뚜껑
③ 종이컵
④ 발전기
⑤ 글루건

**06** 만들기에 필요한 재료와 공구를 준비하는 과정을 마름질하기라고 한다.

( ○ , × )

**07** 재료인 하드보드지에 금을 긋고 자르는 과정은?

① 준비하기　② 설계하기
③ 평가하기　④ 조립하기
⑤ 마름질하기

**08** 진동카의 다리 부분을 접고, 송곳으로 병뚜껑에 구멍을 뚫는 과정은?

① 준비하기　② 설계하기
③ 평가하기　④ 조립하기
⑤ 가공하기

**09** 탁구공을 넣고 작동해 보는 과정은?

① 완성하기　② 설계하기
③ 평가하기　④ 조립하기
⑤ 가공하기

**10** 바퀴 없는 진동카 만들기의 평가하기에서는 자기 평가, 동료 평가, (　　　　　　) 평가 등을 실시한다.

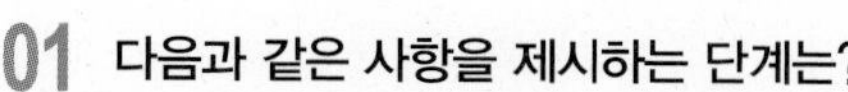

# 개념 활용하기

정답과 해설 3쪽

**01** 다음과 같은 사항을 제시하는 단계는?

> • 과제명: 바퀴 없는 진동카 만들기
> • 제한 사항
> – 하드보드지, 자, 칼, 송곳, 종이컵, 건전지, 전동기, 탁구공, 글루건 등을 사용한다.
> – 제한 시간 내에 목적지까지 도착해야 한다.
> – 목적지까지 도착하는 동안 탁구공이 떨어지면 안 된다.

① 실행하기
② 평가하기
③ 문제 확인하기
④ 아이디어 창출하기
⑤ 아이디어 구체화하기

**02** 아이디어 창출하기에 대한 설명으로 옳은 것은?

① 대상의 특성과 불편한 점을 찾는다.
② 표현된 아이디어를 완성품으로 만든다.
③ 정보를 수집하고, 아이디어를 구상한다.
④ 다른 사람이 알아볼 수 있도록 표현한다.
⑤ 선정한 아이디어를 프리핸드로 스케치한다.

**03** 프리핸드로 스케치하고, 구상도와 제작도를 그리는 단계는 (　　　　　　　　　)이다.

**04** 〈보기〉는 수송 기술의 창의적 문제 해결 과정을 나타낸 것이다. 그 순서를 바르게 나열한 것은?

> 보기
> 가. 평가하기　　　　　　나. 실행하기
> 다. 문제 확인하기　　　라. 아이디어 창출하기
> 마. 아이디어 구체화하기

① 가 → 나 → 다 → 라 → 마
② 가 → 다 → 나 → 라 → 마
③ 나 → 가 → 다 → 마 → 라
④ 나 → 다 → 라 → 마 → 가
⑤ 다 → 라 → 마 → 나 → 가

**05** 바퀴 없는 진동카 만들기에서 병뚜껑을 한쪽으로 치우치게 끼우는 이유는?

① 진동을 발생시키기 위해
② 진동카의 속도를 높이기 위해
③ 진동카가 똑바로 가게 하기 위해
④ 탁구공이 떨어지지 않게 하기 위해
⑤ 전동기가 잘 작동되도록 하기 위해

**06** 다음에서 설명하는 평가는?

> • 진동카의 원리를 이해하였는가?
> • 진동카에 사용되는 동력을 이해하였는가?
> • 작업할 때 안전 및 유의 사항을 잘 지켰는가?

① 자기 평가
② 동료 평가
③ 제품 평가
④ 수행 평가
⑤ 구상 평가

## [05. 신·재생 에너지의 이해 / 06. 에너지 문제의 창의적 해결]

- 신·재생 에너지의 활용을 이해하고, 신·재생 에너지 개발의 중요성을 인식하여 효율적인 에너지 이용 방안을 제안한다.
- 에너지와 관련된 문제를 이해하고, 해결책을 창의적으로 탐색하고 실현하며 평가한다.

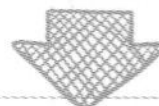

| 이 섹션에서 '알아야 할 것' (이해) | **신·재생 에너지의 활용을 이해하고, 신·재생 에너지의 중요성을 인식한다.**<br>1. 신·재생 에너지 개발의 중요성<br>2. 신·재생 에너지의 활용<br>3. 에너지의 효율적 이용 방안 |
|---|---|

| 이 섹션에서 '할 수 있어야 하는 것' (능력) | **신·재생 에너지 개발의 중요성을 인식하여 효율적인 에너지 이용 방안을 제안할 수 있다.**<br>[활동 1]<br>· 그리스 로마 신화에 나오는 신과 연결되는 신·재생 에너지를 찾아보자.<br>[활동 2]<br>· 신·재생 에너지와 관련된 놀이를 해 보자. |
|---|---|

**에너지 문제의 창의적 해결 실습**

'태양광 스마트폰 충전기 만들기'를 통해 충전 효율이 좋으며, 충전 시 태양 전지를 세울 수 있는 문제를 탐색하고 실현하며 평가한다.

이 섹션에서 알아야 할 것!

# 05 신·재생 에너지의 이해

## 1. 신·재생 에너지 개발의 중요성

**① 신·재생 에너지의 의미**

㉠ **에너지:** 일을 할 수 있는 능력 또는 어떤 것을 변화시킬 수 있는 능력

㉡ **에너지 자원:** 에너지의 원료가 되는 물질이나 자연 현상

㉢ **신·재생 에너지:** 기존의 화석 연료를 변환하여 이용하거나, 햇빛, 물, 지열, 강수, 생물 유기체 등을 재생 가능한 에너지로 변환하여 이용하는 에너지

**② 신·재생 에너지 개발의 중요성**

화석 에너지의 고갈, 환경 문제, 석유 가격의 불안정성 문제 해결, 세계 기후 변화 협약 준수하기 위해 지속적인 연구와 개발 필요

## 2. 신·재생 에너지의 활용

**① 신에너지**

㉠ **연료 전지:** 수소와 산소의 화학 반응으로 생기는 화학 에너지를 전기 에너지로 변환하는 장치

- 활용: 연료 전지를 사용한 드론, 연료 전지 자동차, 가정용 연료 전지 등

㉡ **수소 에너지:** 수소를 태울 때 발생하는 폭발력을 이용하는 에너지

- 활용: 수소 자동차, 수소 자동차 충전소, 로켓 등

㉢ **석탄 액화 및 가스화:** 석탄 액화 기술은 고체 연료인 석탄을 휘발유 또는 경유와 같은 액체 연료로 전환하는 기술이고, 석탄 가스화 기술은 석탄을 이용하여 만든 가스로 터빈을 돌려 전기를 얻는 기술이다.

- 활용: 석탄 가스화 복합 발전 단지

**② 재생 에너지**

㉠ **태양광 에너지:** 태양 전지를 이용하여 전기를 얻는 에너지

- 활용: 태양광 발전, 태양광 비행기, 태양광 자동차, 태양광 가방 등

㉡ **태양열 에너지:** 태양열을 모아 이용하는 에너지

- 활용: 태양열 난방 장치, 태양열 발전기 등

㉢ **수력 에너지:** 물이 떨어지는 힘으로 터빈을 돌려 전기를 얻는 에너지

- 활용: 수력 발전소(섬진강 댐)

㉣ **풍력 에너지:** 바람으로 풍차를 돌려 전기를 얻는 에너지

- 활용: 풍력 발전 등

㉤ **지열 에너지:** 깊은 땅속의 열로 얻은 증기로 터빈을 돌려 전기를 얻는 에너지

- 활용: 지열 발전소(포항) 등

㉥ **바이오 에너지:** 식물, 가축의 분뇨, 음식물 쓰레기 등을 고체, 액체, 기체 형태의 연료

**동기 유발** [교과서 150쪽]

이순신 장군은 바다의 어떤 힘을 이용하여 승리하였는지 생각해 보자.

**예시 답안**

울돌목 조류의 힘을 전투에 이용하였다.

**보조 노트**

**연료 전지의 발전 원리**

첫째, 연료극에 공급된 수소는 수소 이온과 전자로 분리된다.
둘째, 수소 이온은 전해질층을 통해 공기극으로 이동, 전자는 외부 회로를 통해 공기극으로 이동한다.
셋째, 공기극 쪽에서 산소 이온과 수소 이온이 만나 반응 생성물(물)을 생성한다. 최종적인 반응은 수소와 산소가 결합하여 물, 전기 및 열을 생성한다.

**태양광 발전**

햇빛을 받으면 광전 효과에 의해 전기를 생산하는 태양 전지에 의하여 태양광을 직접 전력으로 변환하는 발전 방식이다.

**작은 활동** [교과서 151쪽]

주변에서 본 적이 있는 에너지를 151~155쪽의 □ 안에 모두 체크해 보자.

**예시 답안**

우리 주변에서 많이 이용되고 있는 에너지들을 생각해 보고 어떻게 활용되고 있는지 알아본다.

작은 활동 [교과서 155쪽]

151~155쪽의 □에 체크한 개수를 친구와 비교해 보고, 어디서 볼 수 있었는지 이야기해 보자.

예시 답안

지역에서 사용하고 있는 신·재생 에너지가 어떻게 활용되고 있는지 알아본다.

작은 활동 [교과서 158쪽]

교과서의 실천 사항 외에 에너지를 효율적으로 이용할 수 있는 방법을 조사하여 친구들과 이야기해 보자.

예시 답안

빈 교실의 선풍기나 냉난방기를 잘 끈다.

[교과서 159쪽]

학교 또는 집에 있는 전기 제품 중에서 에너지 효율과 관련된 마크가 있는지 찾아보자.

예시 답안

교실 안에 있는 전기 제품 중에서 에어컨, 텔레비전, 스탠드, 선풍기 등에 부착된 마크를 찾는다.

로 만들어 사용하는 에너지
- 활용: 바이오 디젤 자동차 등

ⓢ **해양 에너지:** 해양의 밀물과 썰물, 조류, 파도, 온도 차 등을 이용하여 전기나 열을 얻는 에너지
- 활용: 조력 발전(시화호), 조류 발전(울돌목) 등

ⓞ **폐기물 에너지:** 폐기물을 연료로 만들어 사용하는 에너지
- 활용: 생활 폐기물 재생 연료, 폐목재 재생 연료, 폐타이어 재생 연료 등

## 3. 에너지의 효율적 이용 방안

**① 올바른 물 사용**

㉠ 빨랫감은 한 번에 모아서 세탁한다.
㉡ 양치질이나 세수는 물을 받아 놓고 한다.
㉢ 설거지는 한 번에 모아서 한다.
㉣ 청소할 때에는 목욕에 사용했던 물이나 허드렛물을 사용한다.

**② 올바른 전기 사용**

㉠ 가전제품 플러그는 사용하지 않을 때에는 빼둔다.
 – 연간 대기 전력 11% 감소
㉡ 냉장고 안에 음식량은 60%만 채운다.
 – 10% 증가 시 전기 소비 4% 증가
㉢ 냉장고 문을 자주 여닫지 않는다.
㉣ 텔레비전을 안 볼 때에는 꼭 꺼두고 필요한 시청만 한다.

**③ 실내 적정 온도 유지**

㉠ 여름철 실내 적정 온도는 26~28℃를 유지한다.
㉡ 겨울철 실내 적정 온도는 20℃ 이하를 유지한다.

**이 섹션의 핵심 키워드** | 신·재생 에너지, 에너지의 효율적 이용 방안

**스스로 정리하기**

1 수소와 산소의 화학 반응으로 생기는 화학 에너지를 전기 에너지로 변환하는 신에너지를 무엇이라고 하는가? 연료 전지

2 깊은 땅속의 고온의 증기로 터빈을 돌려 전기를 얻는 재생 에너지를 무엇이라고 하는가? 지열 에너지

3 시화호 조력 발전소에 이용되는 것은 무엇인가? 밀물과 썰물의 힘(조수 간만의 차이)

4 창의·인성 우리가 여름에 냉장고 문을 열면 시원함을 느낀다. 그렇다면 밀폐된 공간에서 냉장고 문을 열어 놓는다면 그 공간의 온도는 올라갈지 아니면 내려갈지를 생각해 보고, 그 이유도 이야기해 보자. 이론적으로 에너지 효율이 100%라면 온도 변화가 없어야 하지만 그렇지 않기 때문에 온도가 올라간다.

**01** 기존의 화석 연료를 변환하여 이용하거나, 햇빛, 물, 지열, 강수, 생물 유기체 등을 재생 가능한 에너지로 변환하여 이용하는 에너지를 무엇이라 하는지 쓰시오.

( )

**02** 연료 전지는 수소와 산소의 화학 반응으로 생기는 화학 에너지를 전기 에너지로 변환하는 장치이다.

( ○ , × )

**03** 신에너지에 해당하는 것은?

① 해양 에너지
② 수소 에너지
③ 수력 에너지
④ 태양광 에너지
⑤ 바이오 에너지

**04** 수소 에너지는 수소를 태울 때 발생하는 ( ) 을/를 이용하는 에너지로 자동차 등에 활용된다.

**05** 태양광 에너지는 무엇을 이용하여 전기를 얻는지 쓰시오.

( )

**06** 수력 에너지는 물이 떨어지는 힘으로 풍차를 돌려 전기를 얻는 신에너지이다.

( ○ , × )

**07** 지열 에너지에 이용되는 것은?

① 태양 전지
② 연료 전지
③ 고온 증기
④ 수소와 산소
⑤ 밀물과 썰물

**08** 다음에서 설명하는 해양 에너지를 쓰시오.

> 밀물과 썰물의 힘을 이용하여 터빈을 돌려 전기를 생산하는 것으로, 우리나라가 세계 최대 규모의 발전소를 가지고 있다.

( )

**09** 가전제품의 플러그를 사용하지 않을 때에 뽑아 두는 것만으로 연간 11%의 ( ) 전력을 줄일 수 있다.

**10** 여름철 실내 적정 온도는 ( )℃를 유지하는 것이 에너지를 효율적으로 사용하는 방법이다.

**01** 〈보기〉는 신·재생 에너지의 중요성을 나타낸 것이다. 옳은 것을 모두 고르면?

보기
가. 대기 환경 문제를 해결한다.
나. 세계 기후 변화 협약을 준수한다.
다. 화석 에너지의 고갈 문제를 해결한다.
라. 석유 가격의 불안정 문제를 해결한다.
마. 초기 비용이 적게 들고 생산 효율이 높다.

① 가, 나, 다, 라
② 가, 나, 라, 마
③ 가, 다, 라, 마
④ 나, 다, 라, 마
⑤ 가, 나, 다, 마

**02** 연료 전지에 대한 설명으로 옳은 것은?
① 재생 에너지이다.
② 태양 전지를 이용하여 만든다.
③ 수소와 산소의 화학 반응을 이용한다.
④ 석탄을 이용하여 만든 가스를 이용한다.
⑤ 수소를 태울 때 발생하는 폭발력을 이용한다.

**03** 석탄을 이용하여 만든 가스로 터빈을 돌려 전기를 얻는 기술은?
① 석탄 액화 기술
② 바이오매스 기술
③ 폐기물 연료 기술
④ 석탄 가스화 기술
⑤ 화학 에너지 변환 기술

**04** 다음과 같은 원리로 전기를 얻는 것은?

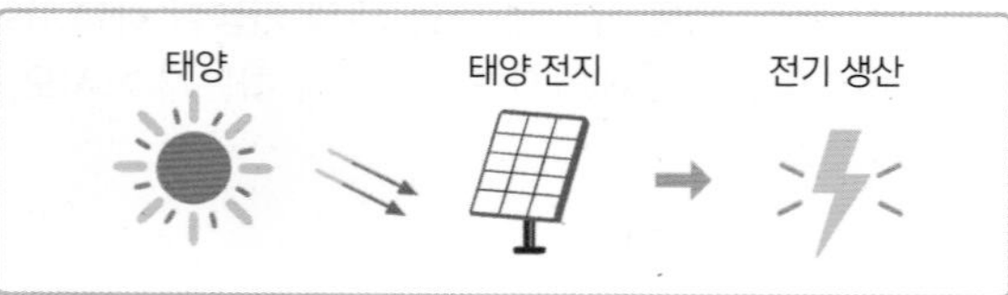


① 태양열 에너지
② 태양광 에너지
③ 태양 전지 에너지
④ 연료 전지 에너지
⑤ 바이오매스 에너지

**05** 수력 에너지에 이용되는 힘은?
① 물의 운동 에너지
② 물의 위치 에너지
③ 바람의 운동 에너지
④ 바람의 위치 에너지
⑤ 태양열을 모은 열에너지

**06** 지열 에너지에 대한 설명으로 옳은 것은?
① 바람으로 풍차를 돌려 전기를 얻는 에너지이다.
② 태양 전지를 이용하여 전기를 얻는 에너지이다.
③ 밀물과 썰물을 이용하여 전기나 열을 얻는 에너지이다.
④ 물이 떨어지는 힘으로 터빈을 돌려 전기를 얻는 에너지이다.
⑤ 깊은 땅속의 열로 얻은 증기로 터빈을 돌려 전기를 얻는 에너지이다.

**07** 식물, 가축의 분뇨, 음식물 쓰레기 등을 고체, 액체, 기체 형태의 연료로 만들어 사용하는 에너지는?

① 바이오 에너지
② 폐기물 에너지
③ 연료 전지 에너지
④ 태양 전지 에너지
⑤ 석탄 액화 에너지

**08** 다음과 같은 원리로 전기를 얻는 해양 에너지는?

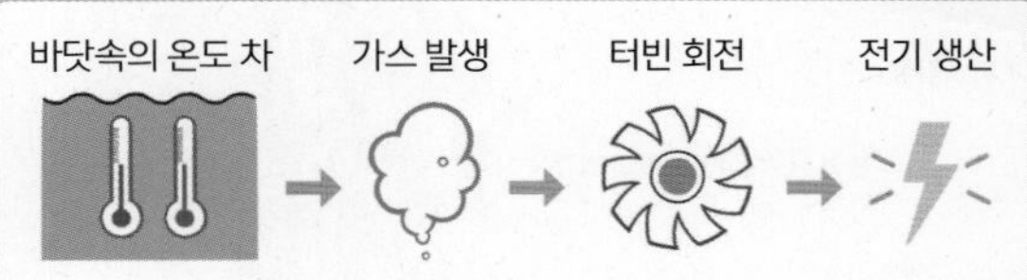


① 조력 발전
② 조류 발전
③ 파력 발전
④ 온도 차 발전
⑤ 염도 차 발전

**09** 국내 최초이면서 세계 최대 규모인 시화호 조력 발전소에 이용된 힘은?

① 파도의 힘
② 바닷물의 흐름
③ 바닷속의 온도 차
④ 바닷속의 염도 차
⑤ 밀물과 썰물의 힘

**10** 재생 에너지에 속하는 것으로만 짝지어진 것은?

① 풍력 에너지, 수소 에너지
② 수력 에너지, 수소 에너지
③ 연료 전지, 폐기물 에너지
④ 지열 에너지, 태양열 에너지
⑤ 수소 에너지, 바이오 에너지

**11** 겨울철 실내 적정 온도로 옳은 것은?

① 실내 적정 온도로 10℃ 이하를 유지한다.
② 실내 적정 온도로 15℃ 이하를 유지한다.
③ 실내 적정 온도로 20℃ 이하를 유지한다.
④ 실내 적정 온도로 25℃ 이하를 유지한다.
⑤ 실내 적정 온도로 30℃ 이하를 유지한다.

**12** 냉장고 안에 음식량을 60%만 채워야 하는 이유로 옳은 것은?

① 대기 전력을 줄이기 위해
② 전기 누전을 줄이기 위해
③ 소비 전력량을 줄이기 위해
④ 감전 사고를 방지하기 위해
⑤ 가전제품의 과열을 막기 위해

**13** 에너지 소비 효율 등급 표시 제도를 사용하는 이유는?

① 고효율 에너지 기자재로 인증하기 위해
② 에너지 절약 미달 제품을 표시하기 위해
③ 에너지 효율이 높은 제품을 구입하기 위해
④ 대기 전력 저감 기술 개발을 촉진하기 위해
⑤ 대기 전력 저감 우수 제품을 보급하기 위해

이 섹션에서
할 수 있어야 하는 것!

## 기 술 활 동

### 그리스 로마 신화에 나오는 신과 연결되는 신·재생 에너지를 찾아보자.

- 포세이돈–해양 에너지
- 아이올로스–풍력 에너지
- 헬리오스–태양광, 태양열 에너지
- 가이아–지열 에너지
- 헤파이토스–석탄 액화 및 가스화 에너지

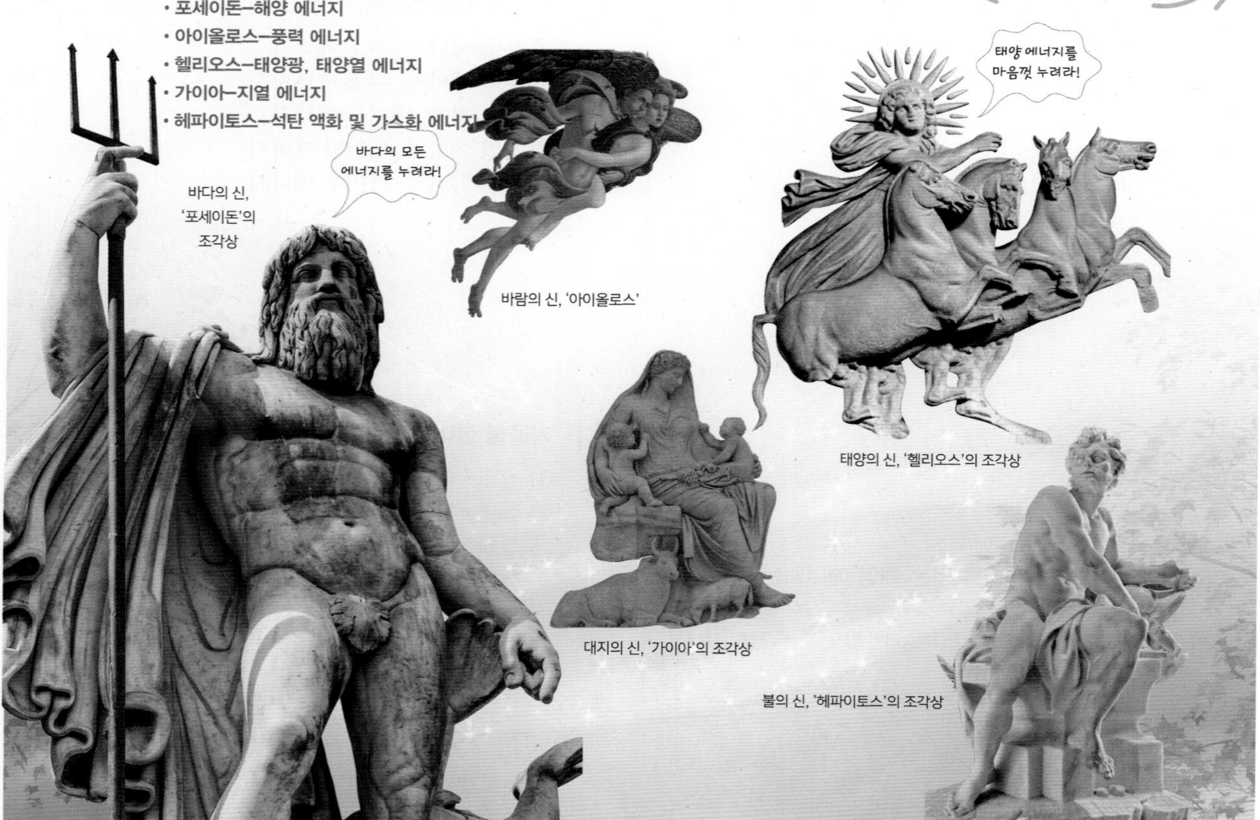

바다의 모든
에너지를 누려라!
태양 에너지를
마음껏 누려라!


바다의 신, '포세이돈'의 조각상

바람의 신, '아이올로스'

태양의 신, '헬리오스'의 조각상

대지의 신, '가이아'의 조각상

불의 신, '헤파이토스'의 조각상

**선생님 생각 엿보기**

**• 이 활동의 목적**

그리스 로마 신화에서 신·재생 에너지를 어떻게 표현했는지 알 수 있기를 바랍니다.

**• 선생님은 이 활동을 이렇게 평가합니다.**

| | |
|---|---|
| 상 | 그리스 로마 신화에 나오는 신을 신·재생 에너지와 연결 지어 그 의미를 잘 이해하였다. |
| 중 | 그리스 로마 신화에 나오는 신을 신·재생 에너지와 연결 지어 그 의미를 어느 정도 이해하였다. |
| 하 | 그리스 로마 신화에 나오는 신을 신·재생 에너지와 연결 지어 그 의미를 전혀 이해하지 못하였다. |

**이와 관련된 활동은?**

**[관련 활동 ①] 신·재생 에너지 개발 현황 알아보기** | 자신이 다니는 학교 또는 사는 지역에서 개발되고 있는 신·재생 에너지의 개발 사례를 알아보고, 개발되는 신·재생 에너지의 종류와 현황을 알아보는 활동이다.

**[관련 활동 ②] 화석 에너지 자원 사용 가능 기간 알아보기** | 세계 에너지 매장량과 앞으로 사용 가능한 기간을 조사하고, 앞으로 에너지를 어떻게 사용해야 하는지 토의해 보는 활동이다.

## 기 술 활 동 신·재생 에너지와 관련된 놀이를 해 보자.

**선생님 생각 엿보기**

**• 이 활동의 목적**

게임을 통해 신·재생 에너지의 중요성과 활용 방안을 알 수 있기를 바랍니다.

**• 선생님은 이 활동을 이렇게 평가합니다.**

| | |
|---|---|
| 상 | 게임을 통해 신·재생 에너지의 중요성과 활용 방안을 잘 알 수 있었다. |
| 중 | 게임을 통해 신·재생 에너지의 중요성은 알았으나, 활용 방안은 잘 알지 못하였다. |
| 하 | 게임을 통해 신·재생 에너지의 중요성과 활용 방안을 전혀 알지 못하였다. |

**이와 관련된 활동은?**

**[관련 활동] 에너지 절약 설명서 만들기** | 에너지를 절약하고, 효율적으로 사용하기 위한 '나만의 에너지 절약 설명서'를 만들어 보는 활동이다.

이 섹션에서 알아야 할 것!

# 06 에너지 문제의 창의적 해결

동기 유발 [교과서 160쪽]

자연의 에너지를 이용할 수 있는 방법을 생각해 보자.

예시 답안

태양의 빛을 이용한 태양 전지와 바람의 힘을 이용한 풍력 발전기가 있다.

[교과서 164쪽]

완성된 태양광 충전기를 언제 어디서나 사용할 수 있는 방법을 생각해 보자.

예시 답안

- 태양 전지를 모자의 탭에 붙인다.
- 태양 전지를 가방에 부착한다.

세상을 이어 주는 기술 이야기

[교과서 165쪽]

일상생활에서 태양광 에너지를 이용하고 싶은 물건이나 장소를 서로 이야기해 보자.

예시 답안

도로 전체에 태양 전지를 부착하여 신호등과 같은 교통 관제 시스템에 필요한 전기를 생산한다.

[교과서 166~167쪽]

따끈따끈 소시지!

활동 TIP

태양열을 이용한 간이 태양열 오븐을 만들어 본다.

## 1. 문제 확인하기

① **과제명:** 태양광 스마트폰 충전기 만들기

② **제한 사항**

㉠ 태양 전지, USB 케이블, 우드락, 자, 핀, 칼, 글루건, 글루건 심, 라디오 펜치 등을 사용하되, 우드락 외에 다른 재료도 가능하다.

㉡ 충전의 효율이 좋아야 하고, 충전할 때 태양 전지를 세울 수 있어야 한다.

## 2. 아이디어 창출하기

① **정보 수집하기:** 태양 전지란 태양의 빛 에너지를 전기로 바꾸는 장치를 말한다.

② **창의적인 아이디어 구상하기**

## 3. 아이디어 구체화하기: 선정한 아이디어를 프리핸드로 스케치하여 구체화한다.

## 4. 실행하기

① **준비물:** 우드락, 자, USB 케이블, SW 태양 전지, 핀, 칼, 라디오 펜치, 글루건 심, 글루건

② **만들기**

㉠ 라디오 펜치를 사용하여 USB 케이블을 자른다.

㉡ USB 케이블의 선과 태양 전지의 전선 중에서 같은 색의 선끼리 서로 연결한다.

㉢ 설계한 대로 우드락에 선을 긋고 자른다.

㉣ 태양 전지가 걸치도록 우드락에 홈을 파고, 글루건으로 밑판과 옆판을 붙인다.

㉤ 우드락의 가운데 부분을 사각형으로 잘라낸 후, 잘라낸 부분이 구부러질 수 있도록 우드락에 칼집을 낸다.

㉥ 글루건을 사용하여 상판 틀을 붙이고, 핀을 사용하여 덮개를 조립한다.

㉦ 충전기 커버에 태양광 스마트폰 전기를 넣는다.

## 5. 평가하기

① **자기 평가:** 태양 전지의 원리를 이해하였는가? 태양광 에너지의 활용 분야를 이해하였는가, 작업할 때 안전 및 유의 사항을 잘 지켰는가?

② **동료 평가:** 창의적인 디자인 아이디어를 낸 동료는 누구인가? 가장 적극적으로 실습에 참여한 동료는 누구인가?

③ **제품 평가:** 태양광 스마트폰 충전기 커버의 디자인은 창의적인가? 태양광 스마트폰 충전기는 견고하게 제작되었는가? 충전 시 태양 전지를 세울 수 있는가? 태양광 스마트폰 충전기로 스마트폰 충전이 되는가?

### 스스로 정리하기

1 태양 전지란 태양의 빛 에너지를 무엇으로 바꾸는 장치인가? 전기 에너지

2 창의·인성 태양광 스마트폰 충전기 만들기에서 주의해야 할 점을 이야기해 보자.

칼과 핀을 사용할 때에는 손을 다치지 않게 조심하고, 글루건을 사용할 때에는 화상에 주의한다.

**01** 태양광 스마트폰 충전기를 만들기 위해 관련 정보를 수집하고, 창의적인 아이디어를 구상해 보는 단계는 아이디어 (　　　　　　)하기이다.

**02** 태양 전지란 태양의 빛 에너지를 전기로 바꾸는 장치를 말한다.
( ○ , × )

**03** 태양광 스마트폰 충전기 만들기에서 (　　　　　　) 구체화하기는 선정한 아이디어를 프리핸드로 스케치하여 구체화하는 단계이다.

**04** 태양광 스마트폰 충전기 만들기에서 (　　　　　　)하기는 필요한 재료와 공구를 준비하여 만드는 단계이다.

**05** 태양광 스마트폰 충전기를 만들기 위해 필요한 준비물이 아닌 것은?

① 우드락
② 글루건
③ 전동기
④ 태양 전지
⑤ 라디오 펜치

**06** 태양광 스마트폰 충전기 만들기에서 USB 케이블의 선을 자르는 데 사용되는 공구는?

① 칼　② 드라이버
③ 글루건 심　④ 건전지 폴더
⑤ 라디오 펜치

**07** 태양광 스마트폰 충전기 만들기에서 USB 케이블의 선과 태양 전지의 전선 중에서 다른 색의 선끼리 서로 연결한다.
( ○ , × )

**08** 태양광 스마트폰 충전기 만들기에서 밑판과 옆판 그리고 상판 틀을 붙이는 데 사용되는 것은 무엇인지 쓰시오.
(　　　　　　)

**09** 태양광 스마트폰 충전기 만들기의 평가하기 단계에서는 (　　　　　　), 동료 평가, 제품 평가 등을 실시한다.

**10** 태양광 스마트폰 충전기 만들기의 평가하기에서 다음에 해당하는 평가를 쓰시오.

- 창의적인 디자인 아이디어를 낸 동료는 누구인가?
- 가장 적극적으로 실습에 참여한 동료는 누구인가?

(　　　　　　)

## 개념 활용하기

정답과 해설 4쪽

**01** 〈보기〉는 에너지 문제의 창의적 해결 과정을 나타낸 것이다. 그 순서를 바르게 나열한 것은?

보기

가. 평가하기 나. 실행하기
다. 문제 확인하기 라. 아이디어 창출하기
마. 아이디어 구체화하기

① 가 → 나 → 다 → 라 → 마
② 가 → 다 → 나 → 라 → 마
③ 나 → 가 → 다 → 마 → 라
④ 나 → 다 → 라 → 마 → 가
⑤ 다 → 라 → 마 → 나 → 가

**02** 다음과 같은 사항을 제시하는 에너지 문제의 창의적 해결 과정의 단계는?

- 과제명: 태양광 스마트폰 충전기 만들기
- 제한 사항
  - 태양 전지, USB 케이블, 우드락, 자, 핀, 칼, 글루건, 글루건 심, 라디오 펜치 등을 사용하되, 우드락 외에 다른 재료도 가능하다.
  - 충전의 효율이 좋아야 한다.
  - 충전할 때 태양 전지를 세울 수 있어야 한다.

① 실행하기 ② 평가하기
③ 문제 확인하기 ④ 아이디어 창출하기
⑤ 아이디어 구체화하기

**03** 에너지 문제의 창의적 해결 과정의 아이디어 창출하기에 대한 설명으로 옳은 것은?

① 대상의 특성과 불편한 점을 찾는다.
② 표현된 아이디어를 완성품으로 만든다.
③ 정보를 수집하고, 아이디어를 구상한다.
④ 다른 사람이 알아볼 수 있도록 표현한다.
⑤ 선정한 아이디어를 프리핸드로 스케치한다.

**04** 다음에서 설명하는 것은?

- 태양만 있으면 언제든지 전기가 생긴다.
- 소음과 악취가 없고, 온실 가스를 배출하지 않는 친환경적인 에너지이다.

① 태양 전지
② 연료 전지
③ 수소 에너지
④ 태양광 에너지
⑤ 바이오 에너지

**05** 태양광 스마트폰 충전기 만들기에 대한 설명으로 옳지 않은 것은?

① 핀을 사용하여 덮개를 조립한다.
② 설계한 대로 우드락에 선을 긋고 자른다.
③ 글루건을 사용하여 밑판과 옆판을 붙인다.
④ 글루건 심을 사용하여 USB 케이블을 자른다.
⑤ 태양 전지가 걸쳐질 수 있도록 우드락에 홈을 판다.

**06** 다음에서 설명하는 평가는?

- 태양광 스마트폰 충전기 커버의 디자인은 창의적인가?
- 태양광 스마트폰 충전기는 견고하게 제작되었는가?
- 충전 시 태양 전지를 세울 수 있는가?
- 태양광 스마트폰 충전기로 스마트폰 충전이 되는가?

① 자기 평가
② 동료 평가
③ 제품 평가
④ 수행 평가
⑤ 구상 평가

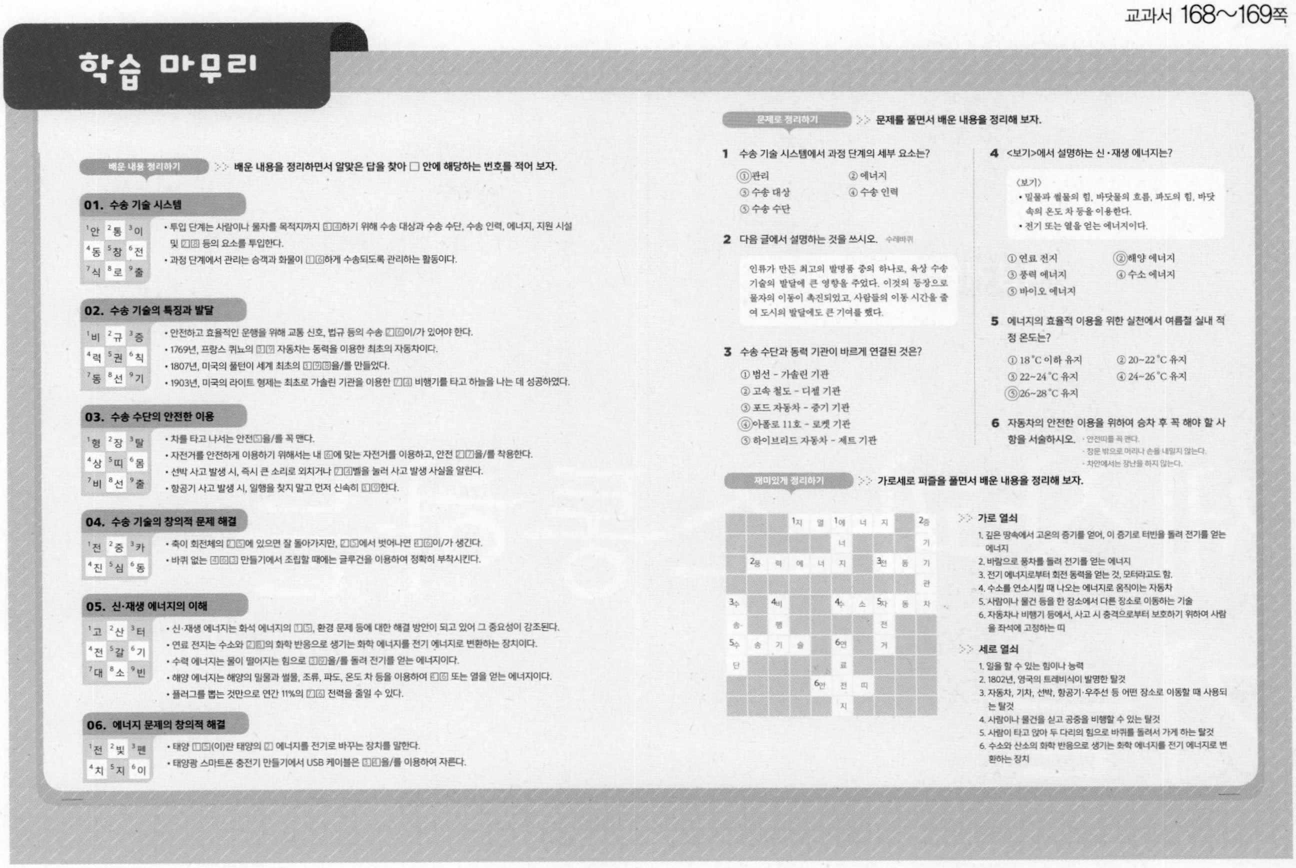

# 학습 마무리

배운 내용 정리하기 >> 배운 내용을 정리하면서 알맞은 답을 찾아 □ 안에 해당하는 번호를 적어 보자.

## 01. 수송 기술 시스템

| | | |
|---|---|---|
| 1 안 | 2 통 | 3 이 |
| 4 동 | 5 창 | 6 전 |
| 7 식 | 8 로 | 9 출 |

- 투입 단계는 사람이나 물자를 목적지까지 [3][4]하기 위해 수송 대상과 수송 수단, 수송 인력, 에너지, 지원 시설 및 [2][8] 등의 요소를 투입한다.
- 과정 단계에서 관리는 승객과 화물이 [1][6]하게 수송되도록 관리하는 활동이다.

## 02. 수송 기술의 특징과 발달

| | | |
|---|---|---|
| 1 비 | 2 규 | 3 증 |
| 4 력 | 5 권 | 6 칙 |
| 7 동 | 8 선 | 9 기 |

- 안전하고 효율적인 운행을 위해 교통 신호, 법규 등의 수송 [2][6]이/가 있어야 한다.
- 1769년, 프랑스 퀴뇨의 [3][9] 자동차는 동력을 이용한 최초의 자동차이다.
- 1807년, 미국의 풀턴이 세계 최초의 [3][9][8]을/를 만들었다.
- 1903년, 미국의 라이트 형제는 최초로 가솔린 기관을 이용한 [7][4] 비행기를 타고 하늘을 나는 데 성공하였다.

## 03. 수송 수단의 안전한 이용

| | | |
|---|---|---|
| 1 형 | 2 장 | 3 탈 |
| 4 상 | 5 띠 | 6 몸 |
| 7 비 | 8 선 | 9 출 |

- 차를 타고 나서는 안전[5]을/를 꼭 맨다.
- 자전거를 안전하게 이용하기 위해서는 내 [6]에 맞는 자전거를 이용하고, 안전 [2][7]을/를 착용한다.
- 선박 사고 발생 시, 즉시 큰 소리로 외치거나 [7][4]벨을 눌러 사고 발생 사실을 알린다.
- 항공기 사고 발생 시, 일행을 찾지 말고 먼저 신속히 [3][9]한다.

## 04. 수송 기술의 창의적 문제 해결

| | | |
|---|---|---|
| 1 전 | 2 중 | 3 카 |
| 4 진 | 5 심 | 6 동 |

- 축이 회전체의 [2][5]에 있으면 잘 돌아가지만, [2][5]에서 벗어나면 [4][6]이/가 생긴다.
- 바퀴 없는 [4][6][3] 만들기에서 조립할 때에는 글루건을 이용하여 정확히 부착시킨다.

## 05. 신·재생 에너지의 이해

| | | |
|---|---|---|
| 1 고 | 2 산 | 3 터 |
| 4 전 | 5 갈 | 6 기 |
| 7 대 | 8 소 | 9 빈 |

- 신·재생 에너지는 화석 에너지의 [1][5], 환경 문제 등에 대한 해결 방안이 되고 있어 그 중요성이 강조된다.
- 연료 전지는 수소와 [2][8]의 화학 반응으로 생기는 화학 에너지를 전기 에너지로 변환하는 장치이다.
- 수력 에너지는 물이 떨어지는 힘으로 [3][9]을/를 돌려 전기를 얻는 에너지이다.
- 해양 에너지는 해양의 밀물과 썰물, 조류, 파도, 온도 차 등을 이용하여 [4][6] 또는 열을 얻는 에너지이다.
- 플러그를 뽑는 것만으로 연간 11%의 [7][6] 전력을 줄일 수 있다.

## 06. 에너지 문제의 창의적 해결

| | | |
|---|---|---|
| 1 전 | 2 빛 | 3 펜 |
| 4 치 | 5 지 | 6 이 |

- 태양 [1][5](이)란 태양의 [2] 에너지를 전기로 바꾸는 장치를 말한다.
- 태양광 스마트폰 충전기 만들기에서 USB 케이블은 [3][4]을/를 이용하여 자른다.

문제로 정리하기 >> 문제를 풀면서 배운 내용을 정리해 보자.

**1** 수송 기술 시스템에서 과정 단계의 세부 요소는?

① 관리 ② 에너지 ③ 수송 대상 ④ 수송 인력 ⑤ 수송 수단

**2** 다음 글에서 설명하는 것을 쓰시오. 수레바퀴

인류가 만든 최고의 발명품 중의 하나로, 육상 수송 기술의 발달에 큰 영향을 주었다. 이것의 등장으로 물자의 이동이 촉진되었고, 사람들의 이동 시간을 줄여 도시의 발달에도 큰 기여를 했다.

**3** 수송 수단과 동력 기관이 바르게 연결된 것은?

① 범선 - 가솔린 기관
② 고속 철도 - 디젤 기관
③ 포드 자동차 - 증기 기관
④ 아폴로 11호 - 로켓 기관
⑤ 하이브리드 자동차 - 제트 기관

**4** <보기>에서 설명하는 신·재생 에너지는?

〈보기〉
- 밀물과 썰물의 힘, 바닷물의 흐름, 파도의 힘, 바닷속의 온도 차 등을 이용한다.
- 전기 또는 열을 얻는 에너지이다.

① 연료 전지 ② 해양 에너지 ③ 풍력 에너지 ④ 수소 에너지 ⑤ 바이오 에너지

**5** 에너지의 효율적 이용을 위한 실천에서 여름철 실내 적정 온도는?

① 18°C 이하 유지 ② 20~22°C 유지 ③ 22~24°C 유지 ④ 24~26°C 유지 ⑤ 26~28°C 유지

**6** 자동차의 안전한 이용을 위하여 승차 후 꼭 해야 할 사항을 서술하시오. · 안전띠를 꼭 맨다. · 창문 밖으로 머리나 손을 내밀지 않는다. · 차안에서는 장난을 하지 않는다.

재미있게 정리하기 >> 가로세로 퍼즐을 풀면서 배운 내용을 정리해 보자.

| | | | | | | | | | |
|---|---|---|---|---|---|---|---|---|---|
| | | | 1 지 | 열 | 1 에 | 너 | 지 | | 2 증 |
| | | | | | 너 | | | | 기 |
| | 2 풍 | 력 | 에 | 너 | 지 | | 3 전 | 동 | 기 |
| | | | | | | | | | 관 |
| 3 수 | | 4 비 | | | 4 수 | 소 | 5 자 | 동 | 차 |
| 송 | | 행 | | | | | 전 | | |
| 5 수 | 송 | 기 | 술 | | 6 연 | | 거 | | |
| 단 | | | | | 료 | | | | |
| | | | | 6 안 | 전 | 띠 | | | |
| | | | | | 지 | | | | |

>> 가로 열쇠

1. 깊은 땅속에서 고온의 증기를 얻어, 이 증기로 터빈을 돌려 전기를 얻는 에너지
2. 바람으로 풍차를 돌려 전기를 얻는 에너지
3. 전기 에너지로부터 회전 동력을 얻는 것, 모터라고도 함.
4. 수소를 연소시킬 때 나오는 에너지로 움직이는 자동차
5. 사람이나 물건 등을 한 장소에서 다른 장소로 이동하는 기술
6. 자동차나 비행기 등에서, 사고 시 충격으로부터 보호하기 위하여 사람을 좌석에 고정하는 띠

>> 세로 열쇠

1. 일을 할 수 있는 힘이나 능력
2. 1802년, 영국의 트레비식이 발명한 탈것
3. 자동차, 기차, 선박, 항공기·우주선 등 어떤 장소로 이동할 때 사용되는 탈것
4. 사람이나 물건을 싣고 공중을 비행할 수 있는 탈것
5. 사람이 타고 앉아 두 다리의 힘으로 바퀴를 돌려서 가게 하는 탈것
6. 수소와 산소의 화학 반응으로 생기는 화학 에너지를 전기 에너지로 변환하는 장치

정답 및 해설

## 배운 내용 정리하기

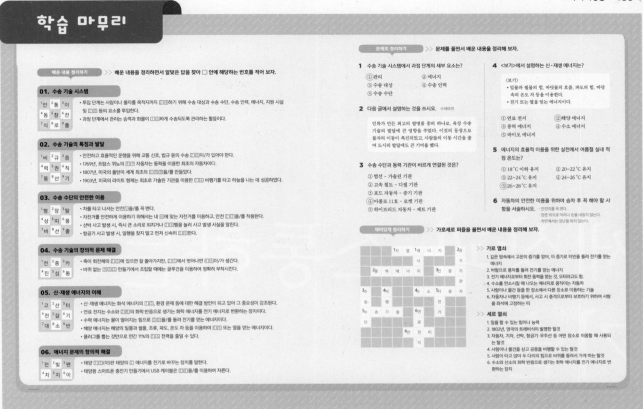

01. 이동(3, 4) / 통로(2, 8) / 안전(1, 6)
02. 규칙(2, 6) / 증기(3, 9) / 증기선(3, 9, 8) / 동력(7, 4)
03. 띠(5) / 몸(6) / 장비(2, 7) / 비상(7, 4) / 탈출(3, 9)
04. 중심(2, 5) / 중심(2, 5) / 진동(4, 6) / 진동카(4, 6, 3)
05. 고갈(1, 5) / 산소(2, 8) / 터빈(3, 9) / 전기(4, 6) / 대기(7, 6)
06. 전지(1, 5) / 빛(2) / 펜치(3, 4)

## 문제로 정리하기

1. ① [해설] 과정 단계는 수송과 관리의 절차를 따라 투입 요소를 활용한다.
2. 수레바퀴 [해설] 수레바퀴는 사람이나 가축의 힘으로 움직이는 수레나 마차에 주로 이용되었다.
3. ④ [해설] 로켓 기관은 자체 연소로 우주 공간을 비행할 수 있다.
4. ② [해설] 해양 에너지 이용에는 조력, 조류, 파력, 온도 차 발전 등이 있다.
5. ⑤ [해설] 겨울철에는 20℃ 이하를 유지한다.
6. 안전띠를 꼭 맨다. 창문 밖으로 머리나 손을 내밀지 않는다. 차 안에서는 장난을 하지 않는다. [해설] 안전띠는 복부가 아닌 어깨와 골반뼈를 지나는 곳에 바르게 위치하도록 한다.

## 재미있게 정리하기

| | | | | | | | | | |
|---|---|---|---|---|---|---|---|---|---|
| | | | 1 지 | 열 | 1 에 | 너 | 지 | | 2 증 |
| | | | | | 너 | | | | 기 |
| | 2 풍 | 력 | 에 | 너 | 지 | | 3 전 | 동 | 기 |
| | | | | | | | | | 관 |
| 3 수 | | 4 비 | | | 4 수 | 소 | 5 자 | 동 | 차 |
| 송 | | 행 | | | | | 전 | | |
| 5 수 | 송 | 기 | 술 | | 6 연 | | 거 | | |
| 단 | | | | | 료 | | | | |
| | | | | 6 안 | 전 | 띠 | | | |
| | | | | | 지 | | | | |

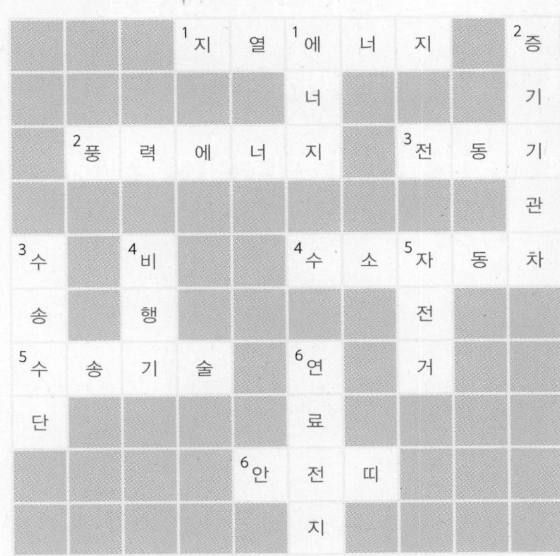

핵심 개념

# 세상과 소통하는 기술

1. 정보 기술 시스템
2. 정보 통신 기술의 특성과 발달
3. 통신 매체의 이해
4. 정보 통신 기술의 창의적 문제 해결

VI

### 이 단원의 성취 기준

1. 정보 기술 시스템의 각 단계별 세부 요소를 이해하고, 정보 통신 과정을 구체적으로 설명한다.

2. 정보 통신 기술의 특성, 발달 과정을 이해하고, 현대 정보 통신 기술의 특징을 설명한다.

3. 다양한 통신 매체의 종류와 특징을 이해하고 활용한다.

4. 정보 통신 기술과 관련된 문제를 이해하고, 해결책을 창의적으로 탐색하고 실현하며 평가한다.

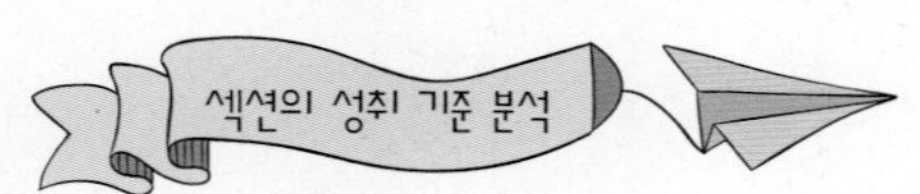


[01. 정보 기술 시스템]

**정보 기술 시스템의 각 단계별 세부 요소를 이해하고, 정보 통신 과정을 구체적으로 설명한다.**

| 이 섹션에서 '알아야 할 것' (이해) | **정보 기술 시스템의 각 단계별 세부 요소를 이해한다.**<br>1. 정보 기술 시스템의 이해<br>2. 정보의 통신 과정 |
|---|---|

| 이 섹션에서 '할 수 있어야 하는 것' (능력) | **정보 통신 과정을 구체적으로 설명할 수 있다.** |
|---|---|

이 섹션에서 알아야 할 것!

# 01 정보 기술 시스템

## 1. 정보 기술 시스템의 이해

### ① 정보의 의미

정보는 여러 가지 자료를 사용자가 의미 있게 활용할 수 있도록 가공한 것이며, 정보 기술은 정보를 수집하여 가공 및 처리, 저장하는 기술을 말한다.

### ② 정보의 특성

㉠ **희소성:** 유용하고 쉽게 얻기 어려운 정보일수록 가치가 높아진다.
㉡ **공공성:** 제공한 정보를 필요로 하는 사람이 많을수록 가치가 높아진다.
㉢ **경제성:** 정보의 경제 가치에 비하여 정보를 취득하는 데 필요한 비용이 적어야 한다.
㉣ **신뢰성:** 사실에 근거한 정확한 자료로 믿을 수 있어야 한다.
㉤ **변환성:** 정보는 소유한 사람, 시기, 장소에 따라 중요성과 가치가 달라진다.
㉥ **적시성:** 정보는 특정 시점에서만 그 가치를 인정받는다.

### ③ 정보 기술 시스템의 단계

정보 기술 시스템은 정보 기술을 실현하는 데 이용되는 모든 활동을 체계화한 것으로 다음과 같은 단계로 이루어진다.

㉠ **투입:** 정보를 생산하기 위해 자료, 자본, 인력, 소프트웨어와 하드웨어 등의 요소를 투입한다.
㉡ **과정:** 자료 수집, 자료 가공 및 처리, 저장 등의 절차에 따라 투입 요소를 활용하여 정보를 생산한다.
㉢ **산출:** 정보가 완성된다.
㉣ **되먹임:** 문제가 발생하면 이를 해결하기 위해 문제가 되는 단계로 되돌아간다.

## 2. 정보의 통신 과정

### ① 정보 통신과 정보 통신 기술의 의미

정보 통신이란 수집, 가공 및 처리한 정보를 송신하고 수신하는 모든 과정을 말하며, 이 과정에 사용되는 기술을 정보 통신 기술이라고 한다.

### ② 정보의 통신 과정

정보의 형태에 따라 음성 통신, 이미지 통신, 영상 통신, 데이터 통신으로 나눌 수 있다.

㉠ **음성 통신:** 가장 오래된 통신 방식이며, 현재까지 널리 이용되고 있다. 대표적인 예로 전화기, 라디오 방송 등이 있다.

| 마이크로폰 | 송신 안테나 | 수신 안테나 | 스피커 |
|---|---|---|---|
| 음성 신호를 전기 신호로 바꾼다. | 전기 신호를 높은 주파수에 실어서 보낸다. | 높은 주파수에 실린 전기 신호를 받는다. | 받은 전기 신호를 음성으로 바꾼다. |

**동기 유발** [교과서 174쪽]

앞뒤로 각각 한 가지 색만을 나타낼 수 있는 카드가 어떻게 의미 있는 메시지가 되었는지 이야기해 보자.

**예시 답안**
각각의 카드는 앞뒤로 한 가지 색이지만 여러 개의 카드를 합치면 메시지를 만들 수 있다.

**보조 노트**

**정보 기술 시스템**
모든 영역에서의 기술 시스템과 마찬가지로 사회적 요구나 필요에 기초하여 운영되고 있다.

**되먹임**
산출된 정보가 정확하지 않거나 원하는 형태로 제공되지 않을 때 입력이나 처리 과정을 조정하는 과정이 필요하다. 입력 데이터 자체에 문제가 있거나 처리 과정의 알고리즘, 프로그램의 오류가 있을 수 있다. 대개의 경우 정보 기술 시스템 전문가에 의해 진단받고 처리된다.

**작은 활동** [교과서 174쪽]

생활 속에서 정보 기술 시스템의 투입, 과정, 산출, 되먹임에 해당하는 예를 찾아 이야기해 보자.

**예시 답안**
하드웨어(CPU, 메모리, 통신 장치, 입출력 장치 등)와 소프트웨어(운영 체제, 응용 프로그램 등) 등 유·무형적 자원을 이용하여 자료를 처리, 변환, 저장한다.

ⓛ **이미지 통신:** 그림, 사진, 도표, 차트, 그래픽 등의 정보를 전달하는 것으로, 정보의 이해력을 높이는 데 도움이 된다. 대표적인 예로 팩시밀리가 있다.

| 팩시밀리 | 통신 회선 | 팩시밀리 |
|---|---|---|
| 원본의 이미지를 센서로 잘게 쪼개어 읽은 후, 전기 신호로 바꾼다. | 전화 회선을 통해 전기 신호를 보낸다. | 받은 전기 신호를 원래의 이미지로 바꾸어 종이에 출력한다. |

ⓒ **영상 통신:** 영상 정보를 전기 신호로 바꾸어 전송하고, 받는 쪽에서 눈에 보이는 형태로 재생하는 것이다. 대표적인 예로 텔레비전 방송, 영상 통화 등이 있다.

| 카메라와 마이크로폰 | 송신 안테나 | 수신 안테나 | 텔레비전 |
|---|---|---|---|
| 비디오 및 오디오 데이터를 바꾸어 압축한 후 전기 신호로 바꾸어 준다. | 전기 신호를 높은 주파수에 실어서 보낸다. | 높은 주파수에 실린 전기 신호를 받는다. | 받은 전기 신호를 음성 및 영상 신호로 바꾼다. |

ⓔ **데이터 통신:** 다양한 형태의 정보를 전송 매체에 적합한 형태의 신호로 바꾸어 주고받는 것이다. 대표적인 예로 컴퓨터 통신이 있다.

| 컴퓨터 | 신호 변환 장치 | 통신 회선 | 신호 변환 장치 | 컴퓨터 |
|---|---|---|---|---|
| 키보드를 통해 데이터를 입력한다. | 데이터를 전송 매체에 적합한 형태의 신호로 바꾼다. | 통신 회선을 통해 전기 신호를 보낸다. | 받은 전기 신호를 컴퓨터에 적합한 형태의 데이터로 바꾼다. | 모니터를 통해 데이터를 출력한다. |

### ③ 정보 통신 기술의 유형

㉠ **전송 방향에 따른 분류:** 데이터 전송 방향이 단방향인 단방향 통신과 전송 방향은 양방향이지만 전송이 이루어지는 순간에는 한 방향만으로 전송 가능한 반이중 통신(휴대용 무전기), 동시에 양방향 전송이 가능한 전이중 통신(전화, 컴퓨터 통신 등)이 있다.

ⓛ **전송 신호에 따른 분류:** 전송 신호에 따라 아날로그 방식과 디지털 방식이 있다. 아날로그 방식은 정보를 음성 신호로 바꾸어 기존의 전화 회선을 이용하여 전송하는 방식이다. 디지털 방식은 컴퓨터에 의해 처리된 원래의 디지털 정보를 전용 회선을 이용하여 신호 변환 없이 디지털 신호 그대로 전송하는 방식이다.

ⓒ **정보의 형태에 따른 분류:** 소리 정보를 전달하는 음성 통신, 그림 · 사진 등 정지 영상을 전달하는 이미지 통신, 숫자나 문자를 디지털 형태의 정보로 전송하는 데이터 통신, 동영상을 전달하는 영상 통신, 음성 · 데이터 · 이미지 · 영상 등의 복합된 정보를 전달하는 멀티미디어 통신이 있다.

**이 섹션의 핵심 키워드** | 정보, 정보 기술, 정보 기술 시스템, 정보 통신, 정보 통신 기술

**보조 노트**

**통신**

서로 간에 필요한 정보를 신속하고 정확하게 주고받고 공유하는 것이다.

**음파**

사람의 음성이나 악기에서 나오는 소리에 해당하며, 멀리까지 전달되지 않을 뿐 아니라 전달 속도가 느리다.

**전파**

음파를 전파로 바꾸어 안테나를 통해 발사하면 빛과 같이 매우 빠른 속도로 아주 멀리까지 정확하게 보낼 수 있다.

**정보의 통신 과정**

- 1단계: 송신자는 정보를 전송 가능한 형태로 변환한다.
- 2단계: 통신 매체를 이용해 정보를 전송한다.
- 3단계: 전송된 신호를 복조하여 수신자가 이해할 수 있는 정보로 변환한다.

**영상 정보**

그림, 지도, 필기 문자, 음성 등 사람이 그대로 이해할 수 있는 정보 이외에 컴퓨터를 이용한 처리에 적합한 데이터의 근원이 될 수 있는 정보를 말한다.

**데이터**

현실 세계에서 단순히 관찰하거나 측정하여 수집한 사실이나 값으로 자료라고도 한다.

**작은 활동** [교과서 177쪽]

내가 최근에 사용한 정보 통신 과정은 무엇이었는지 이야기해 보자.

**예시 답안**

음성 통신, 친구와 통화를 하였다.

**스스로 정리하기**

1 여러 가지 자료를 사용자가 의미 있게 활용할 수 있도록 가공한 것을 무엇이라고 하는가? 정보

2 수집, 가공 및 처리한 정보를 송신하고 수신하는 모든 과정을 무엇이라고 하는가? 정보 통신

3 음성 통신은 음성 신호를 전기 신호로 바꾸어 이를 어디에 실어 전송하는가? 높은 주파수

4 데이터 통신에서 데이터를 전송 매체에 적합한 형태의 신호로 바꾸거나, 받은 전기 신호를 컴퓨터에 적합한 형태의 데이터로 바꾸는 장치를 무엇이라고 하는가? 신호 변환 장치

## 개념 익히기

정답과 해설 4쪽

**01** 여러 가지 자료를 사용자가 의미 있게 활용할 수 있도록 가공한 것을 무엇이라고 하는지 쓰시오.

(                              )

**02** 사실에 근거한 정확한 자료로 믿을 수 있어야 한다는 정보의 특성은?

① 희소성
② 경제성
③ 공공성
④ 신뢰성
⑤ 변환성

**03** 정보 기술은 정보를 수집하여 가공, 처리, 저장하는 기술을 의미한다.

( ○ , × )

**04** 정보 기술을 실현하는 데 이용되는 모든 활동을 체계화한 것을 무엇이라고 하는지 쓰시오.

(                              )

**05** 산출된 정보가 정확하지 않거나 원하는 형태로 제공되지 않을 때, 입력이나 처리 과정을 조정하는 과정은 정보 기술 시스템의 어느 단계에 해당하는지 쓰시오.

(                              )

**06** 서로 간에 필요한 정보를 신속하고 정확하게 주고받고 공유하는 것을 통신이라 한다.

( ○ , × )

**07** 다양한 형태의 정보를 전송 매체에 적합한 형태의 신호로 바꾸어 주고받는 통신은?

① 음성 통신
② 문자 통신
③ 이미지 통신
④ 영상 통신
⑤ 데이터 통신

**08** (              )은/는 인류 역사상 가장 오래전부터 우리 생활에 널리 사용되고 있는 통신 방식이다.

**09** 다음에서 설명하는 정보 통신 기술의 유형은?

> • 휴대용 무전기에서 이용된다.
> • 전송이 이루어지는 순간에는 한쪽 방향으로만 전송이 가능하다.

① 단방향 통신
② 전이중 통신
③ 반이중 통신
④ 아날로그 신호
⑤ 디지털 신호

**10** 멀티미디어 통신은 음성, 데이터, 이미지, 영상 등의 복합된 정보를 전달한다.

( ○ , × )

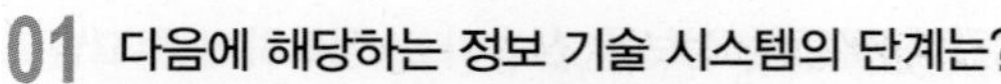

## 개념 활용하기

정답과 해설 4쪽

**01** **다음에 해당하는 정보 기술 시스템의 단계는?**

> 기상청에서는 이번 주 날씨를 예측하기 위해 기상 관측 장비와 위성을 통해 온도, 습도, 바람, 구름 등의 자료를 수집한다.

① 투입 ② 산출
③ 과정 ④ 되먹임
⑤ 통신

**02** **정보 통신 기술에 대한 설명으로 가장 적절한 것은?**

① 대량의 정보를 수신하는 모든 과정이다.
② 수집, 가공한 정보를 송신하는 모든 과정이다.
③ 서로 필요한 정보를 신속하고 정확하게 주고받아 공유하는 것이다.
④ 수집, 가공, 처리한 정보를 송신하고 수신하는 모든 과정에 사용되는 기술이다.
⑤ 여러 가지 자료를 사용자가 의미 있게 활용할 수 있도록 가공한 것이다.

**03** **정보의 통신 과정을 정보의 형태에 따라 분류할 때 해당하지 않는 것은?**

① 음성 통신 ② 디지털 통신
③ 이미지 통신 ④ 영상 통신
⑤ 데이터 통신

**04** **〈보기〉를 읽고, 라디오 방송이 우리에게 전달되기까지의 과정을 순서대로 바르게 나열하면?**

> 보기
> ㉠ 높은 주파수에 실린 전기 신호를 받는다.
> ㉡ 받은 전기 신호를 음성으로 바꾼다.
> ㉢ 전기 신호를 높은 주파수에 실어 보낸다.
> ㉣ 음성 신호를 전기 신호로 바꾼다.

① ㉠ → ㉡ → ㉢ → ㉣ ② ㉡ → ㉢ → ㉣ → ㉠
③ ㉢ → ㉡ → ㉣ → ㉠ ④ ㉣ → ㉢ → ㉠ → ㉡
⑤ ㉢ → ㉣ → ㉠ → ㉡

**05** **다음에서 설명하고 있는 장치는?**

> • 데이터 통신에서 이용된다.
> • 데이터를 전송 매체에 적합한 형태의 신호로 바꾸거나, 받은 전기 신호를 컴퓨터에 적합한 형태의 데이터로 바꾼다.

① 통신 회선 ② 신호 변환 장치
③ 안테나 ④ 마이크로폰
⑤ 팩시밀리

**06** **정보의 통신 과정은 정보의 형태에 따라 음성 통신, (　　　　　) 통신, 영상 통신, 데이터 통신으로 나눌 수 있다.**

## [02. 정보 통신 기술의 특성과 발달]

**정보 통신 기술의 특성, 발달 과정을 이해하고, 현대 정보 통신 기술의 특징을 설명한다.**

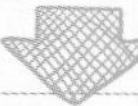

| 이 섹션에서 '알아야 할 것' (이해) | **정보 통신 기술의 특성, 발달 과정을 이해하고, 현대 정보 통신 기술의 특징을 설명한다.**<br>1. 정보 통신 기술의 특성<br>2. 정보 통신 기술의 영향<br>3. 정보 통신 기술의 발달 과정<br>4. 현대 정보 통신 기술의 특징 |
|---|---|

| 이 섹션에서 '할 수 있어야 하는 것' (능력) | **다양한 암호의 종류를 이해하고 암호에 대해 설명할 수 있다.**<br>[활동]<br>· 고대에 사용하던 암호에 대한 내용을 읽고, 친구와 암호 또는 모스 부호 놀이를 해 보자. |
|---|---|

이 섹션에서 알아야 할 것!

# 02 정보 통신 기술의 특성과 발달

**동기 유발** [교과서 178쪽]

그림의 의미를 이야기해 보자.

**예시 답안**

유선 통신에서 무선 통신으로 발달하였다.

## 1. 정보 통신 기술의 특성

정보 통신은 유선 기기에서 무선 기기로 발달하면서 더 먼 곳까지, 더욱 편리하게 정보를 전달할 수 있게 되었다. 인간은 오래전부터 많은 정보를 더욱 빠르고 정확하게 전달하고 싶은 욕구를 충족시키기 위해 다양한 정보 통신 기술을 개발하여 왔다.

① **정보를 신속하고 정확하게 전달할 수 있다:** 오늘날에는 음성, 영상, 데이터 등의 다양한 형태의 정보가 실시간으로 전달된다. 많은 양의 정보를 더 빠른 속도로 주고받는다.

② **정보를 저장하고 보존할 수 있다:** 정확한 정보의 전달과 안전한 이동을 위한 저장이 필요하여 다양한 저장 매체가 등장하였다. 하드 디스크 이외에도 USB, SD 카드, 클라우드 서비스 등의 확장으로 쉽고 안전하게 대량의 정보를 보존할 수 있다.

③ **정보를 여러 사람이 공유할 수 있다:** 과거에는 일방향적인 전달 방식의 정보 통신이 주를 이루었다면, 현재는 양방향적인 통신 기술이 많이 이용된다. TV나 라디오 방송도 시청자나 청취자가 참여할 수 있게 되었고, SNS의 등장으로 많은 사람들과 의견을 공유하면서 소통할 수 있게 되었다.

④ **정보 통신 매체는 서로 연결 및 통합되어 있다:** 통신과 휴대 정보 기기의 결합으로 인터넷, 스마트폰, 위성 방송 등 다양한 매체가 연결되었고, 하나의 기기로 여러 기능을 할 수 있는 기기가 등장하였다.

## 2. 정보 통신 기술의 영향

정보 통신 기술의 발달로 인류는 정보를 정확하고 신속하게 수집하여 이용할 수 있게 되었고, 이는 교육, 문화, 산업, 행정 등 모든 분야에 걸쳐 큰 변화를 가져왔다. 이처럼 정보 통신 기술로 시간과 공간의 제약을 덜 받게 됨에 따라 개인의 생활이 보다 편리해지고, 효율적으로 일을 처리할 수 있게 되었다.

**① 교육 분야**

교육 정보망을 통해 각종 교육 정보를 공유함으로써 학생들이 언제 어디서나 원하는 학습을 할 수 있게 되었다.

**② 산업 분야**

회사에 나가지 않고 집에서 업무를 처리할 수 있는 재택근무가 가능해지고, 공장 자동화를 통해 다양한 수요에 보다 적절하게 대응할 수 있는 생산 체계가 이루어졌다.

**③ 문화 분야**

원하는 시간에 뉴스, 음악, 영화 등의 서비스를 이용할 수 있게 되었고, 사이버 박물관이나 미술관 등을 이용하여 직접 가지 않고도 생생하게 현장을 접할 수 있게 되었다.

**보조 노트**

**정보 통신 기술의 요소**

멀리 떨어져 있는 상대와 통신을 하기 위해서는 정보, 송신자, 전송 매체, 수신자의 4가지 요소가 필요하다.

**직지심체요절**

세계 최초로 금속 활자로 인쇄된 책으로, 2001년 유네스코 세계 기록으로 지정되었다.

**증강 현실**

증강 현실(AR: Argumented Realigy)은 사용자가 눈으로 보는 현실 세계에 가상 물체를 겹쳐 보여 주는 기술이다.

**유비쿼터스**

유비쿼터스는 '언제, 어디에나 존재한다.'는 뜻의 라틴어로, 사용자가 시간과 장소에 관계없이 자유롭게 네트워크에 접속할 수 있는 환경을 말한다.

**④ 행정 분야**

무인 민원 발급기 및 '정부민원포털 민원 24(www.minwon.go.kr)'를 통해 각종 민원 서류를 쉽게 발급받을 수 있게 되었고, 정부는 각 기관의 홈페이지를 통해 주요 정책을 공개하면서 국민들이 자유롭게 정치 행정에 참여할 수 있게 되었다.

## 3. 정보 통신 기술의 발달 과정

**① 전기 통신 이전:** 소리나 몸짓 → 상형 문자 → 인쇄술 → 인쇄기

㉠ 초기의 인류는 동물의 소리를 흉내 내거나 몸짓을 이용하여 의사소통을 하였다.

㉡ 언어의 사용과 문자의 발명으로 인류 문화는 더욱 빠른 속도로 발전하였다.

㉢ 인쇄술의 발명으로 정보나 지식을 효과적으로 보존하고, 문서를 대량으로 빠르게 보급할 수 있게 되었다.

**② 전기 통신 이후:** 유선 전신기 → 전화기 → 무선 전신기 → 라디오 → 텔레비전 → 컴퓨터(애니악) → 위성 통신 → 광 통신 → 휴대 전화 → 스마트폰

㉠ 19세기에는 전기 신호로 통신을 하는 전신기와 전화기가 발명되어 전기 통신이 사용되기 시작하였고, 멀리 떨어진 지역 간에도 빠르게 정보를 전달할 수 있게 되었다.

㉡ 20세기 초에 발명된 라디오와 텔레비전은 여러 지역의 많은 사람들에게 소식을 빠르게 전달할 수 있었다. 또한, 컴퓨터의 발명으로 빠른 정보 처리가 가능해졌고, 위성 통신은 무선 통신과 휴대 전화의 발달에도 큰 영향을 끼쳤다.

㉢ 최근에는 무선 정보 통신 기기와 여러 기술의 융합으로 생활이 편리해졌다.

## 4. 현대 정보 통신 기술의 특징

오늘날 정보 통신 기술은 컴퓨터와 인터넷, 통신 기술의 발달로 매우 빠른 속도로 발달하고 있다.

① 정보의 처리 및 전송 속도가 더욱 가속화된다.
② 빅 데이터의 활용이 증가한다.
③ 언제 어디서나 인터넷에 쉽게 접근 가능하다.
④ 증강 현실 및 가상 현실, 사물 인터넷(IoT)이 현실화되고 있다.
⑤ '누리 소통망 서비스'의 확대로 정보의 공유가 더욱 늘어난다.
⑥ 유선망보다 무선망의 사용이 더욱 늘어난다.

**이 섹션의 핵심 키워드** | 정보 통신 기술의 특성, 정보 통신 기술의 영향, 정보 통신 기술의 발달 과정, 현대 정보 통신 기술의 특징

**작은 활동** [교과서 180쪽]

'안녕하세요'의 메시지를 각각의 통신 수단으로 어떻게 표현했을지 빈칸에 적어 보자.

**예시 답안**

각각의 통신 수단의 특징을 이해하여 창의적으로 적어 본다.

**작은 활동** [교과서 182쪽]

현대 정보 통신 기술의 특징에 각각 맞는 경험을 이야기해 보자.

**예시 답안**

온라인 쇼핑몰에서 빅 데이터를 활용하여 나의 소비 패턴을 확인하고, 상품을 추천하였다.

[교과서 184쪽]

현실과 가상의 중간! 증강 현실

**활동 TIP**

증강 현실의 활용 분야에 관해 생각해 본다.

[교과서 185쪽]

사물 인터넷을 장착하고 싶은 사물을 정해 보고, 그 이유를 적어 보자.

**예시 답안**

옷에 장착하고 싶다. 이유는 길을 잃어도 쉽게 찾을 수 있을 것 같기 때문이다.

**스스로 정리하기**

1 정보나 지식을 효과적으로 보존하고, 문서를 대량으로 빠르게 보급할 수 있게 한 발명은 무엇인가? 인쇄술

2 라디오와 텔레비전의 차이점은 무엇인가? 음성 통신과 영상 통신

3 창의·인성 우리 생활 주변에서 사물 인터넷이 사용되고 있는 것을 이야기해 보자. 홈 네트워크

정답과 해설 4쪽

**01** (                    )은/는 유선 기기에서 무선 기기로 발달하면서 더 먼 곳까지, 더욱 편리하게 정보를 전달할 수 있게 되었다.

**02** 오늘날 SNS의 등장으로 많은 사람들과 의견을 공유하면서 소통할 수 있게 된 것과 가장 관련 있는 정보 통신 기술의 특성은?

① 서로 신뢰할 수 있다.
② 정보를 저장하고 보존할 수 있다.
③ 정보를 여러 사람이 공유할 수 있다.
④ 정보를 신속하고 정확하게 전달할 수 있다.
⑤ 정보 통신 매체는 서로 연결 및 통합되어 있다.

**03** 정보 통신 매체는 다양하지만 서로 연결되거나 통합되기 어렵다.

( ○ , × )

**04** 정보 통신 기술이 발달하면서 시간과 공간의 제약을 덜 받게 되면서 개인의 생활이 편리해지고 효율적으로 일을 처리할 수 있게 되었다.

( ○ , × )

**05** 정보 통신 기술이 발달하면서 정치적 악용이나 독점, 왜곡, 조작, 대량의 개인 정보 유출로 인한 사생활 침해가 문제되는 경우가 많아졌다.

( ○ , × )

**06** 전파를 음성으로 변환하는 텔레비전의 발명으로 정보를 멀리까지 전달할 수 있게 되었다.

( ○ , × )

**07** 다음 설명에 해당하는 것은?

- 세계에서 가장 오래된 금속 활자로 인쇄된 책
- 2001년 유네스코 세계 기록으로 지정
- 고려 후기에 제작

① 직지심체요절　　② 상형 문자
③ 팔만대장경　　④ 동의보감
⑤ 난중일기

**08** 우주 공간의 통신 위성을 이용하여 지상의 통신 지구국 간에 전파를 중계하는 기술은?

① 라디오
② 광통신
③ 무선 전신
④ 유선 전신
⑤ 위성 통신

**09** 사용자가 눈으로 보는 현실 세계에 가상 물체를 겹쳐 보여 주는 기술을 무엇이라고 하는지 쓰시오.

(                              )

**10** 사용자가 시간과 장소에 관계없이 자유롭게 네트워크에 접속할 수 있는 환경을 '유비쿼터스'라고 한다.

( ○ , × )

# 개념 활용하기

**01** **멀리 떨어져 있는 상대와 통신을 하기 위해 필요한 정보 통신 기술의 요소가 아닌 것은?**

① 정보 ② 송신자
③ 문자 ④ 수신자
⑤ 전송 매체

**02** **다음에서 설명하는 현대 정보 통신 기술의 특성은?**

> • 감기, 독감 등의 검색어 및 관련 데이터를 분석하여 독감 발생 시기와 발생 지역 등을 예측할 수 있다.
> • 최근에는 인간의 행동은 물론 위치 정보와 SNS를 통해 인간의 생각과 의견까지 분석 및 예측할 수 있다.

① 빅 데이터의 활용 증가
② 유비쿼터스 사회 진입
③ 사물 인터넷의 현실화
④ 무선 인터넷 사용 증가
⑤ 정보 처리 및 전송 속도의 가속화

**03** **정보 통신 기술의 특성과 영향에 대한 설명으로 옳지 않은 것은?**

① 정보를 저장하고 보존할 수 있다.
② 정보를 여러 사람이 공유할 수 있다.
③ 정보 통신 매체는 서로 연결 및 통합되어 있다.
④ 서로 필요한 정보를 신속하고 정확하게 주고받을 수 있다.
⑤ 정보의 일방향적인 전달이 가속화되면서 소수의 사람들에게만 정보가 집중된다.

**04** **다음에서 설명하는 정보 통신 기술은?**

> • 통신 기지국 안에 전파를 전달하여 통신한다.
> • 거리 및 지형에 관계없이 전송 가능하다.
> • 무선 통신의 형태이다.
> • 국제 간의 통신, 지상과 선박 및 항공기 간의 통신 등에 주로 사용된다.

① 광 통신 ② 라디오
③ 와이파이 ④ 위성 통신
⑤ 블루투스

**05** **다음에서 설명하고 있는 전기 통신 이전의 통신 기술과 가장 관련 있는 것은?**

> 정보나 지식을 효과적으로 보존하고, 문서를 대량으로 빠르게 보급할 수 있게 되었다.

① 문자 ② 음성
③ 인쇄술 ④ 라디오
⑤ 유선 전신기

**06** **다음에서 설명하고 있는 정보 통신 기술은?**

> • 독거 노인, 장애우 등 사회적 약자의 집에 설치된 센서를 통해 그들의 움직임 상태가 수시로 공공기관에 전달되어 사고를 미리 예방한다.
> • 산에서 조난당했을 경우 GPS를 통해 내 위치를 응급 센터로 전송하여 도움을 받을 수 있다.

① 사물 인터넷 ② 블루투스
③ 클라우드 서비스 ④ 가상 현실
⑤ 와이파이

이 섹션에서 할 수 있어야 하는 것!

# 기 술 활 동

**고대에 사용하던 암호에 대한 내용을 읽고, 친구와 암호 또는 모스 부호 놀이를 해 보자.**

### 스키테일 암호

기원전 400년경 그리스 군사들이 전쟁터에 나가 있는 군대에 비밀 메시지를 전할 때 사용했던 암호이다. 스키테일(scytale)은 '막대기'라는 뜻으로, 막대기에 종이를 감은 후 그 위에 가로로 글씨를 써서 암호를 만든다. 보내는 사람과 받는 사람이 동일한 막대기를 갖고 있어야 해석이 가능하다.

### 시프트 암호

기원전 100년경 로마의 장군인 카이사르가 가족 또는 주위 사람과 비밀 통신을 할 때 사용했던 암호이다.

평문의 문자와 암호문의 문자가 1:1로 대응하는 방식을 사용한 것으로, 알파벳을 일정하게 띄어 쓰는 방법이다.

예 알파벳 순서를 3칸씩 당겨 순서대로 읽을 경우

A ▶ D, B ▶ E, C ▶ F ⋯

따라서 L ORYH BRX 는 I LOVE YOU 가 된다.

카이사르의 동상 ▶

**1** 다음 글을 읽고, 암호를 해독해 보자.

드디어 보물섬에 도착한 해적들.

지도에 적힌 장소에 땅을 파기 시작한 해적들. 이때 발견한 쪽지 하나에 다음과 같은 글이 적혀 있었다.

ㅂㅗㅁㅜㄹㅇㅡㄴㄴㅏㅣㄱㅑㄱㅏㅈㅓㄱㅏㄴㄷㅏ

이것도 보물이 있는 곳에 대한 단서일 거야!

과연 이 암호는 무슨 뜻일까?

**암호 표**

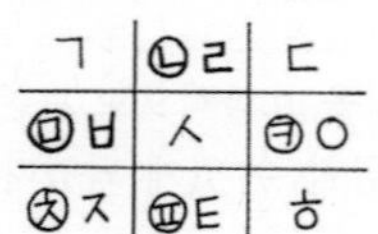


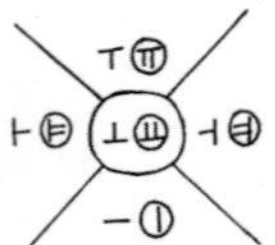


예 ⌋: ㄱ , ⌊·⌋: ㄴ(동그라미가 쳐져 있는 것), >: ㅏ , ·>: ㅑ(동그라미가 쳐져 있는 것)

**2** 모스 부호표를 보고 친구에게 메시지를 보내 보자.

| 자음 | ㄱ | ㄴ | ㄷ | ㄹ | ㅁ | ㅂ | ㅅ | ㅇ | ㅈ | ㅊ | ㅋ | ㅌ | ㅍ | ㅎ |
|---|---|---|---|---|---|---|---|---|---|---|---|---|---|---|
| 부호 | •–•• | ••–• | ••–• | •••– | –– | •–– | ––• | –•– | •––• | –•–• | –••– | ––•• | ––– | •––– |

| 모음 | ㅏ | ㅑ | ㅓ | ㅕ | ㅗ | ㅛ | ㅜ | ㅠ | ㅡ | ㅣ | ㅐ | ㅔ |
|---|---|---|---|---|---|---|---|---|---|---|---|---|
| 부호 | • | •• | – | –••• | •– | –• | •••• | •–• | –•• | ••– | ––•– | –•–– |

예 학생: •––– • •–•• ––• ––•– –•–

- **내가 보낼 메시지:** 안녕
- **모스 부호:**

–•– • ••–• ••–• –••• –•–

선생님 생각 엿보기

**· 이 활동의 목적**

통신에서 암호의 탄생 배경을 알고, 다양한 암호의 작성 및 해독 방법을 이해할 수 있기를 바랍니다.

**· 선생님은 이 활동을 이렇게 평가합니다.**

| | |
|---|---|
| 상 | 암호의 탄생 배경을 이해하고, 암호를 작성하고 해독하였다. |
| 중 | 암호의 탄생 배경을 이해하였지만, 암호를 작성하고 해독하지 못하였다. |
| 하 | 암호의 탄생 배경을 이해하지 못하고, 암호를 작성하고 해독하지 못하였다. |

이와 관련된 활동은?

**[관련 활동] QR 코드를 이용한 멀티미디어 명함 만들기** | QR 코드를 이용하여 멀티미디어 명함을 만들어 보는 활동이다.

## [03. 통신 매체의 이해 / 04. 정보 통신 기술의 창의적 문제 해결]

- 다양한 통신 매체의 종류와 특징을 이해하고 활용한다.
- 정보 통신 기술과 관련된 문제를 이해하고, 해결책을 창의적으로 탐색하고 실현하며 평가한다.

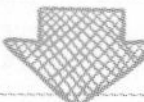

| 이 섹션에서 '알아야 할 것' (이해) | **다양한 통신 매체의 종류와 특징을 이해한다.**<br>1. 통신 매체의 종류와 특징<br>2. 통신 매체의 활용 |
|---|---|

| 이 섹션에서 '할 수 있어야 하는 것' (능력) | **다양한 통신 매체를 활용할 수 있다.**<br>[활동]<br>· 나만의 스마트폰 응용 프로그램을 구상하고, 종이에 적어 보자. |
|---|---|

**정보 통신 기술의 창의적 문제 해결 실습**

'스마트폰으로 학교 소개 동영상'을 만들어 봄으로써 정보 통신 기술과 관련된 문제의 해결책을 창의적으로 탐색하고 실현하며 평가한다.

이 섹션에서
알아야 할 것!

# 03 통신 매체의 이해

**동기 유발** [교과서 186쪽]

마지막 학생까지 메시지가 정확하게 전달되었는지 확인하고, 그렇지 않다면 이유는 무엇인지 이야기해 보자.

**예시 답안**

귓속말로 전달하는 과정에서 메시지의 일부가 손실되었거나 왜곡되었다. 귓속말이 보안 유지에는 좋지만, 정확하고 빠른 전달에는 적합하지 않다.

**작은 활동** [교과서 187쪽]

내가 최근에 사용한 통신 매체를 체크해 보고, 어떻게 활용하였는지 이야기해 보자.

**예시 답안**

가족 여행을 가서 디지털카메라를 이용하여 사진을 찍고 와이파이를 이용하여 가족들과 추억을 공유하였다.

그림으로 보는 

[교과서 190~191쪽]
스마트폰의 구조를 컴퓨터와 비교해 보자.

**예시 답안**

뉴 미디어 중 하나인 스마트폰의 구조를 컴퓨터와 연관 지어 이해할 수 있도록 한다.

- 입력 장치: ㉠ 화면, ㉦ 센서, ㉧ 카메라
- 출력 장치: ㉠ 화면, ㉧ 스피커
- 중앙 처리 장치(CPU): ㉣ 듀얼코어 칩
- 기억 장치: ㉤ 내장 메모리, ㉨ 외장 메모리 카드
- 통신 장치: ㉡ 모뎀 칩, ㉢ NFC 칩, ㉥ 블루투스와 와이파이

## 1. 통신 매체의 종류와 특징

### ① 통신 매체의 의미

인간과 인간 간에 정보, 생각, 감정 등을 전달하는 수단이나 도구를 말한다. 통신 미디어(media)라고도 한다.

### ② 통신 매체의 종류

통신 매체는 정보를 표현하는 방법에 따라 음성, 문자, 동영상, 그래픽, 뉴 미디어 등으로 분류되며 그 특징은 다음과 같다.

**㉠ 음성 통신 매체**

- 목소리, 자연의 소리, 음악 등 소리로 정보를 표현하는 수단이다.
- 소리 형태이므로 낮은 비용으로 정보 제공이 가능하다.
- 전화기, 라디오, 인터넷 전화, 인터넷 라디오 등이 있다.

**㉡ 문자 통신 매체**

- 정보를 표현하는 가장 기본적인 수단이다.
- 적은 용량으로 많은 내용을 전달할 수 있어 효율적이며 의미를 정확하게 전달할 수 있다.
- 종이 책, 종이 신문이 있고 오늘날에는 전자책과 전자 신문의 형태로 일부 변형되어 사용된다.

**㉢ 동영상 통신 매체**

- 움직이는 영상 형태로 정보를 표현하는 수단이다.
- 사물의 움직임과 소리를 실시간으로 전달하기 때문에 정보 전달 효과가 매우 뛰어나다.
- TV, IPTV 등이 있다.

**㉣ 그래픽 통신 매체**

- 시각적으로 정보를 전달하는 수단이다.
- 전달하고자 하는 사물이나 장면 등의 정보를 있는 그대로 표현할 수 있다.
- 팩시밀리, 카메라, 전자 우편, 디지털카메라 등이 있다.

**㉤ 뉴 미디어(새 매체)**

- 인터넷과 정보 통신 기술의 발달로 기존의 통신 매체가 새로운 형태로 변하고 발달한 것으로, 기존 매체와 융합적인 형태를 이룬다.
- 인터넷 전화, 인터넷 라디오, 전자책, 전자 신문, IPTV, 전자 우편, 디지털카메라, 화상 회의 시스템, 위성 방송, 스마트폰 등이 있다.
- 뉴 미디어 중에서도 특히 스마트폰은 다양한 형태의 정보를 주고받을 수 있다. 문자 메시지, 음성 및 영상 통화는 기본이고, 메신저, 전자책 및 동영상 재생, 인터

넷 방송 등도 가능하다. 또한, 응용 프로그램을 설치하면 생활을 편리하게 해 주는 다양한 정보 통신 서비스를 이용할 수 있다.

## 2. 통신 매체의 활용

**① 인터넷**

스마트폰으로 무선 인터넷에 접속하여 쇼핑이나 정보 검색, 은행 업무, 게임, 애플리케이션 설치 등을 할 수 있다.

**② SNS**

트위터, 페이스북 등이 있으며, 스마트폰의 보급으로 시장이 활성화되면서 지금은 유명 인사나 다양한 분야의 사람들과도 정보를 나눌 수가 있다.

**③ 내비게이션**

스마트폰의 가장 큰 기능 중 하나는 위치 정보를 알아내는 것이다. GPS를 활용한 기능으로 차량용 내비게이션이 가능하고, 일반 도보 또는 자전거용 위치 정보도 가능하다.

**④ DMB**

영상이나 음성을 디지털로 변환하는 기술 및 이를 휴대용 정보 통신 기기에서 재생하는 서비스를 말한다. 방송 보기는 물론 녹화나 캡처도 가능하다.

**⑤ 콘텐츠**

사진을 찍어 바로 블로그나 트위터 등으로 전송하여 실시간으로 사람들의 반응을 볼 수 있고, 대답도 가능하여 실시간 콘텐츠 제작이 가능하다. 스마트폰을 이용하면 블로그를 실시간으로 좀 더 편리하게 관리할 수 있다.

**이 섹션의 핵심 키워드** | 통신 매체, 뉴 미디어, SNS, 내비게이션

**작은 활동** [교과서 188쪽]

나의 하루 일과 중에서 사용한 통신 매체를 찾아서 적어 보자.

**예시 답안**

교과서, 스마트폰, 텔레비전, 컴퓨터

**작은 활동** [교과서 191쪽]

스마트폰을 이용하여 게임을 할 때에는 어떤 과정을 거치는지 생각해 보자.

**예시 답안**

1단계: 와이파이를 통해 게임 애플리케이션을 내려받아 실행한다.
2단계: 화면을 통해 영상을 보며 화면을 누르면 접속 판이 작동하면서 게임 캐릭터를 조정한다.
3단계: 스피커에서 효과음이 나오고, 진동 효과로 실감나는 게임을 즐길 수 있다.

**스스로 정리하기**

1 인간과 인간 간에 정보, 생각, 감정 등을 전달하는 수단이나 도구를 무엇이라고 하는가? 통신 매체

2 인터넷과 정보 통신 기술의 발달로 기존의 통신 매체가 새로운 형태로 발달한 것을 무엇이라고 하는가? 뉴 미디어

3 동영상 통신 매체의 정보 전달 효과가 뛰어난 이유는 무엇인가? 사물의 움직임과 소리를 실시간으로 전달한다.

4 창의·인성 나의 하루 일과 중 스마트폰으로 주고받는 정보에는 어떠한 것들이 있는지 이야기해 보자. 학교 숙제 자료를 공유하거나 친구와의 약속을 정할 수 있다.

**01** 통신 매체의 뜻으로 옳은 것은?

① 정보, 생각, 감정 등을 전달하는 수단이나 도구이다.
② 인간이 생활하는 데 필요한 구조물을 만드는 수단이나 도구이다.
③ 재료를 가공하여 우리 생활에 필요한 제품을 만드는 수단이나 도구이다.
④ 사람이나 물건 등을 한 장소에서 다른 장소로 이동시키는 수단이나 도구이다.
⑤ 생명체의 특성이나 기능을 활용하여 유용한 물질을 만드는 수단이나 도구이다.

**02** 통신 매체는 정보를 표현하는 방법에 따라 음성, 문자, 동영상, 그래픽, 뉴 미디어 등으로 분류된다.
( ○ , × )

**03** 음성 통신 매체는 종이 책, 종이 신문이 있고 오늘날에는 전자책과 전자 신문의 형태로 일부 변형되어 사용된다.
( ○ , × )

**04** 그래픽 통신 매체는 시각적으로 정보를 전달하는 수단으로, 전달하고자 하는 사물이나 장면 등의 정보를 있는 그대로 표현할 수 있다.
( ○ , × )

**05** 뉴 미디어는 기존 통신 매체를 바탕으로 형태가 변하고 발전한 것이다.
( ○ , × )

**06** 다음에서 설명하고 있는 통신 매체로만 짝지어진 것은?

- 정보를 표현하는 가장 기본적인 수단이다.
- 적은 용량으로 많은 내용을 전달할 수 있어 효율적이다.
- 의미를 정확하게 전달할 수 있다.

① 종이 책, 라디오
② 전자책, 전자 우편
③ 종이 책, 종이 신문
④ 카메라, 전자 우편
⑤ 카메라, 텔레비전

**07** 다음에서 설명하고 있는 통신 매체는?

- 움직이는 영상 형태로 정보를 표현하는 수단이다.
- 사물의 움직임과 소리를 실시간으로 전달한다.
- 전달 효과가 매우 뛰어나다.

① 문자 통신 매체
② 음성 통신 매체
③ 그래픽 통신 매체
④ 동영상 통신 매체
⑤ 이미지 통신 매체

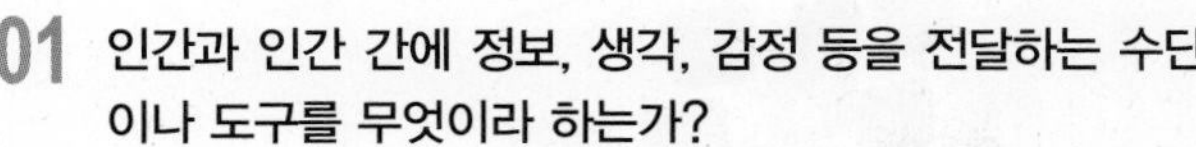

## 개념 활용하기

정답과 해설 5쪽

**01** 인간과 인간 간에 정보, 생각, 감정 등을 전달하는 수단이나 도구를 무엇이라 하는가?

① 통신
② 통신 매체
③ 문자
④ 전송 회선
⑤ 정보 통신

**02** 다음에서 설명하는 통신 매체는?

> • 목소리, 자연의 소리, 음악 등 소리로 정보를 전달한다.
> • 낮은 비용으로 정보 제공이 가능하다.

① 음성 통신 매체
② 전파 통신 매체
③ 문자 통신 매체
④ 그래픽 통신 매체
⑤ 동영상 통신 매체

**03** 인터넷과 정보 통신 기술의 발달로 기존의 통신 매체가 새로운 형태로 발달한 것은?

① 이동 통신
② 뉴 미디어
③ 유비쿼터스
④ 음성 미디어
⑤ 멀티 미디어

**04** 스마트폰을 활용하는 사례 중 SNS와 관련있는 것은?

① 무선 인터넷에 접속하여 쇼핑이나 정보 검색, 은행 업무, 게임, 애플리케이션 설치 등을 할 수 있다.
② 트위터, 페이스북 등이 있으며, 스마트폰의 보급으로 시장이 활성화되면서 지금은 유명 인사나 다양한 분야의 사람들과도 정보를 나눌 수가 있다.
③ GPS를 활용한 기능으로 차량용 내비게이션이 가능하고, 자전거용 위치 정보도 가능하다.
④ 영상이나 음성을 디지털로 변환하는 기술 및 이를 휴대용 정보 통신 기기에서 재생하는 서비스이다.
⑤ 사진을 찍어 블로그로 전송하여 실시간으로 사람들의 반응을 볼 수 있다.

**05** 통신 매체의 긍정적 영향이 아닌 것은?

① 인류에게 편리하고 안전한 삶을 가져왔다.
② 재택근무 환경에 더 가까워지게 되었다.
③ 원격으로 진료를 받거나 온라인 평생 교육이 가능해졌다.
④ 정보의 공유 및 참여 민주주의를 실현할 수 있게 되었다.
⑤ 과다 사용 시 리셋 증후군, VDT 증후군 등에 노출될 수 있다.

**06** 미디어를 올바르게 사용하기 위한 방법으로 옳지 않은 것은?

① 미디어의 사용 시간을 정한다.
② 미디어를 통한 관계에 익숙해지도록 한다.
③ 과다 사용의 유해성에 대해 의견을 나눈다.
④ 가족이 함께 할 수 있는 활동이나 취미를 만들어 즐긴다.
⑤ 건전하게 사용할 수 있도록 도와주는 애플리케이션을 설치하여 관리한다.

/ 재 / 미 / 있 / 는 /

## 기 술 활 동

교과서 189쪽

**이 섹션에서 할 수 있어야 하는 것!**

**다음 글을 읽고, 나만의 스마트폰 응용 프로그램을 구상하고, 종이에 적어 보자.**

스마트폰 응용 프로그램을 설치하면 간편하게 인터넷 뱅킹을 이용하거나, 버스나 지하철 등 대중교통의 실시간 이동 경로도 확인할 수 있으며, 영화나 연극 등의 공연도 바로 예매할 수 있다. 앞으로도 더욱 다양한 응용 프로그램이 개발되고 사용될 것이다.

① 자주 사용하는 스마트폰 응용 프로그램을 적어 보자.

- **내가 사용 중인 응용 프로그램:** SNS, 대중교통 안내, 카메라, 게임, 음악 재생, 은행 관련 등

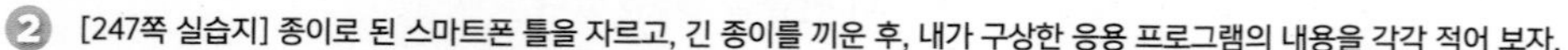

② [247쪽 실습지] 종이로 된 스마트폰 틀을 자르고, 긴 종이를 끼운 후, 내가 구상한 응용 프로그램의 내용을 각각 적어 보자.

- **응용 프로그램 제목:**
  - 신기한 마술 이야기
  - 통신의 어제와 오늘
- **만든 목적과 이용 방법:**
  - 사람들이 궁금해 하는 마술에 대한 정보와 마술을 직접 배워 볼 수 있는 동영상을 포함하는 응용 프로그램을 만들어 보았다.
  - 급격한 변화를 보이는 통신 언어의 흐름과 신조어 증가로 세대 간의 언어 이해를 위하여 퀴즈 형식의 응용 프로그램을 만들어 보았다.

1 활동지를 스마트폰 틀에 끼운다.

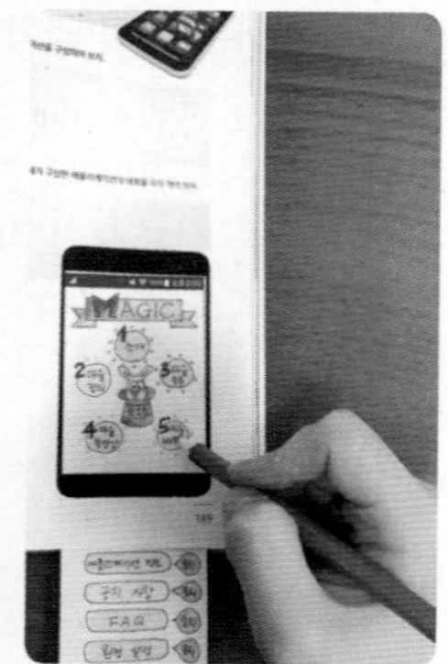


2 내가 구상한 응용 프로그램의 내용을 적거나 그려 본다.

자르는 선

**선생님 생각 엿보기**

**· 이 활동의 목적**

내가 만들고 싶은 응용 프로그램을 생각해 보고, 이미지와 스토리를 통해 구현하는 실습을 경험해 봅니다. 더 나아가 응용 프로그램 개발과 관련된 분야를 탐구할 수 있기를 바랍니다.

**· 선생님은 이 활동을 이렇게 평가합니다.**

|  |  |
|---|---|
| 상 | 응용 프로그램 주제가 창의적이고, 내용을 구체적으로 구상하였다. |
| 중 | 응용 프로그램 주제가 창의적이지만, 내용을 구체적으로 구상하지 못하였다. |
| 하 | 응용 프로그램 주제가 창의적이지 못하고, 내용을 구체적으로 구상하지 못하였다 |

**이와 관련된 활동은?**

**[관련 활동] 통신 매체 알아보기** | 일상생활에 이용되는 여러 가지 통신 매체를 살펴보는 활동이다.

이 섹션에서 알아야 할 것!

# 04 정보 통신 기술의 창의적 문제 해결

## 1. 문제 확인하기

- **과제명:** 스마트폰으로 학교 소개 동영상 만들기
- **제한 사항**
  - 스마트폰을 사용하여 동영상을 만든다.
  - 재생 시간은 3분 이내이다.
  - 선생님 한 분의 인터뷰가 들어가야 한다.
  - 자신의 모습이 들어가야 한다.

- **과제명:** 빔 프로젝터 만들기
- **제한 사항**
  - 우드락과 돋보기, 핀을 사용한다. 단, 우드락 이외의 재료도 가능하다.
  - 렌즈의 초점 거리를 고려하여 최대한 선명한 화질이 나와야 한다.

**동기 유발** [교과서 192쪽]

우리 학교에 대해 소개하고 싶은 것을 이야기해 보자.

**예시 답안**

우리 학교만의 특징을 가지고 있는 교복이나 급식 등을 소개한다.

## 2. 아이디어 창출하기

스마트폰으로 학교 소개 동영상을 만들기 위해 관련 정보를 수집하고, 창의적인 아이디어를 구상한다.

**① 정보 수집**

㉠ **문자:** 스마트폰의 문자 전송 기능을 이용하여 텍스트를 공유할 수 있다.
㉡ **사진:** 스마트폰의 카메라 촬영 기능을 이용하여 사진 및 그림을 공유할 수 있다.
㉢ **음성:** 스마트폰의 녹음 기능을 이용하여 음성을 공유할 수 있다.
㉣ **동영상:** 스마트폰의 동영상 촬영 및 편집 기능을 이용하여 동영상을 공유할 수 있다.

**② 창의적 아이디어 구상**

수집한 정보를 바탕으로 다양하고 창의적인 아이디어를 구상한다.

## 3. 아이디어 구체화하기

선정한 아이디어에 대한 스토리 보드를 작성하거나 스케치한다.

## 4. 실행하기

스마트폰의 동영상 응용 프로그램으로 '학교 소개 동영상'을 만들고, 필요한 재료와 공구를 준비하여 '빔 프로젝터'를 만든다.

**① 준비물**

우드락, 핀, 셀로판테이프, 돋보기, 칼, 자

**보조 노트**

**스토리 보드**

영화, 애니메이션, 광고, 게임 등 각종 영상 매체를 만들기 전 주요 장면을 일러스트나 사진을 이용하여 시각적으로 정리해 놓은 것이다. 영상 제작에 들어가기 전, 작품의 줄거리나 화면 구성 등 작품의 흐름을 시각적으로 그려 놓은 삽화라고 할 수 있다.

**빔 프로젝터**

빛을 이용하여 슬라이드나 동영상, 이미지 등을 스크린에 비추는 장치이다.

[교과서 196쪽]
좋아하는 음식, 영화, 책 등 친구들에게 공유하고 싶은 영상을 만들어 보고, 다양한 형태의 빔 프로젝터도 구상해 보자.

**예시 답안**

- 내가 좋아하는 음식의 요리법을 친구들에게 공유하고 싶다.
- 휴대가 가능하도록 작은 형태의 빔 프로젝터를 만들고 싶다.

[교과서 197쪽]

스마트폰 사용과 관련하여 가장 기억에 남는 에피소드를 친구들과 이야기해 보자.

**예시 답안**

주말에 친구들과 함께 스마트폰을 이용하여 영화를 보았다.

**② '학교 소개 동영상' 만들기**

㉠ 동영상 편집 응용 프로그램을 실행한다.
㉡ 동영상 테마를 고른다.
㉢ 내가 촬영한 동영상 및 사진과 어울리는 배경 음악을 선택한다.
㉣ 선택한 동영상, 사진, 배경 음악을 편집하고, 텍스트도 추가한다.
㉤ 편집이 끝나면 동영상이 잘 만들어졌는지 확인한다.
㉥ 완료된 동영상을 저장한다.

**③ 빔 프로젝터 만들기**

㉠ 설계한 대로 우드락에 선을 긋고 자른다.
㉡ 돋보기를 사용하여 우드락에 원을 그린 후 자른다.
㉢ 우드락에 돋보기를 끼운다.
㉣ 핀을 사용하여 우드락을 조립한다.
㉤ 우드락 조각과 핀을 사용하여 스마트폰 받침대를 만든다.
㉥ 핀을 사용하여 뚜껑이 열리도록 조립한다.

## 5. 평가하기

스스로 평가를 하거나 친구와 완성품에 대한 평가를 한다. 평가를 거치면서 다양한 내용의 영상과 보완된 빔 프로젝터를 만드는 방법을 생각해 본다.

**① 자기 평가**

㉠ 학교 소개 동영상을 만들고, 전송하였는가?
㉡ 동영상 편집 프로그램을 활용할 수 있는가?
㉢ 빔 프로젝터의 원리를 이해하였는가?

**② 동료 평가**

㉠ 가장 적극적으로 실습에 참여한 동료는 누구인가?
㉡ 창의적인 디자인 아이디어를 낸 동료는 누구인가?

**③ 제품 평가**

㉠ 전달하고자 하는 학교의 정보를 잘 표현하고 있는가?
㉡ 학교 소개 동영상에 텍스트, 사진, 음악 등을 충분히 사용하여 제작하였는가?
㉢ 빔 프로젝터의 동영상은 선명한가?
㉣ 빔 프로젝터의 디자인은 아름다운가?

**이 섹션의 핵심 키워드** | 문제 확인하기, 아이디어 창출하기, 아이디어 구체화하기, 실행하기, 평가하기

**스스로 정리하기**

1 학교 소개 동영상 만들기에서 선정된 아이디어의 주요 화면 구성을 작성하는 것을 무엇이라고 하는가? 스토리 보드
2 빔 프로젝터 만들기에서 우드락을 조립하는 데 사용한 것은 무엇인가? 핀

**01** 〈보기〉는 정보 통신 기술의 창의적 문제 해결 과정을 나타낸 것이다. 순서에 맞게 나열해 보시오.

보기

ㄱ. 문제 확인하기
ㄴ. 평가하기
ㄷ. 아이디어 구체화하기
ㄹ. 실행하기
ㅁ. 아이디어 창출하기

( )

**02** 영화, 애니메이션, 광고, 게임 등 각종 영상 매체를 만들기 전 작품의 줄거리나 화면 구성 등 각종 흐름을 시각적으로 그려 놓은 것을 ( )라/이라 한다.

**03** '스마트폰으로 학교 소개 동영상 만들기'에서 선정한 아이디어에 대한 스토리 보드를 작성하는 단계를 무엇이라고 하는지 쓰시오.

( )

**04** 정보 통신 기술의 창의적 문제 해결을 위한 과정 중에서 실행하기 이후의 단계로 제품이나 자기 자신, 동료에 대하여 ( )할 수 있다.

**05** 스마트폰의 카메라 기능과 동영상 편집 애플리케이션을 이용하여 문자, 사진, 소리, 영상을 제작하고 공유하기 위한 ( )을/를 만들 수 있다.

**06** 친구들과 내가 제작한 '학교 소개 동영상'을 스마트폰을 통해 ( )할 수 있다.

**07** 스마트폰의 카메라 촬영 기능을 이용하여 사진을 찍고, 녹음 기능을 이용하여 음성을 공유할 수 있다.

( ○ , × )

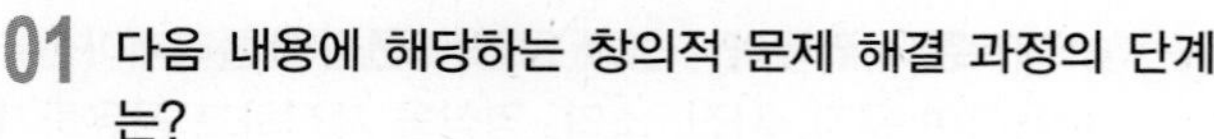


정답과 해설 5쪽

**01** 다음 내용에 해당하는 창의적 문제 해결 과정의 단계는?

> A: 우리 학교를 친구들에게 소개해 주고 싶은데 어떤 주제로 소개하는 것이 좋을까?
> B: 사진이나 동영상을 편집하여 영상을 재생하는 것이 좋지 않을까?
> C: 맞아. 통신 매체로는 스마트폰을 이용해 동영상을 촬영하면 좋을 것 같아. 내용 전달을 효과적으로 할 수 있을 것 같아.

① 문제 확인하기 ② 아이디어 창출하기
③ 아이디어 구체화하기 ④ 실행하기
⑤ 평가하기

**02** 다음 내용에 해당하는 창의적 문제 해결 과정의 단계는?

> • 스토리 보드에 맞게 구체적인 사항을 메모한다.
> • 스마트폰을 이용한 빔 프로젝트를 만들기 위해 제작 방법, 외형에 대한 스케치, 원리 및 작동 방법에 대한 내용을 찾아본다.

① 문제 확인하기 ② 아이디어 창출하기
③ 아이디어 구체화하기 ④ 실행하기
⑤ 평가하기

**03** 다음 내용에 해당하는 창의적 문제 해결 과정의 단계는?

> • 설계한 대로 우드락에 선을 긋고 자른다.
> • 스마트폰을 넣고 학교 소개 영상을 재생한다.
> • 선택한 동영상, 사진, 배경 음악을 이용하여 편집하고, 텍스트도 추가한다.

① 문제 확인하기 ② 아이디어 창출하기
③ 아이디어 구체화하기 ④ 실행하기
⑤ 평가하기

**04** 스마트폰을 이용하여 '우리 학교 소개 동영상 만들기'를 할 때 주로 사용하는 프로그램으로 가장 적절한 것은?

① 게임 프로그램
② 문서 편집 프로그램
③ 동영상 편집 프로그램
④ 지도, 위치 프로그램
⑤ 모바일 뱅킹 프로그램

**05** 창의적 문제 해결 과정의 마지막 단계인 '평가하기'에서 동료 평가에 해당하는 것은?

① 빔 프로젝터의 영상은 선명한가?
② 빔 프로젝터의 원리를 이해하였는가?
③ 동영상 편집 프로그램을 활용할 수 있는가?
④ 학교 소개 동영상을 만들고 잘 전송하였는가?
⑤ 가장 적극적으로 실습에 참여한 동료는 누구인가?

**06** 학교 소개 자료를 작성하여 학생들에게 발표할 때 가장 많이 이용되는 프로그램은?

① 워드
② 스프레드 시트
③ 그래픽 편집 프로그램
④ 동영상 편집 프로그램
⑤ 프레젠테이션 프로그램

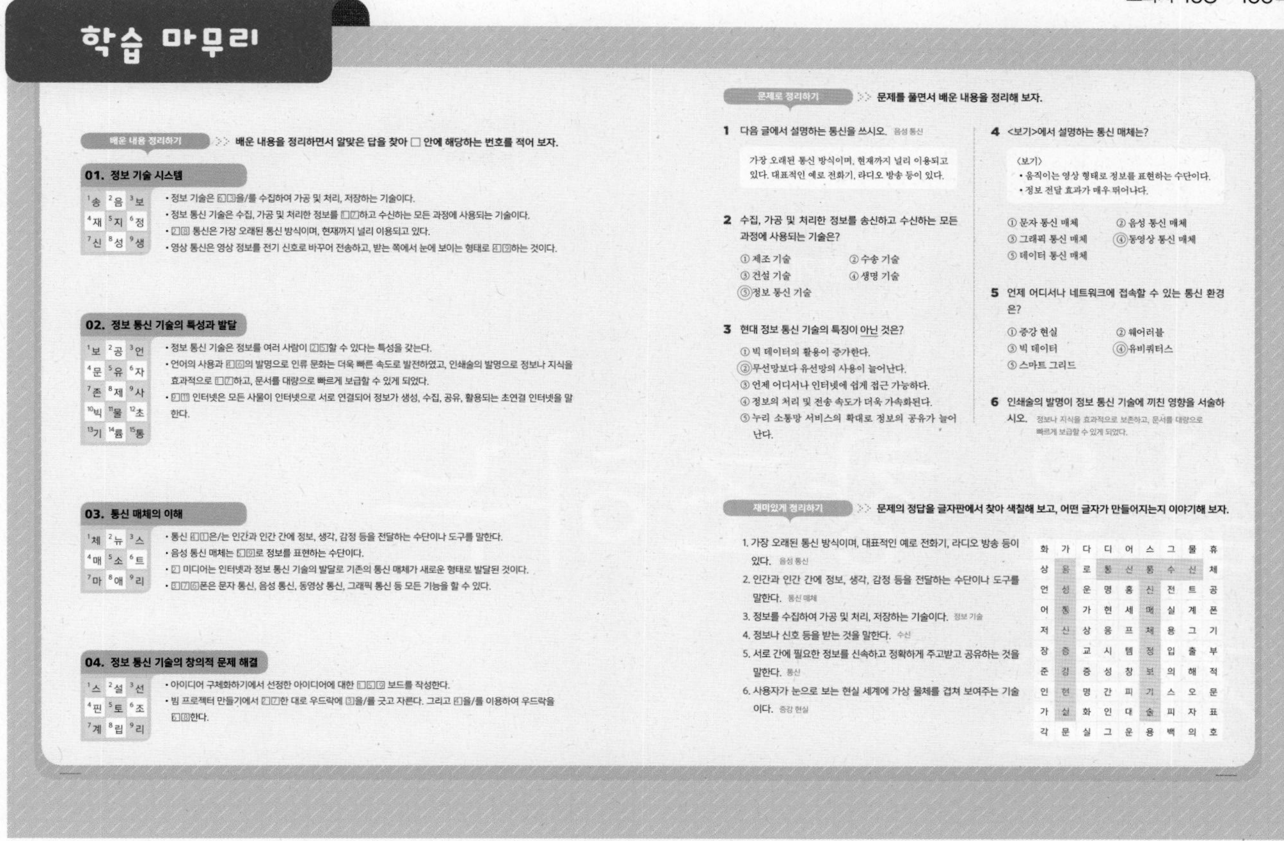

# 학습 마무리

**배운 내용 정리하기** >> 배운 내용을 정리하면서 알맞은 답을 찾아 □ 안에 해당하는 번호를 적어 보자.

**01. 정보 기술 시스템**

| | | |
|---|---|---|
| 1송 | 2음 | 3보 |
| 4재 | 5지 | 6정 |
| 7신 | 8성 | 9생 |

- 정보 기술은 [6][3]을/를 수집하여 가공 및 처리, 저장하는 기술이다.
- 정보 통신 기술은 수집, 가공 및 처리한 정보를 [1][7]하고 수신하는 모든 과정에 사용되는 기술이다.
- [2][8] 통신은 가장 오래된 통신 방식이며, 현재까지 널리 이용되고 있다.
- 영상 통신은 영상 정보를 전기 신호로 바꾸어 전송하고, 받는 쪽에서 눈에 보이는 형태로 [4][9]하는 것이다.

**02. 정보 통신 기술의 특성과 발달**

| | | |
|---|---|---|
| 1보 | 2공 | 3언 |
| 4문 | 5유 | 6자 |
| 7존 | 8제 | 9사 |
| 10빅 | 11물 | 12초 |
| 13기 | 14류 | 15통 |

- 정보 통신 기술은 정보를 여러 사람이 [2][5]할 수 있다는 특성을 갖는다.
- 언어의 사용과 [4][6]의 발명으로 인류 문화는 더욱 빠른 속도로 발전하였고, 인쇄술의 발명으로 정보나 지식을 효과적으로 [1][7]하고, 문서를 대량으로 빠르게 보급할 수 있게 되었다.
- [9][11] 인터넷은 모든 사물이 인터넷으로 서로 연결되어 정보가 생성, 수집, 공유, 활용되는 초연결 인터넷을 말한다.

**03. 통신 매체의 이해**

| | | |
|---|---|---|
| 1체 | 2뉴 | 3스 |
| 4매 | 5소 | 6트 |
| 7마 | 8애 | 9리 |

- 통신 [4][1]은/는 인간과 인간 간에 정보, 생각, 감정 등을 전달하는 수단이나 도구를 말한다.
- 음성 통신 매체는 [5][9]로 정보를 표현하는 수단이다.
- [2] 미디어는 인터넷과 정보 통신 기술의 발달로 기존의 통신 매체가 새로운 형태로 발달된 것이다.
- [3][7][6]폰은 문자 통신, 음성 통신, 동영상 통신, 그래픽 통신 등 모든 기능을 할 수 있다.

**04. 정보 통신 기술의 창의적 문제 해결**

| | | |
|---|---|---|
| 1스 | 2설 | 3선 |
| 4핀 | 5토 | 6조 |
| 7계 | 8립 | 9리 |

- 아이디어 구체화하기에서 선정한 아이디어에 대한 [1][5][9] 보드를 작성한다.
- 빔 프로젝터 만들기에서 [2][7]한 대로 우드락에 [3]을/를 긋고 자른다. 그리고 [4]을/를 이용하여 우드락을 [6][8]한다.

**문제로 정리하기** >> 문제를 풀면서 배운 내용을 정리해 보자.

**1** 다음 글에서 설명하는 통신을 쓰시오. 음성 통신

> 가장 오래된 통신 방식이며, 현재까지 널리 이용되고 있다. 대표적인 예로 전화기, 라디오 방송 등이 있다.

**2** 수집, 가공 및 처리한 정보를 송신하고 수신하는 모든 과정에 사용되는 기술은?

① 제조 기술 ② 수송 기술 ③ 건설 기술 ④ 생명 기술 ⑤ 정보 통신 기술

**3** 현대 정보 통신 기술의 특징이 아닌 것은?

① 빅 데이터의 활용이 증가한다.
② 무선망보다 유선망의 사용이 늘어난다.
③ 언제 어디서나 인터넷에 쉽게 접근 가능하다.
④ 정보의 처리 및 전송 속도가 더욱 가속화된다.
⑤ 누리 소통망 서비스의 확대로 정보의 공유가 늘어난다.

**4** <보기>에서 설명하는 통신 매체는?

> 〈보기〉
> • 움직이는 영상 형태로 정보를 표현하는 수단이다.
> • 정보 전달 효과가 매우 뛰어나다.

① 문자 통신 매체 ② 음성 통신 매체 ③ 그래픽 통신 매체 ④ 동영상 통신 매체 ⑤ 데이터 통신 매체

**5** 언제 어디서나 네트워크에 접속할 수 있는 통신 환경은?

① 증강 현실 ② 웨어러블 ③ 빅 데이터 ④ 유비쿼터스 ⑤ 스마트 그리드

**6** 인쇄술의 발명이 정보 통신 기술에 끼친 영향을 서술하시오. 정보나 지식을 효과적으로 보존하고, 문서를 대량으로 빠르게 보급할 수 있게 되었다.

**재미있게 정리하기** >> 문제의 정답을 글자판에서 찾아 색칠해 보고, 어떤 글자가 만들어지는지 이야기해 보자.

1. 가장 오래된 통신 방식이며, 대표적인 예로 전화기, 라디오 방송 등이 있다. 음성 통신
2. 인간과 인간 간에 정보, 생각, 감정 등을 전달하는 수단이나 도구를 말한다. 통신 매체
3. 정보를 수집하여 가공 및 처리, 저장하는 기술이다. 정보 기술
4. 정보나 신호 등을 받는 것을 말한다. 수신
5. 서로 간에 필요한 정보를 신속하고 정확하게 주고받고 공유하는 것을 말한다. 통신
6. 사용자가 눈으로 보는 현실 세계에 가상 물체를 겹쳐 보여주는 기술이다. 증강 현실

| | | | | | | | | |
|---|---|---|---|---|---|---|---|---|
| 화 | 가 | 다 | 디 | 어 | 스 | 그 | 물 | 휴 |
| 상 | 음 | 로 | 통 | 신 | 통 | 수 | 신 | 체 |
| 언 | 성 | 운 | 명 | 홍 | 신 | 전 | 트 | 공 |
| 어 | 통 | 가 | 현 | 세 | 매 | 실 | 계 | 폰 |
| 저 | 신 | 상 | 응 | 프 | 체 | 용 | 그 | 기 |
| 장 | 증 | 교 | 시 | 템 | 정 | 입 | 출 | 부 |
| 준 | 강 | 증 | 성 | 창 | 보 | 의 | 해 | 적 |
| 인 | 현 | 명 | 간 | 피 | 기 | 스 | 오 | 문 |
| 가 | 실 | 화 | 인 | 대 | 술 | 피 | 자 | 표 |
| 각 | 문 | 실 | 그 | 운 | 용 | 백 | 의 | 호 |

정답 및 해설

## 배운 내용 정리하기

01. 정보(6, 3) / 송신(1, 7) / 음성(2, 8) / 재생(4, 9)
02. 공유(2, 5) / 문자(4, 6) / 보존(1, 7) / 사물(9, 11)
03. 매체(4, 1) / 소리(5, 9) / 뉴(2) / 스마트(3, 7, 6)
04. 스토리(1, 5, 9) / 설계(2, 7) / 선(3) / 핀(4) / 조립(6, 8)

## 문제로 정리하기

1. 음성 통신 [해설] 정보의 통신 과정은 정보의 형태에 따라 음성 통신, 이미지 통신, 영상 통신, 데이터 통신으로 나눌 수 있다.
2. ⑤ [해설] 수집, 가공 및 처리한 정보를 송신하고 수신하는 모든 과정을 정보 통신이라고 한다.
3. ② [해설] 현대 정보 통신 기술은 무선망의 사용이 더욱 늘어난다.
4. ④ [해설] 동영상 통신 매체는 사물의 움직임과 소리를 실시간으로 전달한다.
5. ④ [해설] 유비쿼터스는 '언제 어디에나 존재한다'라는 뜻의 라틴어이다.
6. 정보나 지식을 효과적으로 보존하고, 문서를 대량으로 빠르게 보급할 수 있게 되었다.

## 재미있게 정리하기

1. 가장 오래된 통신 방식이며, 대표적인 예로 전화기, 라디오 방송 등이 있다. 음성 통신
2. 인간과 인간 간에 정보, 생각, 감정 등을 전달하는 수단이나 도구를 말한다. 통신 매체
3. 정보를 수집하여 가공 및 처리, 저장하는 기술이다. 정보 기술
4. 정보나 신호 등을 받는 것을 말한다. 수신
5. 서로 간에 필요한 정보를 신속하고 정확하게 주고받고 공유하는 것을 말한다. 통신
6. 사용자가 눈으로 보는 현실 세계에 가상 물체를 겹쳐 보여주는 기술이다. 증강 현실

| | | | | | | | | |
|---|---|---|---|---|---|---|---|---|
| 화 | 가 | 다 | 디 | 어 | 스 | 그 | 물 | 휴 |
| 상 | 음 | 로 | 통 | 신 | 통 | 수 | 신 | 체 |
| 언 | 성 | 운 | 명 | 홍 | 신 | 전 | 트 | 공 |
| 어 | 통 | 가 | 현 | 세 | 매 | 실 | 계 | 폰 |
| 저 | 신 | 상 | 응 | 프 | 체 | 용 | 그 | 기 |
| 장 | 증 | 교 | 시 | 템 | 정 | 입 | 출 | 부 |
| 준 | 강 | 증 | 성 | 창 | 보 | 의 | 해 | 적 |
| 인 | 현 | 명 | 간 | 피 | 기 | 스 | 오 | 문 |
| 가 | 실 | 화 | 인 | 대 | 술 | 피 | 자 | 표 |
| 각 | 문 | 실 | 그 | 운 | 용 | 백 | 의 | 호 |

핵심 개념

# 삶을 창조하는 기술

1. 생명 기술 시스템
2. 생명 기술의 특징과 영향

VII

**이 단원의 성취 기준**

1. 생명 기술 시스템의 각 단계별 세부 요소 및 생명 기술의 활용 분야를 이해하고, 생명 기술의 발달 전망을 예측한다.

2. 생명 기술의 특징을 이해하고, 생명 기술의 발달이 개인과 사회에 미치는 영향을 구체적으로 설명한다.

## [01. 생명 기술 시스템]

**생명 기술 시스템의 각 단계별 세부 요소 및 생명 기술의 활용 분야를 이해하고, 생명 기술의 발달 전망을 예측한다.**

| 이 섹션에서 '알아야 할 것' (이해) | **생명 기술 시스템의 각 단계별 세부 요소 및 생명 기술의 활용 분야를 이해하고 생명 기술의 발달 전망을 예측한다.**<br>1. 생명 기술 시스템의 이해<br>2. 생명 기술의 활용 분야<br>3. 생명 기술의 발달 과정<br>4. 생명 기술의 발달 전망 |
|---|---|

| 이 섹션에서 '할 수 있어야 하는 것' (능력) | **생명 기술의 원리를 이해할 수 있다.**<br>[활동]<br>· 색종이를 이용하여 유전자 재조합 기술을 체험해 보자. |
|---|---|

이 섹션에서 알아야 할 것!

# 01 생명 기술 시스템

## 1. 생명 기술 시스템의 이해

① **생명 기술:** 생명체의 특성이나 기능을 활용하여 유용한 물질을 만드는 기술

② **생명 기술 시스템:** 생명 기술이 실현되는 데 이용되는 모든 활동을 체계화한 것으로, 투입, 과정, 산출, 되먹임 등의 단계로 이루어진다.

③ **생명 기술 시스템의 단계별 세부 요소**

㉠ **투입:** 생명체의 여러 가지 기능을 활용하여 인간에게 유용한 물질을 생산하기 위해 필요한 재료, 자본, 인력, 정보, 설비 등의 요소를 투입한다.

㉡ **과정:** 증식, 성장, 유지, 적응, 수확 등의 절차에 따라 투입 요소를 활용하여 유용한 물질을 생산한다.

㉢ **산출:** 인간에게 유용한 생산물이 완성된다.

㉣ **되먹임:** 문제가 발생하면 이를 해결하기 위해 문제가 되는 단계로 되돌아간다.

## 2. 생명 기술의 활용 분야

① **농업 · 축산 · 식품 분야**

㉠ **유전자 변형 농산물:** 유전자를 변형시켜 새로운 특성을 갖게 한 농산물(쌀, 옥수수, 토마토, 감자, 콩 등)

㉡ **유전자 변형 동물:** 유전자를 변형하여 새로운 특성을 갖게 한 동물. 형질 전환 동물이라고도 한다(육질과 크기를 개선한 가축, 유전자 변형 어류, 장기 이식용 동물 등).

㉢ **식물 공장:** 채소와 꽃을 건물에서 기르는 새로운 농업 기술

㉣ **발효 식품:** 유산균, 효모 등 미생물의 발효 작용을 이용하여 만든 식품(김치, 된장, 젓갈, 치즈, 버터, 요구르트, 빵 등)

② **보건 · 의료 분야**

㉠ **바이오 의약품:** 생물의 세포나 조직 등을 이용하거나 생명 공학 기술을 이용하여 만든 의약품(백신, 인슐린, 인터페론, 성장 호르몬, 바이오시밀러 등)

㉡ **바이오 장기:** 인간에게 이식할 수 있는 부작용 없는 생체 장기(사람의 것과 비슷한 장기를 가진 동물로부터 얻는 동물 장기, 다양한 신체 조직으로 변화할 수 있는 능력을 가진 줄기세포로 만든 장기 등)

③ **환경 · 에너지 분야**

㉠ **생물 정화 기술:** 미생물의 생분해 능력을 높여 오염 물질을 제거하는 방법

㉡ **바이오 에너지:** 에너지 생산에 이용할 수 있는 생물체나 유기성 폐기물을 연료로 얻는 에너지(바이오 디젤, 바이오 메탄가스, 바이오 수소 등)

**동기 유발** [교과서 204쪽]

내가 마법을 부릴 수 있다면, 어떤 약을 만들고 싶은지 친구들과 이야기해 보자.

**예시 답안**

- 머리가 좋아지는 약
- 시간을 조절할 수 있는 약

**보조 노트**

**투입 단계의 세부 요소**

- 재료: 동식물 등의 생명체
- 자본: 유용한 물질을 만들기 위한 비용
- 인력: 유용한 물질을 만들기 위해 필요한 사람
- 정보: 유용한 물질을 만들기 위해 필요한 지식
- 설비: 유용한 물질을 만들기 위한 시설이나 장치

**과정 단계의 세부 요소**

- 증식: 생명체를 개발하고 재생산하는 과정
- 성장: 생명체를 키우기 위한 과정
- 유지: 생명체를 정상적으로 키우기 위해 적절한 환경을 유지해 주는 과정
- 적응: 생명체가 환경에 적응하여 변화하는 과정
- 수확: 변화된 생명체를 거두어들이는 과정

**작은 활동** [교과서 204쪽]

생활 속에서 생명 기술 시스템의 투입, 과정, 산출, 되먹임에 해당하는 예를 찾아 이야기해 보자.

**예시 답안**

김치를 담그는 예로 찾아본다.

보조 노트

**DNA 이중 나선 구조 발견**

제임스 왓슨과 프랜시스 크릭이 X선을 이용하여 DNA가 이중 나선 구조로 되어 있음을 발견하고, DNA 구조 모형을 완성하였다. 그 결과 유전 공학 기술의 발달에 크게 이바지하였다.

작은 활동 [교과서 209쪽]

미래의 생명 기술은 어떠할지 상상하고 이야기해 보자.

예시 답안

미래에는 의약품의 발달로 현재는 고치지 못하는 병을 쉽게 치료할 수 있을 것이다.

[교과서 211쪽]

유전자 재조합 기술, 핵 치환 기술, 조직 배양 기술 중 한 가지를 골라 내가 만들고 싶은 것을 상상하여 이야기해 보자.

예시 답안

핵 치환 기술을 이용하여 멸종 위기에 놓인 동식물을 복제하고 싶다.

[교과서 213쪽]

DNA 모형 만들기

활동 TIP

생명 기술과 연관된 활동을 진행하고, 활동지를 이용하여 창의적인 아이디어로 자신만의 DNA 모형을 만든다.

## 3. 생명 기술의 발달 과정

17세기, 현미경이 발명되면서 세포와 미생물을 관찰하게 되었다. 이때부터 생명 기술은 빠르게 발전하기 시작하여 18세기에 백신이 개발되었고, 20세기에 페니실린이 발견되면서 생명 기술은 비약적으로 발달하였다.

| 연도 | 주요 기술 | 연도 | 주요 기술 |
|---|---|---|---|
| BC 1700 | 발효 기술 이용 | 1973 | 유전자 재조합 기술 개발 |
| 1665 | 세포 발견 | 1996 | 복제 양 돌리 탄생 |
| 1796 | 백신 개발 | 2003 | 인간 게놈 프로젝트 |
| 1863 | 유전 법칙 발견 | 2007 | 암 발병 억제 유전자의 기능 규명 |
| 1928 | 페니실린 발견 | 2010 | 혈관용 마이크로 로봇 개발 |
| 1958 | DNA 이중 나선 구조 발견 | 2013 | 인간 배아 줄기세포 복제 성공 |

## 4. 생명 기술의 발달 전망

**① 3D 바이오 프린팅**

세포가 포함된 '바이오 잉크'를 이용하여 살아 있는 조직을 만들 수 있다.

**② 유전자 칩**

심장병, 고혈압, 당뇨, 치매 등의 질병 발생 가능성을 사전에 알 수 있다.

**③ 의료용 나노 로봇**

나노 크기($\frac{1}{10억}$ m)의 로봇이 우리 몸속을 돌아다니면서 혈관을 청소하거나 해로운 박테리아, 바이러스 등을 찾아내어 치료한다.

**④ 줄기세포**

여러 개의 세포로 분화하는 특성이 있어 손상된 장기 재생, 각종 질병 치료에 이용된다.

**이 섹션의 핵심 키워드** | 생명 기술, 생명 기술 시스템, 생명 기술의 활용 분야, 생명 기술의 발달 과정, 생명 기술의 발달 전망

**스스로 정리하기**

1 생명체의 특성이나 기능을 활용하여 유용한 물질을 만드는 기술을 무엇이라고 하는가? 생명 기술

2 유산균, 효모 등 미생물의 발효 작용을 이용하여 만든 식품을 무엇이라고 하는가? 발효 식품

3 인간에게 이식할 수 있는 부작용 없는 생체 장기를 무엇이라고 하는가? 바이오 장기

4 제임스 왓슨과 프랜시스 크릭이 X선을 이용하여 발견한 DNA는 어떤 구조인가? 이중 나선 구조

5 창의·인성 의료용 나노 로봇이 실용화되면 무엇이 좋아질지 이야기해 보자.

수술 부위를 최소화하여 수술에 대한 두려움과 거부감이 줄어들고, 몸속의 필요한 곳에 치료제를 직접 전달할 수 있어 부작용을 줄일 수 있다.

**01** 생명체의 특성이나 기능을 활용하여 유용한 물질을 만드는 기술을 (                    )라고/이라고 한다.

**02** 생명 기술 시스템은 생명 기술이 실현되는 데 이용되는 모든 활동을 체계화한 것이다.
( ○ , × )

**03** 생명 기술 시스템은 투입 - 과정 - (                    ) 및 되먹임 등의 단계로 이루어진다.

**04** 생명 기술 시스템의 과정에 속하는 요소는?
① 증식
② 자본
③ 인력
④ 설비
⑤ 재료

**05** 생명 기술 시스템에서 투입 요소를 활용하여 유용한 물질을 만드는 단계를 쓰시오.
(                    )

**06** 생명 기술 시스템의 산출 단계는 필요한 재료나 자본, 인력을 투입하는 단계이다.
( ○ , × )

**07** 생명 기술은 농업 · 축산 · 식품 분야, 보건 · 의료 분야, (                    ) 분야에서 다양하게 활용되고 있다.

**08** 생명 기술을 이용한 발효 식품은?
① 김치
② 백신
③ 인슐린
④ 인터페론
⑤ 바이오시밀러

**09** 17세기, (    ㉠    )이/가 발명되면서 세포와 미생물을 관찰하게 되었다. 이때부터 생명 기술은 빠르게 발전하기 시작하여 18세기에 백신이 개발되었고, 20세기에 (    ㉡    )이/가 발견되면서 생명 기술은 비약적으로 발달하였다.

**10** 제임스 왓슨과 프랜시스 크릭이 X선을 이용하여 밝혀낸 DNA 구조의 모양은?
① 직선 구조
② 원형 구조
③ 나선 구조
④ 이중 원형 구조
⑤ 이중 나선 구조

**01** 생명 기술의 의미를 바르게 설명한 것은?

① 정보를 생산, 가공하여 주고받는 것
② 사람이 필요로 하는 구조물을 만드는 것
③ 재료를 가공하여 원하는 제품을 만드는 것
④ 사람이나 물건을 다른 곳으로 이동시키는 것
⑤ 생명체를 활용하여 유용한 물질을 만드는 것

**02** 생명 기술 시스템의 투입 요소 중 유용한 물질을 만들기 위한 지식은?

① 재료 ② 자원
③ 정보 ④ 인력
⑤ 설비

**03** 증식, 성장, 유지, 적응, 수확 등의 절차에 따라 투입 요소를 활용하여 유용한 물질을 생산하는 생명 기술 시스템의 단계는?

① 투입 ② 과정
③ 산출 ④ 활용
⑤ 되먹임

**04** 다음에서 설명하는 생명 기술 시스템의 단계와 세부 요소를 쓰시오.

- 생명체를 개발한다.
- 생명체를 재생산한다.

( )

**05** 생명 기술 시스템에서 인간에게 유용한 의약품, 서비스, 식량 자원 등을 완성하는 단계를 쓰시오.

( )

**06** 〈보기〉의 (가)와 (나)에 해당하는 생명 기술 시스템의 과정 요소가 바르게 연결된 것은?

보기
( 가 ): 생명체를 개발하고 재생산하는 과정
( 나 ): 변화된 생명체를 거두어들이는 과정

| | (가) | (나) |
|---|---|---|
| ① | 증식 | 성장 |
| ② | 성장 | 유지 |
| ③ | 유지 | 적응 |
| ④ | 적응 | 수확 |
| ⑤ | 증식 | 수확 |

**07** 생명 기술의 활용 분야 중 식물 공장에 대한 설명으로 옳지 않은 것은?

① 환경 조건을 인공적으로 제어할 수 있다.
② 채소와 꽃을 건물에서 기르는 새로운 농업 기술을 말한다.
③ 조직 배양, 세포 배양 등의 생명 기술을 활용하여 농작물을 생산할 수 있다.
④ 생산품은 김치, 된장, 젓갈, 치즈, 버터, 요구르트, 빵 등 다양하다.
⑤ 지구의 기후 변화에 대비하여 외부 환경에 영향을 받지 않고 식물을 생산할 수 있다.

**08** 유전자를 변형시켜 새로운 특성을 갖게 하는 농산물을 유전자 변형 농산물이라고 한다.
( ○ , × )

**09** 유전자 변형 동물은 유전자를 변형하여 새로운 특성을 갖게 한 동물로서, (                ) 동물이라고도 한다.

**10** 고대 수메르 사람들은 BC 1700년, 효모로 곡식을 (                )시켜 술을 빚는 기술을 이용하였다.

**11** 다음에서 설명하는 생명 기술의 이용 분야는?

- 인간에게 이식할 수 있는 부작용 없는 생체 장기를 말한다.
- 사람의 것과 비슷한 장기를 가진 동물로부터 얻을 수 있다.

① 바이오 장기
② 바이오 에너지
③ 바이오 의약품
④ 생물 정화 기술
⑤ 유전자 변형 기술

**12** (                )은/는 인간의 DNA 서열을 분석하여 데이터로 만든 것으로, 2003년에 완성되었다.

**13** 세포가 포함된 '바이오 잉크'를 이용하여 살아 있는 조직을 만들 수 있는 기술을 쓰시오.
(                )

**14** 유전자 칩에 대한 설명으로 옳은 것은?

① 스탠리 코헨과 허버트 보이어가 유전자 재조합 기술을 개발하였다.
② 세포가 포함된 '바이오 잉크'를 이용하여 살아 있는 조직을 만들 수 있다.
③ 심장병, 고혈압, 당뇨, 치매 등의 질병 발생 가능성을 사전에 알 수 있다.
④ 여러 개의 세포로 분화하는 특성이 있어 손상된 장기 재생, 각종 질병 치료에 이용된다.
⑤ 나노 크기의 로봇이 몸속을 돌아다니면서 혈관을 청소하거나 해로운 바이러스 등을 찾아내어 치료한다.

**15** 여러 개의 세포로 분화하는 특성이 있어 손상된 장기 재생, 각종 질병 치료에 이용되는 세포를 쓰시오.
(                )

교과서 212쪽

이 섹션에서
할 수 있어야 하는 것!

## 기 술 활 동 색종이를 이용하여 유전자 재조합 기술을 체험해 보자.

① 내가 만들고 싶은 무궁화를 정하여 표에 체크해 보자.

| 종류 | 유전자 조직 | | | | |
|---|---|---|---|---|---|
| 꽃의 크기 | | ☐ 작다 | ☑ 중간 | ☐ 크다 | |
| 꽃의 향기 | ☐ 장미 향기 | ☑ 나팔꽃 향기 | ☐ 무궁화 향기 | ☐ 수선화 향기 | ☐ 코스모스 향기 |
| 꽃잎 색 | ☐ 보라색 | ☐ 연두색 | ☐ 주황색 | ☑ 빨간색 | ☐ 남색 |
| 꽃잎의 무늬 | ☐ 둥근 무늬 | ☐ 삼각 무늬 | ☐ 사각 무늬 | ☐ 물결무늬 | ☑ 지그재그 무늬 |
| 꽃이 피는 시기 | ☐ 3~4월 | ☐ 4~5월 | ☐ 6~7월 | ☐ 8~9월 | ☑ 연중 |

② [나만의 무궁화 만들기] 249쪽의 활동지를 오려 풀로 붙여서 나만의 무궁화를 만들어 보고, 꽃말도 지어 보자.

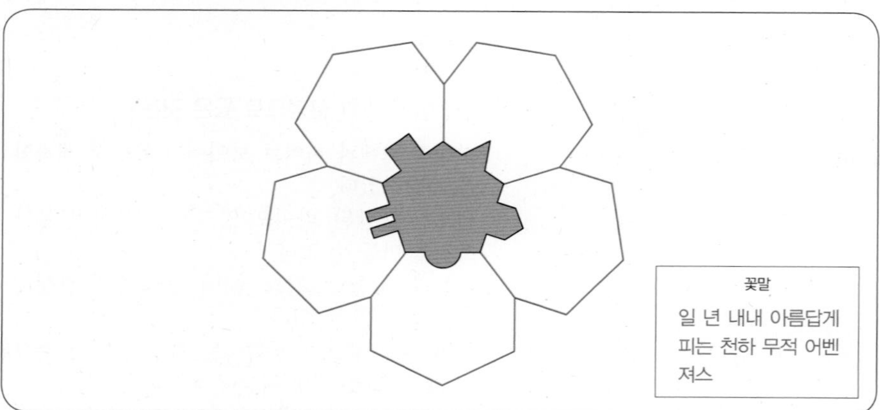

꽃말
일 년 내내 아름답게
피는 천하 무적 어벤
져스


**선생님 생각 엿보기**

**• 이 활동의 목적**

간단한 실습 활동을 통해 유전자를 조합하였을 때 기존에 없던 특정한 형질이 나타나는 것을 이해할 수 있기를 바랍니다.

**• 선생님은 이 활동을 이렇게 평가합니다.**

| | |
|---|---|
| 상 | 유전자 재조합 기술을 이해하고, 자신만의 무궁화와 꽃말을 만들었다. |
| 중 | 유전자 재조합 기술을 이해하였지만, 자신만의 무궁화와 꽃말을 만들지 못하였다. |
| 하 | 유전자 재조합 기술을 이해하지 못하고, 자신만의 무궁화와 꽃말을 만들지 못하였다. |

**이와 관련된 활동은?**

**[관련 활동] 생명 기술의 미래 알아보기** | 배양육의 탄생 배경을 알아보고, 미래에는 우리가 곤충을 주요 식량으로 이용하는 것에 대해 생각해 보는 활동이다.

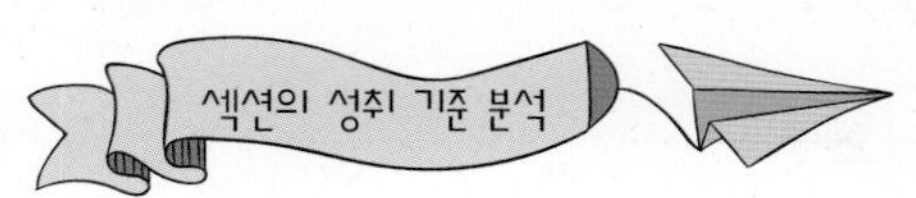


[02. 생명 기술의 특징과 영향]

**생명 기술의 특징을 이해하고, 생명 기술의 발달이 개인과 사회에 미치는 영향을 구체적으로 설명한다.**

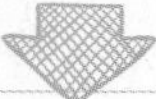

| 이 섹션에서 '알아야 할 것' (이해) | **생명 기술의 특징을 이해하고, 생명 기술의 발달이 개인과 사회에 미치는 영향을 구체적으로 설명한다.**<br>· 생명 기술의 특징<br>· 생명 기술의 영향 |
| --- | --- |

| 이 섹션에서 '할 수 있어야 하는 것' (능력) | **생명 기술의 발달이 개인과 사회에 미치는 영향을 구체적으로 설명할 수 있다.**<br>[활동]<br>· 동물 실험을 주제로 토론해 보자. |
| --- | --- |

이 섹션에서 알아야 할 것!

# 02 생명 기술의 특징과 영향

**동기 유발** [교과서 214쪽]

내 스마트폰의 비밀번호 설정은 어떤 방식이고, 왜 그 방식을 택했는지 이야기해 보자.

**예시 답안**

홍채 인식 방식으로 설정하였다. 홍채는 나만의 고유한 구조와 모양이 있으므로 스마트폰의 비밀 유지와 사생활 보호가 가능하며, 손을 쓰지 않고 편리하게 접속이 가능하다.

**보조 노트**

**생명 기술은 종합적인 응용 기술**

생명 기술은 생명체를 대상으로 하기 때문에 그 응용 범위가 대단히 넓고, 다양한 학문 분야를 아우르기 때문에 종합적인 응용 기술이다.

**배아 복제**

배아란 난자와 정자의 수정 후 8주 이내의 세포로 각종 신체 기관으로 분화되기 전의 세포를 말한다.

배아 복제는 특정 장기로 분화가 일어나기 전인 배아 줄기세포를 이용하여 특정한 조직을 만들고, 이 조직으로 손상되거나 노화된 조직을 대체하는 과정을 말한다.

[교과서 217쪽]

범죄 수사 외에 DNA를 활용할 수 있는 분야를 이야기해 보자.

**예시 답안**

잃어버린 가족을 찾는 일에 DNA를 활용하면 좋을 것 같다.

## 1. 생명 기술의 특징

① **친환경적인 기술이다:** 제품 생산에 필요한 에너지가 다른 것에 비해 적게 들고, 제조 과정에서 환경 오염 물질이 거의 발생하지 않는다.

② **다른 학문과 융합한다:** 생물학, 화학, 유전 공학, 농학 등의 학문과 정보 기술, 나노 기술, 환경 기술 등이 서로 융합된 종합 기술이다.

③ **부가 가치가 매우 높다:** 원료나 시설 등에 드는 비용에 비해 생산되는 제품의 가치는 매우 높다.

④ **살아 있는 생명체를 대상으로 한다:** 지구상에 존재하는 모든 생명체를 대상으로 한다.

⑤ **사회 · 윤리적 논쟁이 있다:** 각 생명체만의 고유한 특성을 조작하고 바꾸기 때문에 생명 윤리 문제, 생태계 파괴, 식량 자원의 과다 사용 등의 문제가 발생할 수 있다.

⑥ **성장 속도가 빠르다:** 인구 증가와 노령화로 인한 삶의 질과 복지 및 의료 서비스에 대한 요구 증가로 성장 잠재력이 크다.

## 2. 생명 기술의 영향

**① 생명 기술의 긍정적 영향**

㉠ **식량 문제의 해결:** 자연 상태에서 존재하는 작물의 특성을 생물학적으로 변형하여 인류가 더 나은 삶을 영위할 수 있게 한다.

㉡ **질병과 장애의 극복:** 개인 맞춤형 의료 서비스 및 생명 연장이 가능해진다.

㉢ **환경과 에너지 문제의 극복:** 미생물을 이용하여 석유로 인한 오염 물질이나 기름을 분해할 수 있고, 바이오 에탄올, 바이오 디젤 등은 화석 연료의 사용을 줄여준다.

**② 생명 기술의 부정적 영향**

㉠ **생명 윤리 문제:** 인간의 배아 복제나 맞춤형 아기 등 인간을 대상으로 하는 생명 기술이 발달함에 따라 인간의 존엄성이 훼손될 수 있다.

㉡ **생태계 파괴 위험:** 유전자 변형 생물체(GMO)가 유전자 조작 과정에서 예측하지 못한 질병에 감염되거나 새로운 품종이 나타나 생태계가 교란될 가능성이 있다.

㉢ **개인의 유전 정보 문제:** 개인의 유전자 정보가 노출되거나 무분별하게 이용됨으로써 개인의 사생활이 침해되거나 유전적 차별을 받을 수 있다.

㉣ **기술의 독점:** 유전체 연구와 관련된 특허 비중의 증가로 경쟁력을 갖추지 못한 경우 막대한 사용료를 부담해야 한다.

**이 섹션의 핵심 키워드** | 생명 기술의 특징, 생명 기술의 영향

**스스로 정리하기**

1 생명 기술이 부가 가치가 매우 높은 이유는 무엇인가?

원료나 시설 등에 드는 비용이 비교적 적게 들지만, 생산되는 제품의 가치는 매우 높다.

2 창의·인성 인간을 대상으로 하는 복제 기술이 발달함에 따라 나타날 수 있는 부정적인 영향을 이야기해 보자.

인간의 존엄성이 훼손될 수 있다. 인간이 탄생되는 기적에서 생산의 개념으로 전락하면서 존엄성이 무너지게 될 것이다. 더불어 지능이 우수하거나 능력이 뛰어난 맞춤형 아기의 생산은 또 하나의 계급 사회를 유발할 수도 있다.

**01** (            )은/는 생명체를 대상으로 하기 때문에 그 응용 범위가 대단히 넓고, 다양한 학문 분야를 아우르는 종합적인 응용 기술이다.

**02** 생명 기술을 적용한 제품은 일상생활에 많은 영향을 끼치지 않는다.

( ○ , × )

**03** 생명 기술의 특징으로 옳지 않은 것은?

① 친환경적인 기술이다.
② 다른 학문과 융합한다.
③ 부가 가치가 매우 높다.
④ 생명체를 대상으로 한다.
⑤ 결과가 구조물의 형태이다.

**04** 생명 기술은 제품 생산에 필요한 에너지가 다른 것에 비해 적게 들고, 제조 과정에서 (            ) 물질이 거의 발생하지 않는다.

**05** 생명 기술은 다른 학문과 융합된 종합 기술이다. 이에 포함되지 않는 것은?

① 예술
② 화학
③ 농학
④ 생물학
⑤ 유전 공학

**06** 생명 기술은 원료나 시설 등에 드는 비용이 비교적 적게 들지만, 생산되는 제품의 가치는 매우 높다.

( ○ , × )

**07** 생명 기술은 지구상에 존재하는 모든 생명체를 대상으로 한다.

( ○ , × )

**08** 다음에서 설명하는 생명 기술의 특징을 쓰시오.

> 원료나 시설 등에 드는 비용이 비교적 적게 들지만, 생산되는 제품의 가치는 매우 높다.

(                                        )

**09** 생명 기술은 사회 · 윤리적 논쟁이 일어나지 않는다.

( ○ , × )

**10** 생명 기술은 발전 속도가 매우 느리다.

( ○ , × )

11 생명 기술은 식량 문제를 해결하고, 질병과 장애를 극복하며 환경과 에너지 문제를 해결할 수 있다.

( ○ , × )

12 생명 기술은 생명 윤리 문제, 생태계 파괴 위험, 개인의 (　　　　　) 정보 유출 등 여러 문제가 발생할 수도 있다.

13 생명 기술의 부정적 영향은?

① 환경 문제 극복
② 질병 문제 해결
③ 식량 문제 해결
④ 에너지 문제 극복
⑤ 생태계 파괴 위험

14 (　　　　　)은/는 지문, 정맥, 홍채, 얼굴, 음성 등 인간의 고유한 생체 정보를 통해 개인을 식별하거나 인증하는 기술이다.

15 생명 기술은 개인의 유전자 정보가 노출되지만, 개인의 사생활이 침해되거나 유전적 차별을 받지는 않는다.

( ○ , × )

16 생명 기술은 개인 맞춤형 의료 서비스를 제공하며, 생명 연장을 가능하게 한다.

( ○ , × )

17 생명 기술의 유전자 조작으로 얻은 유전자 변형 생물체를 무엇이라 하는가?

① GMO
② GMC
③ OCM
④ ODM
⑤ MDC

18 다음에서 설명하는 생명 기술의 긍정적 영향을 쓰시오.

> 자연 상태에서 존재하는 작물의 특성을 생물학적으로 변형하여 인류가 더 나은 삶을 영위할 수 있게 한다.

(　　　　　　　　　　　　　　　　　　　　)

19 다음에서 설명하는 생명 기술의 부정적 영향을 쓰시오.

> 인간의 배아 복제나 맞춤형 아기 등 인간을 대상으로 하는 생명 기술이 발달함에 따라 인간의 존엄성이 훼손될 수 있다.

(　　　　　　　　　　　　　　　　　　　　)

20 생명 기술의 발달로 인간의 수명은 점점 줄어들고 있다.

( ○ , × )

## 개념 활용하기

정답과 해설 6쪽

**01** 〈보기〉에서 생명 기술의 특징만을 모두 고른 것은?

보기

가. 친환경적인 기술이다.
나. 다른 학문과 융합한다.
다. 부가 가치가 매우 높다.
라. 생명체를 대상으로 한다.
마. 응용 범위가 좁은 편이다.
바. 물건이나 사람을 운반한다.

① 가, 나, 다, 라
② 가, 나, 다, 마
③ 가, 나, 다, 바
④ 나, 다, 라, 마
⑤ 나, 다, 라, 바

**02** 생명 기술의 특징으로 옳은 것은?

① 에너지 소비가 많다.
② 비용이 비교적 적게 든다.
③ 모든 생명체를 대상으로 한다.
④ 환경 오염 물질 배출이 심하다.
⑤ 생산되는 제품의 가치는 비교적 낮다.

**03** 생명 기술의 부정적 측면으로 볼 수 <u>없는</u> 것은?

① 생명 윤리 문제
② 기술의 독점 문제
③ 에너지 문제 극복
④ 생태계 파괴 위험
⑤ 개인의 유전 정보 유출 문제

**04** 다음에서 설명하는 용어와 관련된 생명 기술의 부정적 영향은?

• GMO
• 유전자 조작
• 생태계 교란
• 새로운 품종 출현

① 생명 윤리 문제
② 환경 문제 극복
③ 생태계 파괴 위험
④ 에너지 문제 극복
⑤ 개인의 유전 정보 유출 문제

**05** 에너지 문제를 해결하기 위한 생명 기술은?

① GMO
② 배아 복제
③ 유전자 정보
④ 바이오 디젤
⑤ 줄기세포 기술

**06** 바이오 인증 기술로 볼 수 <u>없는</u> 것은?

① 지문
② 정맥
③ 홍채
④ 얼굴
⑤ 전자키

/ 재 / 미 / 있 / 는 /

## 기 술 활 동

교과서 216쪽

### 다음 글을 읽고, 동물 실험을 주제로 신호등 토론을 해 보자.

신호등 토론이란 주어진 주제에 대해 찬성, 반대, 중립 의견이 있을 경우, 자신의 의견을 초록색, 빨간색, 노란색 신호등으로 표시한 후 진행하는 토론이다. 노란색의 중립 의견을 선택한 학생들이 판정단이 되어 토론을 이끌 수 있다.

**주제: 동물 실험은 꼭 해야만 하는가?**

※ 동물 실험이란 교육, 시험, 연구 등의 과학적 목적을 위해 동물을 대상으로 실험하는 것을 말한다.

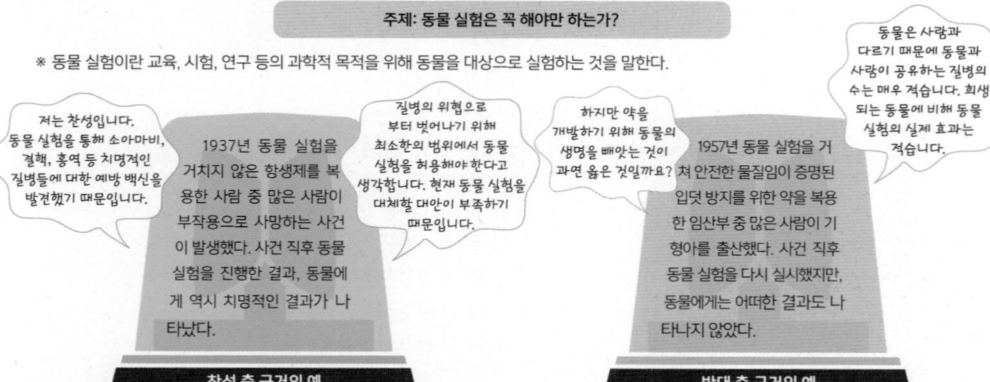

저는 찬성입니다. 동물 실험을 통해 소아마비, 결핵, 홍역 등 치명적인 질병들에 대한 예방 백신을 발견했기 때문입니다.
1937년 동물 실험을 거치지 않은 항생제를 복용한 사람 중 많은 사람이 부작용으로 사망하는 사건이 발생했다. 사건 직후 동물 실험을 진행한 결과, 동물에게 역시 치명적인 결과가 나타났다.
질병의 위험으로부터 벗어나기 위해 최소한의 범위에서 동물 실험을 허용해야 한다고 생각합니다. 현재 동물 실험을 대체할 대안이 부족하기 때문입니다.
찬성 측 근거의 예
하지만 약을 개발하기 위해 동물의 생명을 빼앗는 것이 과연 옳은 것일까요?
1957년 동물 실험을 거쳐 안전한 물질임이 증명된 입덧 방지를 위한 약을 복용한 임산부 중 많은 사람이 기형아를 출산했다. 사건 직후 동물 실험을 다시 실시했지만, 동물에게는 어떠한 결과도 나타나지 않았다.
동물은 사람과 다르기 때문에 동물과 사람이 공유하는 질병의 수는 매우 적습니다. 희생되는 동물에 비해 동물 실험의 실제 효과는 적습니다.
반대 측 근거의 예


**1** 위 주제를 가지고 신호등 토론을 해 보자. 아래의 표에 나의 의견을 체크해 보고, 이유를 적어 보자.

| 신호등 | 찬성 | 중립 | 반대 |
|---|---|---|---|
| 나의 의견 | | | O |
| 이유 | | | 사람의 생명처럼 동물의 생명도 소중하다. |

**2** 각각의 입장이 주장하는 핵심 근거를 적어 보자. 또 우리 반 학생들의 의견 수도 적어 보자.

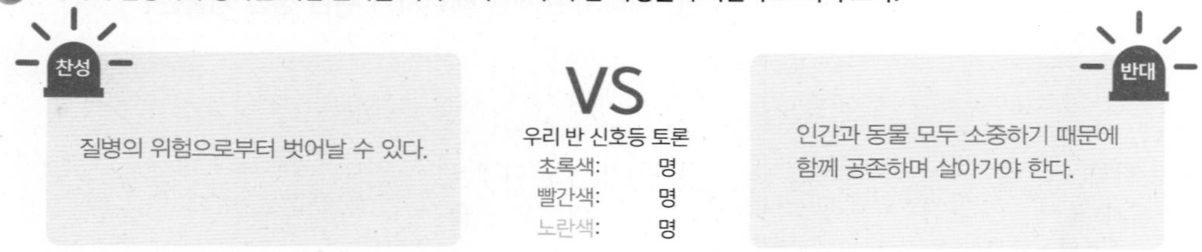

찬성
질병의 위험으로부터 벗어날 수 있다.
VS
우리 반 신호등 토론
초록색: 명
빨간색: 명
노란색: 명
반대
인간과 동물 모두 소중하기 때문에 함께 공존하며 살아가야 한다.


**3** 토론이 끝나면 모두가 공감할 수 있는 해결책을 제시해 보자.

**선생님 생각 엿보기**

**• 이 활동의 목적**

동물 실험 토론을 통해 비판적 사고와 의사 표현 능력을 기를 수 있기를 바랍니다.

**• 선생님은 이 활동을 이렇게 평가합니다.**

| | |
|---|---|
| 상 | 동물 실험의 긍정적, 부정적 영향을 이해하고, 근거를 제시하여 주장하였다. |
| 중 | 동물 실험의 긍정적, 부정적 영향을 이해하였지만, 근거를 제시하여 주장하지 못하였다. |
| 하 | 동물 실험의 긍정적, 부정적 영향을 이해하지 못하고, 근거를 제시하여 주장하지 못하였다. |

**이와 관련된 활동은?**

**[관련 활동] 생명 기술이 우리에게 미치는 영향** | 생명 기술 관련 직업에 대하여 알아보고 어떤 능력이 필요한지 탐색해 보는 활동이다.

# 학습 마무리

**배운 내용 정리하기** >> 배운 내용을 정리하면서 알맞은 답을 찾아 □ 안에 해당하는 번호를 적어 보자.

**01. 생명 기술 시스템**

| | | |
|---|---|---|
| 1 나 | 2 정 | 3 변 |
| 4 효 | 5 노 | 6 되 |
| 7 게 | 8 화 | 9 형 |
| 10 식 | 11 먹 | 12 놈 |
| 13 임 | 14 이 | 15 모 |

- 생명 기술 시스템의 [6][11][13]은/는 문제가 발생하면 이를 해결하기 위해 문제가 되는 단계로 되돌아간다.
- 유전자 [3][9] 농산물이란 유전자를 변형시켜 새로운 특성을 갖게 한 농산물을 말한다.
- 발효 식품이란 유산균, [4][15] 등 미생물의 발효 작용을 이용하여 만든 식품을 말한다.
- 바이오 장기란 인간에게 [14][10]할 수 있는 부작용 없는 생체 장기를 말한다.
- 생물 [2][8] 기술이란 미생물의 생분해 능력을 높여 오염 물질을 제거하는 방법을 말한다.
- 인간 [7][12] 프로젝트는 인간의 DNA 서열을 분석하여 데이터로 만든 것으로, 2003년에 완성되었다.
- 의료용 [1][5] 로봇은 우리 몸속을 돌아다니면서 혈관을 청소하거나 해로운 박테리아, 바이러스 등을 찾아내어 치료한다.

**02. 생명 기술의 특징과 영향**

| | | |
|---|---|---|
| 1 춤 | 2 생 | 3 배 |
| 4 미 | 5 환 | 6 맞 |
| 7 경 | 8 아 | 9 오 |
| 10 변 | 11 염 | 12 형 |
| 13 가 | 14 물 | 15 치 |

- 제품 생산에 필요한 에너지가 다른 것에 비해 적게 들고, 제조 과정에서 [5][7] [9][11] 물질이 거의 발생하지 않는다.
- 원료나 시설 등에 드는 비용이 비교적 적게 들지만, 생산되는 제품의 [13][15]은/는 매우 높다.
- [4][2][14]을/를 이용하여 석유로 인한 오염 물질이나 기름을 분해할 수 있다.
- 자연 상태에서 존재하는 작물의 특성을 생물학적으로 [10][12]하여 인류가 더 나은 삶을 영위할 수 있게 한다.
- 인간의 [3][8] 복제나 [6][1][12] 아기 등 인간을 대상으로 하는 생명 기술이 발달함에 따라 인간의 존엄성이 훼손될 수 있다.

**문제로 정리하기** >> 문제를 풀면서 배운 내용을 정리해 보자.

**1** 다음 글에서 설명하는 것이 무엇인지 쓰시오.
생명 기술 시스템

> 생명 기술이 실현되는 데 이용되는 모든 활동을 체계화한 것으로, 투입, 과정, 산출 및 되먹임 등의 단계로 이루어진다.

**2** 미생물의 생분해 능력을 높여 오염 물질을 제거하는 생명 기술의 활용 분야는?

① 발효 식품 ② 바이오 장기
③ 바이오 의약품 ④ 생물 정화 기술
⑤ 유전자 변형 동물

**3** <보기>는 생명 기술의 특징을 나타낸 것이다. 옳은 것을 모두 고른 것은?

〈보기〉
㉠ 친환경적인 기술이다.
㉡ 다른 학문과 융합한다.
㉢ 부가 가치가 매우 낮다.
㉣ 살아있는 생명체를 대상으로 한다.

① ㉠, ㉡ ② ㉠, ㉡, ㉢
③ ㉠, ㉢, ㉣ ④ ㉠, ㉡, ㉣
⑤ ㉡, ㉢, ㉣

**4** 유전자 변형 농산물에 대한 설명으로 옳은 것은?

① 형질 전환 동물이라고도 한다.
② 백신, 인슐린, 인터페론 등이 있다.
③ 유산균, 효모 등 미생물의 발효 작용을 이용한다.
④ 유전자를 변형시켜 새로운 특성을 갖게 한 농산물이다.
⑤ 다양한 신체 조직으로 변화할 수 있는 능력을 가진 줄기세포로 만든다.

**5** 17세기 현미경의 발명으로 관찰할 수 있었던 것은?

① 세포 ② 백신
③ 유전 법칙 ④ 페니실린
⑤ DNA 이중 나선 구조

**6** 생명 기술이 우리에게 주는 긍정적인 영향을 서술하시오.
생명 기술은 식량 문제를 해결하고, 질병과 장애를 극복하며 환경과 에너지 문제를 해결할 수 있다.

**재미있게 정리하기** >> <보기>에 제시된 단어들을 이용하여 마인드맵의 빈칸을 채워 보자.

〈보기〉 유전자 변형 농산물, 바이오 장기, 바이오 에너지, 발효 식품, 바이오 의약품, 유전자 변형 동물, 생물 정화 기술, 식물 공장

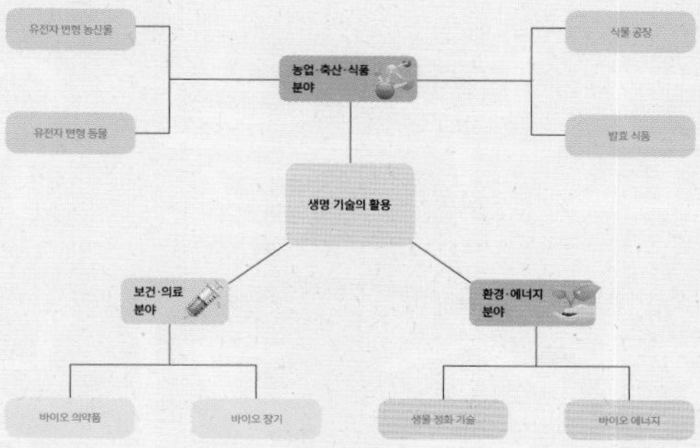

생명 기술의 활용
농업·축산·식품 분야: 유전자 변형 농산물, 유전자 변형 동물, 식물 공장, 발효 식품
보건·의료 분야: 바이오 의약품, 바이오 장기
환경·에너지 분야: 생물 정화 기술, 바이오 에너지

정답 및 해설

## 배운 내용 정리하기

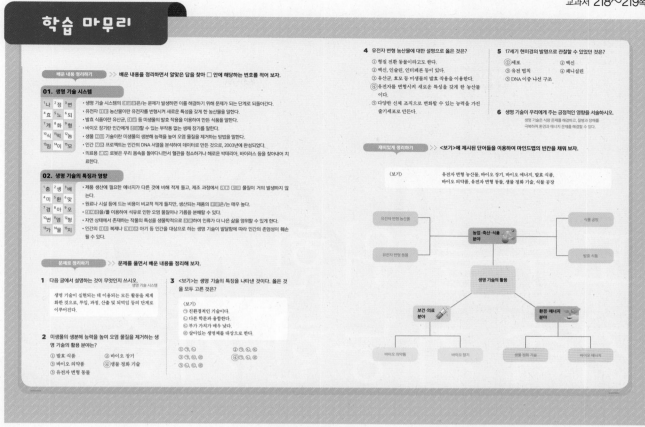

01. 되먹임(6, 11, 13) / 변형(3, 9) / 효모(4, 15) / 이식(14, 10) / 정화(2, 8) / 게놈(7, 12) / 나노(1, 5)
02. 환경 오염(5, 7, 9, 11) / 가치(13, 15) / 미생물(4, 2, 14) / 변형(10, 12) / 배아(3, 8) / 맞춤형(6, 1, 12)

## 문제로 정리하기

1. 생명 기술 시스템 [해설] 생명 기술 시스템은 생명 기술이 실현되는 데 이용되는 모든 활동을 체계화한 것이다.
2. ④ [해설] 생물 정화 기술은 미생물을 이용하여 석유로 인한 오염 물질이나 기름을 분해하여 오염 물질을 제거할 수 있다.
3. ④ [해설] 생명 기술은 긍정적인 면과 부정적인 면이 있으므로 문제점을 미리 파악하여 대응하는 것이 중요하다.
4. ④ [해설] 유전자 변형 생물체(GMO)라고 한다.
5. ① [해설] 1675년 네덜란드의 안톤 판 레이 우엔훅이 자신이 만든 고배율 현미경을 이용하여 최초로 미생물을 발견하였다.
6. 생명 기술은 식량 문제를 해결하고, 질병과 장애를 극복하며 환경과 에너지 문제를 해결할 수 있다. [해설] 생명 기술을 통해 인류가 갖고 있는 어려운 점을 극복할 수 있다.

## 재미있게 정리하기

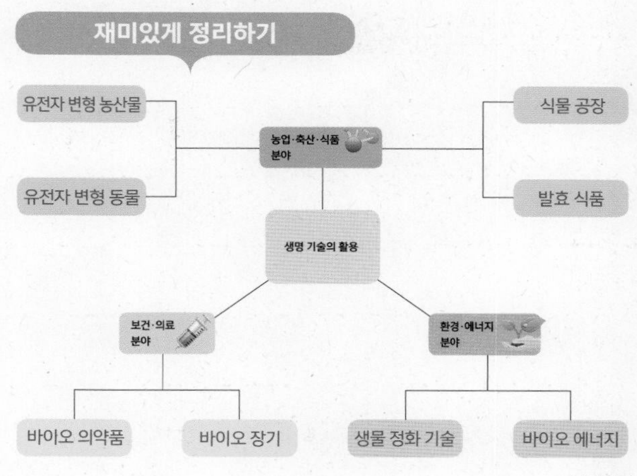

핵심 개념

# 모두를 위한 지속 가능한 기술

1. 적정 기술과 지속 가능 발전의 이해
2. 적정 기술의 창의적 문제 해결

VIII

가능

**이 단원의 성취 기준**

1. 적정 기술과 지속 가능 발전의 의미를 이해한다.

2. 적정 기술 체험 활동을 통하여 문제를 창의적으로 탐색하고 실현하며 평가한다.

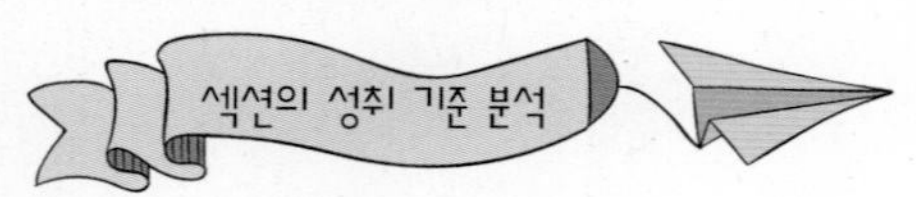


## [01. 적정 기술과 지속 가능 발전의 이해 / 02. 적정 기술의 창의적 문제 해결]

**적정 기술과 지속 가능 발전의 의미를 이해한다.**

| 이 섹션에서 '알아야 할 것' (이해) | **적정 기술과 지속 가능 발전의 의미를 이해한다.**<br>1. 적정 기술의 이해<br>2. 적정 기술의 사례<br>3. 지속 가능 발전의 의미 |
|---|---|

| 이 섹션에서 '할 수 있어야 하는 것' (능력) | **적정 기술의 의미를 알고, 사례를 들어 설명할 수 있다.**<br>[활동]<br>다양한 적정 기술의 의미를 파악하고, 원리를 따라해 보자. |
|---|---|

**적정 기술의 창의적 문제 해결 실습**

'나만의 해피 볼'과 '나만의 해피 데스크'를 통해 적정 기술 관련 문제를 창의적으로 탐색하고 실현하며 평가한다.

이 섹션에서 알아야 할 것!

# 01 적정 기술과 지속 가능 발전의 이해

## 1. 적정 기술의 이해

**① 적정 기술의 의미**

첨단 기술보다 해당 지역의 환경이나 경제, 사회 여건에 맞도록 만들어낸 기술

**② 적정 기술의 특징**

㉠ 누구나 쉽게 쓸 수 있어야 한다.

㉡ 사용자가 해당 기술을 이해할 수 있어야 한다.

㉢ 그것을 쓰게 될 사람들의 처한 상황에 맞아야 한다.

㉣ 많은 돈이 들지 않아야 한다.

## 2. 적정 기술의 사례

**① 물 자원 관련**

**㉠ 큐 드럼**

- 물이 담긴 무거운 통을 굴려서 운반할 수 있게 만든 물통이다.
- 많은 양의 물을 머리에 이거나 들어서 옮기는 것보다 훨씬 쉽게 운반할 수 있다.

**㉡ 라이프 스트로**

- 오염된 물을 빨대처럼 빨면 맑은 물을 마실 수 있는 간이 정수기이다.
- 빨대 하나로 약 700L의 물을 정수할 수 있다. 바이러스나 박테리아, 기생충 등을 대부분 제거할 수 있다.

**② 보건 · 의료 관련**

**㉠ 어드스펙스**

- 사용자가 스스로 도수를 조절하여 사용할 수 있게 만든 안경이다.
- 주사기에 들어 있는 실리콘 오일이 렌즈 사이로 들어가 굴절률에 변화를 주는 원리이다.

**㉡ 팟인팟 쿨러**

- 크기가 다른 두 개의 항아리와 모래를 이용하여 기화열의 원리를 응용한 냉장고이다.
- 모래가 머금은 물이 증발하면서 작은 항아리 속의 열을 빼앗아 그 속의 온도를 낮춘다. 약 3주 정도 신선함을 유지할 수 있다.

**㉢ 퍼머넷**

- 살충 능력이 있는 모기장이다.
- 모기장에 살충제를 함유한 것으로, 세탁을 하더라도 3~4년 살충 효과가 지속된다.

**③ 에너지 관련**

**㉠ 페트병 조명**

- 페트병 속의 물을 반사하면서 들어오는 태양의 빛을 이용한 조명이다.

---

**동기 유발** [교과서 224쪽]

각각의 상황에서 여우와 두루미가 음식을 먹지 못한 이유는 무엇일까?

**예시 답안**

여우와 두루미는 상대방에 대한 배려가 없이 자신의 신체 조건만을 고려하여 음식을 대접하였다.

**보조 노트**

**적정 기술의 사례**

- 머니메이커 펌프
  - 안정적인 관개 용수 공급을 도와주는 발 펌프
  - 사람이 발로 밟아 작동하도록 설계
  - 무상으로 제공하지 않고 판매함으로써 영세 농민의 자립 의지에 도움
- 지 세이버
  열이 오래 머물러 있을 수 있도록 잡아 주는 난방 장치

**작은 활동** [교과서 225쪽]

각각의 사례를 4개의 특징과 연결 지어 이야기해 보자.

**예시 답안**

큐 드럼

① 남녀노소 모두가 쉽게 사용 가능하다.

② 물이 담긴 물통을 끌기만 하면 된다.

③ 먼 거리를 이동해야 하는 지역적 특성상 운반 방법이 효율적이다.

④ 플라스틱 통과 끈만을 이용하여 많은 돈이 들지 않는다.

바이슬아 바도라

① 자전거 페달을 밟는다.

② 페달을 밟으면 발전이 되어 작동한다.

③ 전기가 없이 사람의 힘으로 작동한다.

④ 10년 정도 쓸 수 있다.

**보조 노트**

**지속 가능 발전의 분야**

지속 가능 발전은 현재 세대의 개발 욕구와 미래 세대의 필요에 의한 보존 욕구를 충족하려는 것으로 인류가 지향해야 할 새로운 발전의 모습이다.

- 환경적: 자원, 에너지, 기후 변화, 식량, 재해 등
- 사회적: 인권, 안전, 사회 정의, 시민 참여 등
- 경제적: 생산과 소비, 부의 분배와 빈부 격차 등

**작은 활동** [교과서 227쪽]

그 외에 지속 가능 발전을 위해 내가 실천할 수 있는 것을 이야기해 보자.

**예시 답안**

양치질을 할 때 컵을 사용하여 물을 절약한다.

- 전기가 전혀 필요 없고, 설치 작업이 간단하다. 페트병 하나가 55W가량의 전등을 켠 것과 비슷하다.

**㉡ 사탕수수 숯**

- 설탕을 만들고 남은 사탕수수 찌꺼기로 만든 숯이다.
- 나무를 태우는 것에 비해 연기가 적게 나고, 숯 3kg당 1달러 정도면 살 수 있다.

**㉢ 바이슬아 바도라**

- 전기 없이 사람의 힘으로 세탁을 할 수 있는 세탁기이다.
- 변속이 가능하여 작동하는 데 큰 힘이 들지 않는다. 약 10년 동안 쓸 수 있다.

## 3. 지속 가능 발전의 의미

**① 지속 가능 발전의 의미**

미래의 후손이 자연을 적절하게 사용할 수 있도록 훼손하지 않으면서 현재의 사람들도 자연을 적절히 이용할 수 있는 발전을 말한다.

**② 지속 가능 발전을 위한 실천**

**㉠ 소비 실천**

- 충동구매 삼가기, 과도하게 포장된 제품이나 일회용품 사용하지 않기
- 물건을 살 때는 그 물건이 환경에 피해를 덜 주는지, 지역 경제에 도움을 주는지, 공정한 방법으로 생산되고 유통된 것인지 확인하기

**㉡ 자원 순환 실천**

- 중고 물품, 이면지, 재생 용지 사용하기
- 자원이 제대로 순환되기 위해 쓰레기 분리 배출하기

**㉢ 에너지 행동 실천**

- 전기 아끼기, 대중교통 이용하기
- 계절별로 냉난방 적정 온도 지키기

**㉣ 먹을거리 선택 실천**

- 재료를 너무 많이 구매하거나 주문하지 않기
- 친환경적인 먹을거리 선택하기
- 수입 농산물이 아닌 지역에서 생산하는 로컬 푸드 선택하기

**이 섹션의 핵심 키워드** | 적정 기술, 적정 기술의 사례, 지속 가능 발전

**스스로 정리하기**

1 첨단 기술보다 해당 지역의 환경이나 경제, 사회 여건에 맞도록 만들어낸 기술을 무엇이라고 하는가? 적정 기술

2 미래의 후손이 자연을 적절하게 사용할 수 있도록 훼손하지 않으면서 현재의 사람들도 자연을 적절히 이용할 수 있는 발전을 무엇이라고 하는가? 지속 가능 발전

# 개념 익히기

정답과 해설 7쪽

**01** 첨단 기술보다 해당 지역의 환경이나 경제, 사회 여건에 맞도록 만들어낸 기술을 (          )라고/이라고 한다.

**02** 적정 기술은 특정 지역의 특정인만 쓸 수 있어야 한다.
( ○ , × )

**03** 물이 담긴 무거운 통을 굴려서 운반할 수 있게 만든 물통은?

① 큐 드럼
② 퍼머넷
③ 어드스펙스
④ 팟인팟 쿨러
⑤ 라이프 스트로

**04** 크기가 다른 두 개의 항아리와 모래를 이용하여 기화열의 원리를 응용한 적정 기술 사례를 쓰시오.
(                    )

**05** 전기 없이 사람의 힘으로 세탁을 할 수 있는 적정 기술 사례를 쓰시오.
(                    )

**06** 적정 기술 제품은 비용이 좀 비싸더라도 고장이 나지 않아야 한다.
( ○ , × )

**07** 미래의 후손이 자연을 적절하게 사용할 수 있도록 훼손하지 않으면서 현재의 사람들도 자연을 적절히 이용할 수 있는 발전을 무엇이라고 하는지 쓰시오.
(                    )

**08** 지속 가능 발전을 위한 에너지 행동 실천으로 올바른 것은?

① 전기 절약
② 승용차 타기
③ 난방 온도 올리기
④ 적정 온도 이하 냉방
⑤ 아주 밝은 조명 유지

**09** 지속 가능 발전을 위한 자원 순환 실천에는 중고 물품, 이면지, (          ) 용지 사용 등이 있다.

**10** 지속 가능 발전을 위한 먹을거리 선택 실천에는 수입 농산물이 아닌 지역에서 생산하는 (          ) 선택 등이 있다.

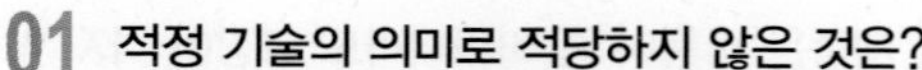

# 개념 활용하기

정답과 해설 7쪽

**01** 적정 기술의 의미로 적당하지 않은 것은?

① 소외 지역을 위한 기술이다.
② 개발 도상국을 위한 기술이다.
③ 재난 · 재해 지역에서도 사용된다.
④ 개발 비용이 적게 드는 기술이다.
⑤ 전문가가 쓰기에 적당한 기술이다.

**02** 적정 기술 제품 중 에너지와 관련된 것은?

① 큐 드럼
② 어드스펙스
③ 페트병 조명
④ 팟인팟 쿨러
⑤ 라이프 스트로

**03** 〈보기〉의 (가)와 (나)에 해당하는 적정 기술 제품의 종류가 바르게 연결된 것은?

보기
( 가 ): 사람의 힘으로 돌리는 세탁기
( 나 ): 도수를 조절하는 안경

| | (가) | (나) |
|---|---|---|
| ① | 큐 드럼 | 어드스펙스 |
| ② | 팟인팟 쿨러 | 큐 드럼 |
| ③ | 라이프 스트로 | 팟인팟 쿨러 |
| ④ | 바이슬아 바도라 | 어드스펙스 |
| ⑤ | 퍼머넷 | 큐 드럼 |

**04** 적정 기술의 특징이 아닌 것은?

① 많은 돈이 들지 않아야 한다.
② 누구나 쉽게 쓸 수 있어야 한다.
③ 오직 개발 도상국에서만 사용한다.
④ 사용자가 해당 기술을 이해할 수 있어야 한다.
⑤ 그것을 쓰게 될 사람들의 처한 상황에 맞아야 한다.

**05** 다음 설명에 해당하는 지속 가능 발전을 위한 실천은?

• 중고 물품 사용
• 이면지 사용
• 재생 용지 사용

① 소비 실천
② 자원 순환 실천
③ 에너지 행동 실천
④ 생산적 행동 실천
⑤ 먹을거리 선택 실천

**06** 지속 가능 발전을 위한 올바른 먹을거리 선택 실천 방법은?

① 로컬 푸드를 선택한다.
② 음식은 주로 사먹는 것이 좋다.
③ 저렴한 수입 농산물을 선택한다.
④ 가급적 재료는 넉넉히 준비한다.
⑤ 친환경 재료는 비싸므로 저렴한 것을 택한다.

이 섹션에서
할 수 있어야 하는 것!

교과서 228~229쪽

**창의적인 실습**

## 다양한 적정 기술 중에서 몇 개를 골라, 그 의미를 파악하고, 원리를 따라 해 보자.

■ 폴드스코프의 의미를 생각하며, 스마트폰과 물방울을 이용한 나만의 현미경을 만들어 보자.

**종이 현미경 '폴드스코프'** 의료 시설이 열악한 나라에서 눈에 보이지 않는 세균을 찾아 제거하기 위해 만들어진 종이 현미경이다.

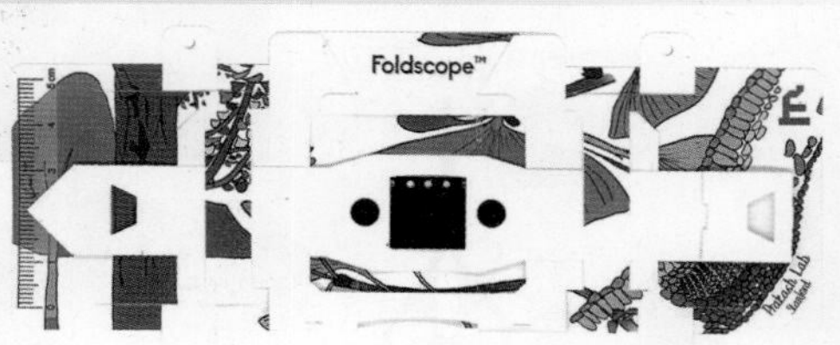


종이, LED, 렌즈, 배터리 등으로 구성된 종이 현미경이다. 물체를 최대 2천 배까지 확대할 수 있고, LED가 있어 어두운 곳에서도 관찰이 가능하다. 또한, 관찰한 물체가 전염성을 띨 경우를 고려해 모두 일회용으로 제작되었다.

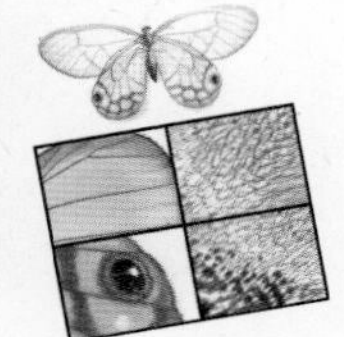

▲ 나비를 관찰했을 때의 폴드스코프의 해상도

**준비물**

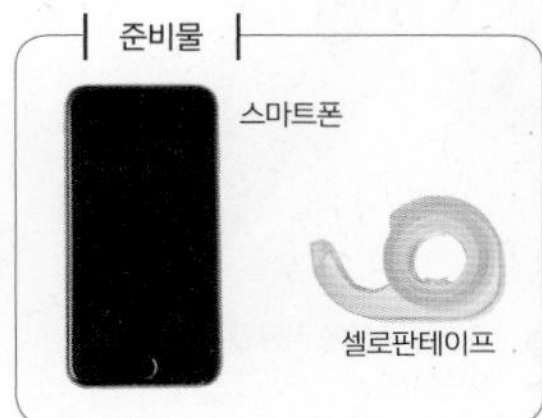

**1** 스마트폰의 카메라 렌즈 위에 셀로판테이프를 붙인다.

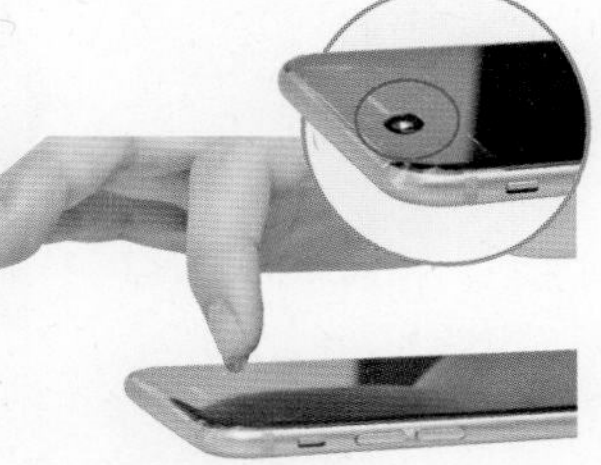

**2** 셀로판테이프 위에 물방울을 떨어트린다.

**3** 지폐 속 숨은 글자(숫자)를 찾아본다.

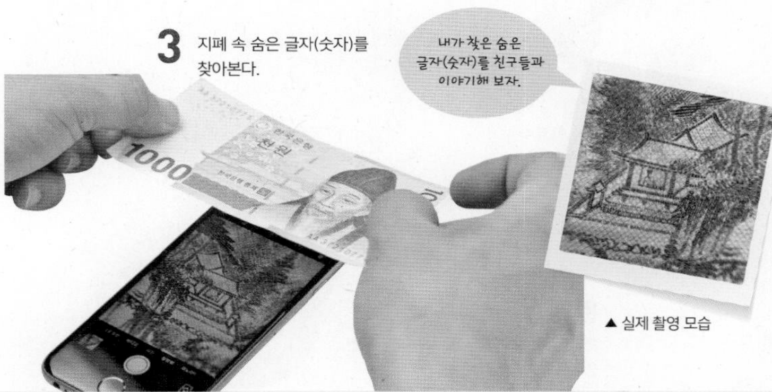

내가 찾은 숨은 글자(숫자)를 친구들과 이야기해 보자.
1000
천 원


▲ 실제 촬영 모습

**실습을 마치며**

1. 지폐 속에 숨겨진 글자나 숫자를 적어 보자.
2. 스마트폰 현미경의 해상도를 높이기 위한 방법은 무엇인가?

**선생님 생각 엿보기**

**· 이 활동의 목적**

해당 적정 기술의 탄생 배경을 알고, 적정 기술의 의미를 이해할 수 있기를 바랍니다.

**· 선생님은 이 활동을 이렇게 평가합니다.**

| | |
|---|---|
| 상 | 스마트폰 현미경의 원리를 이해하고, 지폐 속 숨은 글자(숫자)를 발견하였다. |
| 중 | 스마트폰 현미경의 원리를 이해하였지만, 지폐 속 숨은 글자(숫자)를 발견하지 못하였다. |
| 하 | 스마트폰 현미경의 원리를 이해하지 못하고, 지폐 속 숨은 글자(숫자)도 발견하지 못하였다. |

**이와 관련된 활동은?**

**[관련 활동] 우리 모두를 위한 착한 기술 더 알아보기** | 적정 기술이 되기 위한 조건, 이용 등을 알아보는 활동이다.

▪ 솔라볼의 의미를 생각하며, 플라스틱 음료수 병을 이용한 나만의 간이 정수기를 만들어 보자.

**태양열 정수기 '솔라볼'**

태양열로 물이 증발하는 원리를 이용한 정수기이다. 오염된 물을 솔라볼에 넣어 햇빛에 놔두기만 하면 오염된 물이 증발하면서 정수된다. 하루 최대 3L의 물을 정수할 수 있다.

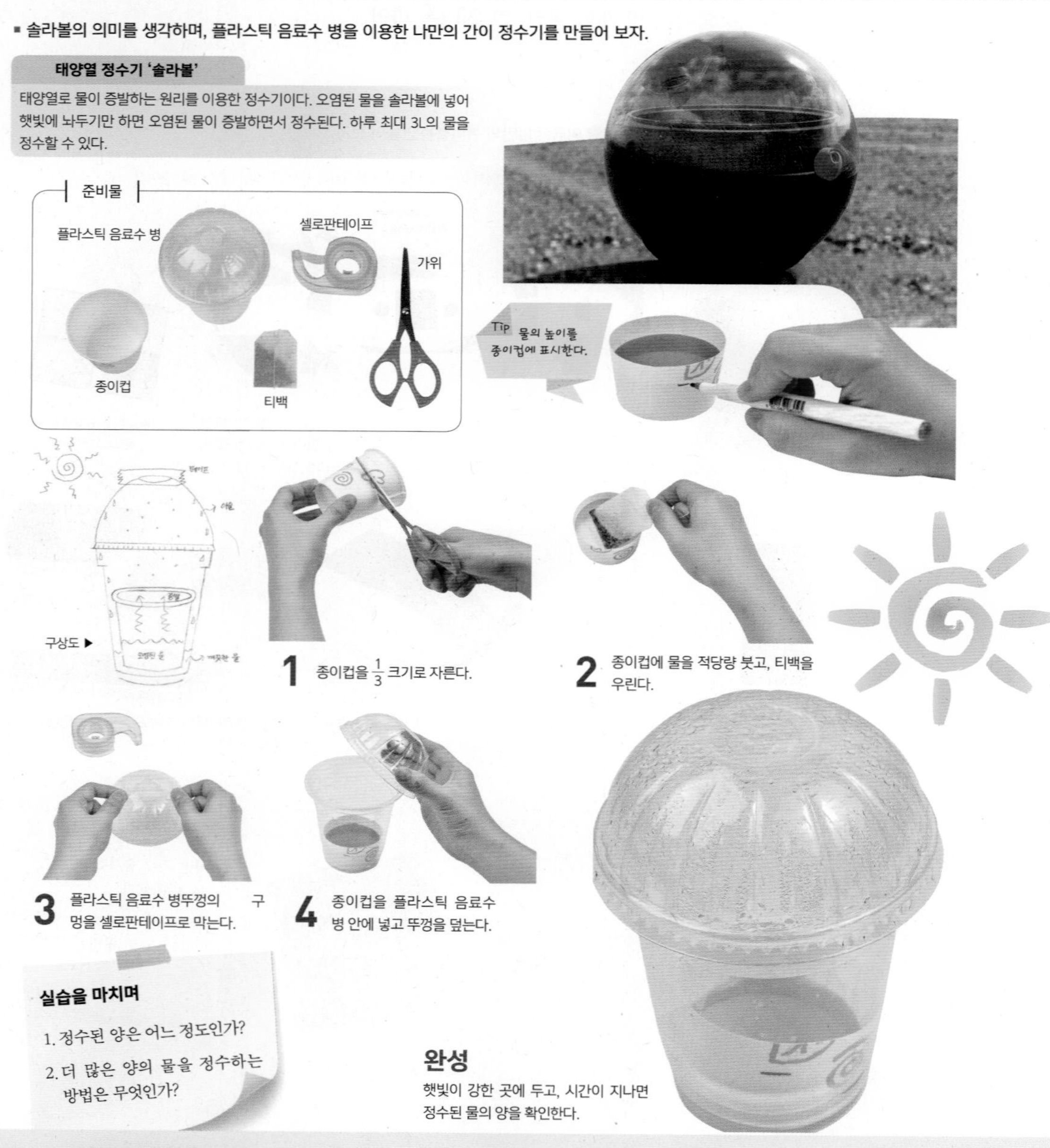


**1** 종이컵을 $\frac{1}{3}$ 크기로 자른다.

**2** 종이컵에 물을 적당량 붓고, 티백을 우린다.

**3** 플라스틱 음료수 병뚜껑의 구멍을 셀로판테이프로 막는다.

**4** 종이컵을 플라스틱 음료수 병 안에 넣고 뚜껑을 덮는다.

**실습을 마치며**

1. 정수된 양은 어느 정도인가?
2. 더 많은 양의 물을 정수하는 방법은 무엇인가?

**완성**

햇빛이 강한 곳에 두고, 시간이 지나면 정수된 물의 양을 확인한다.

**선생님 생각 엿보기**

**· 이 활동의 목적**

해당 적정 기술의 탄생 배경을 알고, 적정 기술의 의미를 이해할 수 있기를 바랍니다.

**· 선생님은 이 활동을 이렇게 평가합니다.**

| | |
|---|---|
| 상 | 물이 정수되는 원리를 이해하고, 오염된 물의 양이 절반 이상 정수되었다. |
| 중 | 물이 정수되는 원리를 이해하였지만, 오염된 물의 양이 절반 이하로 정수되었다. |
| 하 | 물이 정수되는 원리를 이해하지 못하고, 오염된 물의 양이 절반 이하로 정수되었다. |

**이와 관련된 활동은?**

**[관련 활동] 지속 가능 발전 이해하기** | 기후 변화와 자원 고갈이라는 주제로 파생될 수 있는 문제점을 알아보고, 일상생활에서 지속 가능 발전을 위한 아이디어를 생각해 보는 활동이다.

이 섹션에서
알아야 할 것!

# 02 적정 기술의 창의적 문제 해결

## 1. 문제 확인하기

택배로 물건을 받고 남은 끈과 상자로 무엇을 만들 수 있을지 생각해 보고, 이 문제를 해결하기 위해 '나만의 해피볼'과 '나만의 해피 데스크'를 창의적으로 만들어 본다.

- **과제명:** 나만의 해피볼 만들기
- **제한 사항**
  - 포장 끈, 글루건, 글루건 심 등을 사용한다.
  - 한 가지의 구기 종목(축구, 야구, 배구, 핸드볼 등)에 사용할 수 있어야 한다.
  - 튼튼하고, 탄력이 좋아야 한다.

- **과제명:** 나만의 해피 데스크 만들기
- **제한 사항**
  - 택배 상자, 벨크로 테이프, 자, 칼 등을 사용한다.
  - 분리와 조립이 쉽고, 휴대가 가능해야 한다.

## 2. 아이디어 창출하기

'나만의 해피볼'과 '나만의 해피 데스크'를 만들기 위해 관련 정보를 수집하고 창의적인 아이디어를 구상한다.

### ① 정보 수집

**드림 볼 프로젝트**

드림 볼 프로젝트는 구호 물품을 담는 상자를 버리지 않고, 아이들이 갖고 놀 수 있는 공의 형태로 변경할 수 있도록 만들어졌다.

**헬프 데스크**

헬프 데스크는 골판지를 재활용하여 책상 또는 가방으로 변신이 가능하도록 제작되었다.

### ② 창의적인 아이디어 구상

아이디어는 제한 없이 구상하도록 하고, 구상한 아이디어를 바탕으로 나타난 문제점을 해결한다.

## 3. 아이디어 구체화하기

선정한 아이디어를 프리핸드로 스케치하여 구체화한다.

나만의 해피 볼 스케치

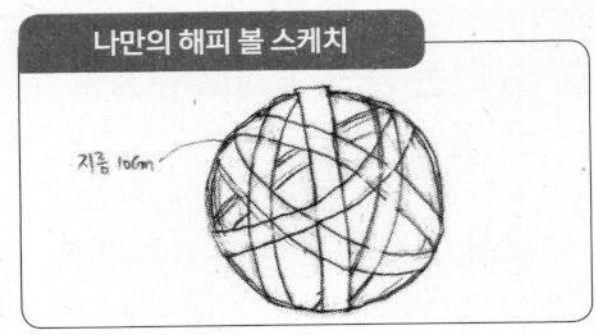

나만의 해피 데스크 스케치

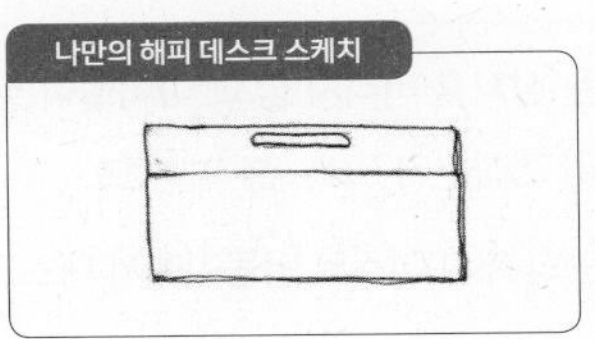

**동기 유발** [교과서 230쪽]

포장 끈과 택배 상자를 이용하여 만들 수 있는 것은 무엇인지 생각해 보자.

**예시 답안**

포장 끈으로 공을 만들고, 택배 상자로 작은 책상을 만든다.

**보조 노트**

**드림 볼 프로젝트**

개발 도상국에서 축구는 여러 명의 아이들이 쉽게 즐길 수 있는 운동이지만, 축구공을 구입하는 것조차 여유롭지 못하다. 이러한 상황에서 국내 디자인 회사에서 어떻게 하면 좋을까 고민했고, 이 같은 노력의 결과가 드림 볼 프로젝트로 탄생되었다. 이 회사에서는 구호 물품이 담긴 박스를 종이접기 방식으로 활용하여 공을 만들 수 있는 창의적인 방법을 고안해 냈다.

**아이디어 구상 기법**

- 브레인스토밍(많은 아이디어가 필요할 때)
  - 제시된 아이디어를 비난해서는 안 된다.
  - 아이디어의 질보다 양이 중요하다.
  - 기존의 아이디어에서 다른 아이디어도 이끌어낼 수 있도록 한다.
- 브레인라이팅(말 대신 글로 표현해야 할 때)
  - 말 대신 글로 아이디어를 표현하는 방법
  - 6-3-5(6명의 멤버, 3개의 아이디어, 5분 이내) 기법
  - 충분한 논의를 하여 아이디어를 2~3개로 축소한다.
- 마인드맵(아이디어 발상이 어렵다면)
  - 아이디어를 시각적인 형태로 그려 낸다.
  - 창의적인 아이디어 발상과 효율적인 업무 진행에 도움이 된다.

**보조 노트**

**프리핸드 스케치**

자나 캠퍼스를 이용하지 않고 대략적으로 그리는 방법

**작업 시 안전**

- 핀을 사용할 때에는 손을 찔리지 않도록 주의한다.
- 글루건을 사용할 때에는 손을 데지 않도록 주의한다.
- 칼을 사용할 때에는 손을 베이지 않도록 주의한다.

[교과서 234쪽]

우리보다 살기 어려운 나라의 친구들에게 필요한 물건을 생각해 보고, 적정 기술의 뜻에 맞는 아이디어를 적어 보거나 스케치해 보자.

**예시 답안**

신발 없이 맨발로 생활하는 친구들을 위해 박스와 헌 옷을 이용하여 튼튼한 신발을 만들 수 있는 방법을 알려 주고 싶다.

[교과서 235쪽]

내가 좋아하는 놀이가 적정 기술이 될 수 없는지 생각해 보고 친구와 이야기해 보자.

**예시 답안**

자전거 바퀴가 회전하는 힘을 전기로 바꾸어 주는 적정 기술을 만들고 싶다.

## 4. 실행하기

필요한 재료와 공구를 준비하여 '나만의 해피볼'과 '나만의 해피 데스크'를 만든다.

### ① 준비물

**나만의 해피볼 만들기**

준비물: 색을 칠한 포장 끈, 칼, 글루건 심, 글루건 등

**나만의 해피 데스크 만들기**

준비물: 택배 상자, 벨크로 테이프, 자, 칼 등

### ② 만들기

**나만의 해피볼 만들기**

- 5개의 끈을 각각 엇갈려 놓는다.
- 끈을 살짝 틀어 별 모양이 되도록 만든다.
- 원 모양의 끈을 별 모양의 중앙에 놓는다.
- 끈을 원 안으로 넣는다.
- 글루건을 사용하여 같은 색 끈끼리 붙인다.

**나만의 해피 데스크 만들기**

- 상자의 좁은 면을 자른다.
- 상자를 접는다.
- 고정 판을 꽂을 수 있도록 위치를 정한다.
- 몸체와 고정 판에 홈을 자른다.
- 책상의 몸체에 고정 판을 끼운다.
- 몸체에 상판을 결합한다.

## 5. 평가하기

스스로를 평가하거나 친구와 완성품에 대한 평가를 한다. 평가를 거치면서 적정 기술에 맞는 새로운 물건을 만드는 방법이 있는지 생각해 본다.

### ① 자기 평가

㉠ 적정 기술의 뜻을 이해하였는가?
㉡ 적정 기술의 특징을 이해하였는가?
㉢ 작업할 때 안전 및 유의 사항을 잘 지켰는가?

### ② 동료 평가

㉠ 창의적인 디자인 아이디어를 낸 동료는 누구인가?
㉡ 가장 적극적으로 실습에 참여한 동료는 누구인가?

### ③ 제품 평가

㉠ 해피 볼로 축구, 야구 등의 놀이를 할 수 있을 만큼 튼튼하고 탄력이 좋은가?
㉡ 해피 데스크는 분리와 조립이 간편한가?
㉢ 해피 데스크는 휴대가 가능한가?
㉣ 해피 볼과 해피 데스크를 해당 지역의 학생들이 이용할 수 있겠는가?

**스스로 정리하기**

1 구호 물품을 담는 상자를 버리지 않고, 아이들이 갖고 놀 수 있는 공의 형태로 변경할 수 있도록 만들어진 것을 무엇이라고 하는가? 드림 볼 프로젝트

2 창의·인성 나만의 해피 데스크 만들기에서 데스크를 튼튼하게 하는 방법을 이야기해 보자. 책상의 몸체에 고정 판을 하나 더 끼운다.

**01** 드림 볼 프로젝트는 구호 물품을 담는 상자를 이용하여 아이들이 갖고 놀 수 있는 공의 형태로 변경할 수 있도록 만들어진 것을 말한다.
( ○ , × )

**02** 나만의 해피볼 만들기의 재료는 부드럽고, 탄성이 없어야 한다.
( ○ , × )

**03** 나만의 해피볼 만들기에서 구상한 아이디어를 프리핸드로 스케치하는 단계는 아이디어 (　　　　　　)이다.

**04** 나만의 해피볼 만들기에서 아이디어를 프리핸드로 스케치하여 구체화한 다음 실제로 만드는 단계는 (　　　　　　)이다.

**05** 나만의 해피볼 만들기에서 포장 끈을 붙이는 데 사용되는 것은?
① 자　　② 가위
③ 글루건　　④ 테이프
⑤ 라디오 펜치

**06** 헬프 데스크란 골판지를 재활용하여 책상 또는 가방으로 변신 가능하도록 제작된 것을 말한다.
( ○ , × )

**07** 나만의 해피 데스크 만들기에 필요한 준비물이 아닌 것은?
① 칼
② 자
③ 우드락
④ 택배 상자
⑤ 밸크로 테이프

**08** 헬프 데스크 만들기에서 고정 판을 꽂을 수 있도록 위치를 정하고, 몸체와 고정 판에 홈을 자른다.
( ○ , × )

**09** 나만의 해피볼과 헬프 데스크 만들기에서 다음에 해당하는 평가를 쓰시오.

> • 적정 기술의 뜻을 이해하였는가?
> • 적정 기술의 특징을 이해하였는가?
> • 작업할 때 안전 및 유의 사항을 잘 지켰는가?

(　　　　　　　　　　)

**10** 해피볼과 해피 데스크의 평가하기에서 제품 평가에 해당하는 항목을 쓰시오.
(　　　　　　　　　　)

**01** 〈보기〉는 적정 기술의 창의적 문제 해결 과정을 나타낸 것이다. 순서를 바르게 나열한 것은?

보기
가. 실행하기　　나. 평가하기
다. 문제 확인하기　　라. 아이디어 창출하기
마. 아이디어 구체화하기

① 가 → 나 → 다 → 라 → 마
② 가 → 다 → 나 → 라 → 마
③ 나 → 가 → 다 → 마 → 라
④ 나 → 다 → 라 → 마 → 가
⑤ 다 → 라 → 마 → 가 → 나

**02** 다음에 해당하는 문제 해결 과정의 단계는?

- 과제명: 나만의 해피볼 만들기
- 제한 사항
  - 포장 끈, 글루건, 글루건 심 등을 사용한다.
  - 한 가지의 구기 종목(축구, 야구, 배구, 핸드볼 등)에 사용할 수 있어야 한다.
  - 튼튼하고, 탄력이 좋아야 한다.

① 실행하기　② 평가하기
③ 문제 확인하기　④ 아이디어 창출하기
⑤ 아이디어 구체화하기

**03** 아이디어 구체화하기에 대한 설명으로 옳은 것은?

① 대상의 특성과 불편한 점을 찾는다.
② 표현된 아이디어를 완성품으로 만든다.
③ 정보를 수집하고, 아이디어를 구상한다.
④ 다른 사람이 알아볼 수 있도록 표현한다.
⑤ 선정한 아이디어를 프리핸드로 스케치한다.

**04** 다음에서 설명하는 것은?

- 골판지를 재활용하여 만든다.
- 책상 또는 가방으로 변신 가능하도록 제작되었다.

① 스윌
② 큐 드럼
③ 퍼머넷
④ 오아시스
⑤ 헬프 데스크

**05** 나만의 해피볼 만들기에 대한 설명으로 옳지 않은 것은?

① 끈을 엇갈려 놓는다.
② 끈을 별 모양으로 만든다.
③ 원 모양의 끈을 별 모양 모서리에 놓는다.
④ 글루건 사용하여 같은 색 끈끼리 붙인다.
⑤ 글루건을 사용할 때는 데이지 않도록 주의한다.

**06** 다음에서 설명하는 평가는?

- 창의적인 디자인 아이디어를 낸 동료는 누구인가?
- 가장 적극적으로 실습에 참여한 동료는 누구인가?

① 자기 평가
② 동료 평가
③ 제품 평가
④ 수행 평가
⑤ 구상 평가

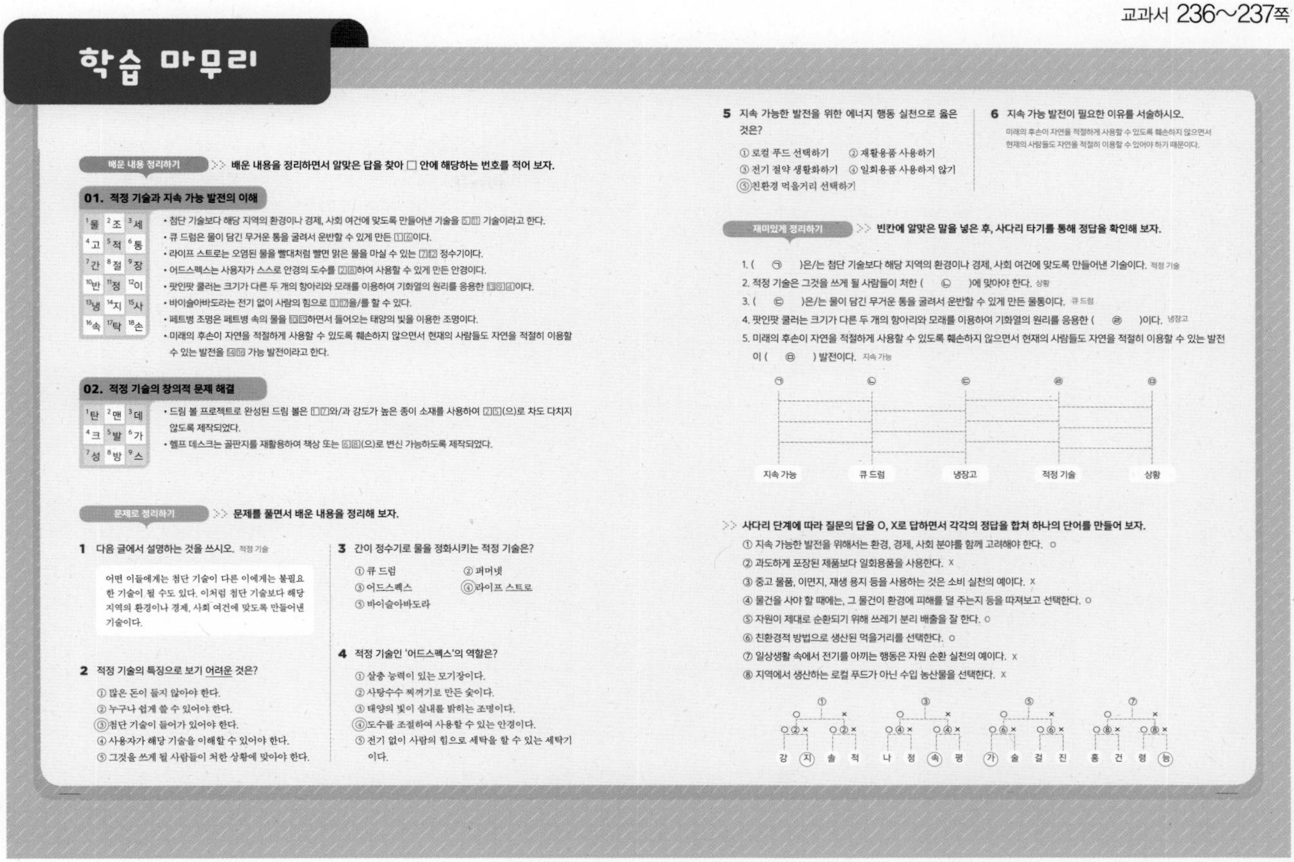

# 학습 마무리

배운 내용 정리하기 >> 배운 내용을 정리하면서 알맞은 답을 찾아 □ 안에 해당하는 번호를 적어 보자.

## 01. 적정 기술과 지속 가능 발전의 이해

| | | |
|---|---|---|
| 1 물 | 2 조 | 3 세 |
| 4 고 | 5 적 | 6 통 |
| 7 간 | 8 절 | 9 장 |
| 10 반 | 11 정 | 12 이 |
| 13 냉 | 14 지 | 15 사 |
| 16 속 | 17 탁 | 18 손 |

- 첨단 기술보다 해당 지역의 환경이나 경제, 사회 여건에 맞도록 만들어낸 기술을 [5][11] 기술이라고 한다.
- 큐 드럼은 물이 담긴 무거운 통을 굴려서 운반할 수 있게 만든 [1][6]이다.
- 라이프 스트로는 오염된 물을 빨대처럼 빨면 맑은 물을 마실 수 있는 [7][12] 정수기이다.
- 어드스펙스는 사용자가 스스로 안경의 도수를 [2][8]하여 사용할 수 있게 만든 안경이다.
- 팟인팟 쿨러는 크기가 다른 두 개의 항아리와 모래를 이용하여 기화열의 원리를 응용한 [13][9][4]이다.
- 바이슬아바도라는 전기 없이 사람의 힘으로 [3][17]을/를 할 수 있다.
- 페트병 조명은 페트병 속의 물을 [10][15]하면서 들어오는 태양의 빛을 이용한 조명이다.
- 미래의 후손이 자연을 적절하게 사용할 수 있도록 훼손하지 않으면서 현재의 사람들도 자연을 적절히 이용할 수 있는 발전을 [14][16] 가능 발전이라고 한다.

## 02. 적정 기술의 창의적 문제 해결

| | | |
|---|---|---|
| 1 탄 | 2 맨 | 3 데 |
| 4 크 | 5 발 | 6 가 |
| 7 성 | 8 방 | 9 스 |

- 드림 볼 프로젝트로 완성된 드림 볼은 [1][7]와/과 강도가 높은 종이 소재를 사용하여 [2][5](으)로 차도 다치지 않도록 제작되었다.
- 헬프 데스크는 골판지를 재활용하여 책상 또는 [6][8](으)로 변신 가능하도록 제작되었다.

문제로 정리하기 >> 문제를 풀면서 배운 내용을 정리해 보자.

**1** 다음 글에서 설명하는 것을 쓰시오. 적정 기술

> 어떤 이들에게는 첨단 기술이 다른 이에게는 불필요한 기술이 될 수도 있다. 이처럼 첨단 기술보다 해당 지역의 환경이나 경제, 사회 여건에 맞도록 만들어낸 기술이다.

**2** 적정 기술의 특징으로 보기 어려운 것은?

① 많은 돈이 들지 않아야 한다.
② 누구나 쉽게 쓸 수 있어야 한다.
③ 첨단 기술이 들어가 있어야 한다.
④ 사용자가 해당 기술을 이해할 수 있어야 한다.
⑤ 그것을 쓰게 될 사람들이 처한 상황에 맞아야 한다.

**3** 간이 정수기로 물을 정화시키는 적정 기술은?

① 큐 드럼 ② 퍼머넷
③ 어드스펙스 ④ 라이프 스트로
⑤ 바이슬아바도라

**4** 적정 기술인 '어드스펙스'의 역할은?

① 살충 능력이 있는 모기장이다.
② 사탕수수 찌꺼기로 만든 숯이다.
③ 태양의 빛이 실내를 밝히는 조명이다.
④ 도수를 조절하여 사용할 수 있는 안경이다.
⑤ 전기 없이 사람의 힘으로 세탁을 할 수 있는 세탁기이다.

**5** 지속 가능한 발전을 위한 에너지 행동 실천으로 옳은 것은?

① 로컬 푸드 선택하기 ② 재활용품 사용하기
③ 전기 절약 생활화하기 ④ 일회용품 사용하지 않기
⑤ 친환경 먹을거리 선택하기

**6** 지속 가능 발전이 필요한 이유를 서술하시오.

미래의 후손이 자연을 적절하게 사용할 수 있도록 훼손하지 않으면서 현재의 사람들도 자연을 적절히 이용할 수 있어야 하기 때문이다.

재미있게 정리하기 >> 빈칸에 알맞은 말을 넣은 후, 사다리 타기를 통해 정답을 확인해 보자.

1. ( ㉠ )은/는 첨단 기술보다 해당 지역의 환경이나 경제, 사회 여건에 맞도록 만들어낸 기술이다. 적정 기술
2. 적정 기술은 그것을 쓰게 될 사람들이 처한 ( ㉡ )에 맞아야 한다. 상황
3. ( ㉢ )은/는 물이 담긴 무거운 통을 굴려서 운반할 수 있게 만든 물통이다. 큐 드럼
4. 팟인팟 쿨러는 크기가 다른 두 개의 항아리와 모래를 이용하여 기화열의 원리를 응용한 ( ㉣ )이다. 냉장고
5. 미래의 후손이 자연을 적절하게 사용할 수 있도록 훼손하지 않으면서 현재의 사람들도 자연을 적절히 이용할 수 있는 발전이 ( ㉤ ) 발전이다. 지속 가능

㉠ ㉡ ㉢ ㉣ ㉤

지속 가능 큐 드럼 냉장고 적정 기술 상황

>> 사다리 단계에 따라 질문의 답을 O, X로 답하면서 각각의 정답을 합쳐 하나의 단어를 만들어 보자.

① 지속 가능한 발전을 위해서는 환경, 경제, 사회 분야를 함께 고려해야 한다. o
② 과도하게 포장된 제품보다 일회용품을 사용한다. x
③ 중고 물품, 이면지, 재생 용지 등을 사용하는 것은 소비 실천의 예이다. x
④ 물건을 사야 할 때에는, 그 물건이 환경에 피해를 덜 주는지 등을 따져보고 선택한다. o
⑤ 자원이 제대로 순환되기 위해 쓰레기 분리 배출을 잘 한다. o
⑥ 친환경적 방법으로 생산된 먹을거리를 선택한다. o
⑦ 일상생활 속에서 전기를 아끼는 행동은 자원 순환 실천의 예이다. x
⑧ 지역에서 생산하는 로컬 푸드가 아닌 수입 농산물을 선택한다. x

강 지 솔 적 나 정 속 평 가 술 걸 진 홍 건 령 능

정답 및 해설

## 배운 내용 정리하기

01. 적정(5, 11) / 물통(1, 6) / 간이(7, 12) / 조절(2, 8) / 냉장고(13, 9, 4) / 세탁(3, 17) / 반사(10, 15) / 지속(14, 16)

02. 탄성(1, 7), 맨발(2, 5) / 가방(6, 8)

## 문제로 정리하기

1. 적정 기술 [해설] 적정 기술은 첨단 기술보다 해당 지역의 환경이나 경제, 사회 여건에 맞도록 만들어낸 기술이다.
2. ③ [해설] 적정 기술은 첨단 기술이 들어가 있기보다는 그것을 쓰게 될 사람들이 처한 상황에 맞아야 한다.
3. ④ [해설] 라이프 스트로는 오염되어 있는 물이 빨대를 통과하면서 깨끗한 물로 변환되는 제품이다.
4. ④ [해설] 옥스퍼드 대학교 원자 물리학과 조슈아 실버 교수가 개발했으며, 렌즈 두께를 착용자의 시력에 맞게 조절이 가능하다.
5. ③ [해설] 전기 아끼기, 대중교통 이용하기, 냉난방 적정 온도 지키기 등은 지속 가능 발전을 위한 에너지 행동 실천 사항에 해당한다.

6. 미래의 후손이 자연을 적절하게 사용할 수 있도록 훼손하지 않으면서 현재의 사람들도 자연을 적절히 이용할 수 있어야 하기 때문이다.

## 재미있게 정리하기

**빈칸에 알맞은 말 넣기

1. ㉠ 적정 기술　2. ㉡ 상황　3. ㉢ 큐 드럼
6. ㉣ 냉장고　5. ㉤ 지속 가능

**사다리 타기

① ○ ② × ③ × ④ ○ ⑤ ○ ⑥ ○ ⑦ × ⑧ ×

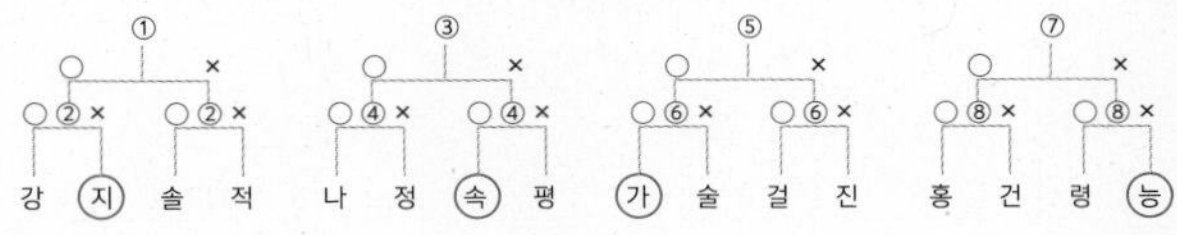

MEMO

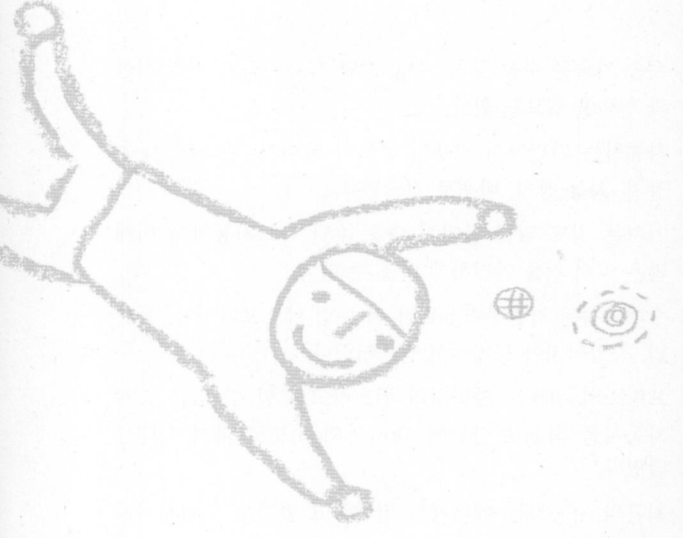

# 정답과 해설

# V 효율적인 이동을 위한 기술

## 01 수송 기술 시스템

### 개념 익히기 9쪽

01 수송 기술 02 ○ 03 × 04 ① 05 ④
06 과정 단계 07 과정 단계의 관리 요소 08 산출

### 개념 활용하기 10쪽

01 ④ 02 ① 03 ⑤ 04 ① 05 ④ 06 ②
07 ①

01 수송 기술은 사람이나 물건 등을 한 장소에서 다른 장소로 이동시키는 수단이나 활동이다.

02 수송 기술 시스템은 투입, 과정, 산출 및 되먹임의 단계로 이루어진다.

03 수송 기술 시스템의 되먹임 단계는 발생한 문제의 원인을 찾아 해결하여 효율적인 수송이 이루어지도록 한다.

04 수송 기술 시스템의 투입 요소에는 수송 대상, 수송 수단, 수송 인력, 에너지, 지원 시설 및 통로 등이 있다.

05 수송 기술 시스템의 되먹임 단계는 발생한 문제를 해결하기 위한 것으로, 수송의 전 단계가 효율적이었는지, 안전했는지 등을 평가한다.

06 수송 기술 시스템의 과정 단계는 수송, 관리의 절차에 따라 투입 요소를 활용하여 사람이나 물자를 이동하는 단계이다.

07 휘발유, 경유, 중유, 항공유 등은 수송 기관이 작동하는 데 필요한 에너지이다.

## 02 수송 기술의 특징과 발달

### 개념 익히기 16쪽

01 ○ 02 ② 03 자동차 04 부력 05 위그선
06 ○ 07 ③ 08 범선 09 가솔린 기관 10 큐리오시티

### 개념 활용하기 17~18쪽

01 ① 02 ② 03 ① 04 ③ 05 ⑤ 06 ③
07 ⑤ 08 ③ 09 ④ 10 ② 11 ③ 12 ②
13 ④ 14 ③

01 수송 기술은 수송 규칙, 수송 수단, 수송 공간, 지원 시설과 인력을 필요로 한다.

02 자동차는 기관에서 발생한 동력이 클러치, 변속기, 구동 장치, 차동 장치, 바퀴로 전달된다.

03 기차는 철도 위를 달리는 수송 수단으로 자동차에 비해 많은 양의 짐을 안전하게 나를 수 있다.

04 수레바퀴는 기원전 3,500년 전 무렵 메소포타미아, 동유럽, 중앙아시아 등지에서 만들어졌다.

05 프랑스의 퀴뇨는 자동차의 원조라고도 할 수 있는 증기 자동차를 최초로 만들어 4km/h의 속도로 파리 시내를 달렸다.

06 최근의 자동차는 에너지를 절약하고 환경을 오염시키지 않는 하이브리드 자동차와 전기 자동차 등이 개발되고 있다.

07 1825년 스티븐슨이 개발한 증기 기관차는 현재의 증기 기관차와 큰 차이가 없었다.

08 잠수함은 물속에 잠겨 이동할 수 있는 수송 수단으로, 부력을 조절하는 탱크가 있어 뜨거나 가라앉을 수 있다.

09 해양 수송 수단에는 물 위를 떠서 사람이나 물건을 이동하는 선박과 물속에 잠겨 이동할 수 있는 잠수함이 있다.

10 비행기 날개를 보면 윗면은 볼록하고 아랫면은 오목한데 이로 인해 공기의 흐름이 달라져 날개 윗면과 아랫면의 압력 차가 발생하여 양력이 얻어진다.

11 1802년 영국의 트레비식이 발명한 것으로 무게가 5톤이나 되었다.

12 증기 기관을 이용하여 움직이는 증기선은 1807년 미국의 공학자이자 발명가인 로버트 풀턴이 세계 최초의 증기선을 만들었다.

13 라이트 형제의 동력 비행기는 가솔린 기관을 기체에 장착하여 1903년 역사상 처음으로 동력 비행기를 조정하여 지속적인 비행에 성공하였다.

14 1969년 미국은 아폴로 11호를 달에 착륙시킴으로써 인간의 활동 영역을 우주까지 넓히는 계기를 만들었다.

## 03 수송 수단의 안전한 이용

### 개념 익히기 23쪽

01 안전띠 02 ○ 03 ⑤ 04 20km 05 수신호
06 ○ 07 ① 08 부유품 09 안전띠 10 구조될 가능성을 높이기 위해

**개념** 활용하기 24쪽

01 ① 02 ② 03 ② 04 ④ 05 ④ 06 ②
07 ③ 08 ①

01 안전사고 발생 시 안전띠를 착용하면 승차한 사람들의 안전을 보호받을 수 있다.

02 차량 자체에 의한 사고 원인으로는 타이어 및 브레이크 파열 등 물리적인 요소 등이 해당한다.

03 자전거는 내 몸에 맞는 자전거를 이용하고, 주기적으로 점검을 한다. 횡단보도에서는 끌고 건너며, 시속 20km 이내의 안전 속도를 준수한다.

04 자전거 수신호에는 왼쪽으로 이동하기, 오른쪽으로 이동하기, 정지하기, 속도 줄이기, 앞지르기 등이 있다.

05 선박의 사고 원인에는 운항 과실과 취급 불량 및 기계적 결함, 관리 문제와 기상 조건 등이 있다.

06 선박 사고 시 위험한 상황이 되었을 때에는 구명조끼를 입고, 물속에서 행동이 쉽도록 가능한 신발을 벗는다.

07 조종사의 판단 및 조작 실수, 항공 교통관제의 착오 및 기상의 영향으로 일어나는 사고는 항공기 사고이다.

08 항공기 충돌 전 웅크린 자세로 충격을 최소화하고, 생존자끼리 모여 있어야 구조될 가능성이 높아진다.

## 04 수송 기술의 창의적 문제 해결

**개념** 익히기 28쪽

01 아이디어 창출하기 02 ① 03 아이디어 구체화하기
04 실행하기 05 ④ 06 × 07 ⑤ 08 ⑤
09 ① 10 제품

**개념** 활용하기 29쪽

01 ③ 02 ③ 03 아이디어 구체화하기 04 ⑤
05 ① 06 ①

01 문제 확인하기는 바퀴 없는 자동차를 만드는 방법은 무엇일까? 이 문제를 해결하기 위해 창의적으로 고민하는 단계이다.

02 아이디어 창출하기 단계에서는 바퀴 없는 진동카를 만들기 위해 관련 정보를 수집하고, 창의적인 아이디어를 구상한다.

04 창의적 문제 해결 과정은 문제 확인하기 → 아이디어 창출하기 → 아이디어 구체화하기 → 실행하기 → 평가하기 순으로 이루어진다.

05 병뚜껑을 한쪽으로 치우치게 끼우면 회전하면서 진동이 발생한다.

06 평가하기는 스스로 평가를 하거나 친구와 완성품에 대한 평가를 한다.

## 05 신·재생 에너지의 이해

**개념** 익히기 33쪽

01 신·재생 에너지 02 ○ 03 ② 04 폭발력
05 태양 전지 06 × 07 ③ 08 조력
09 대기 10 26~28

**개념** 활용하기 34~35쪽

01 ① 02 ③ 03 ④ 04 ② 05 ② 06 ⑤
07 ① 08 ④ 09 ⑤ 10 ④ 11 ③ 12 ③
13 ③

01 신·재생 에너지는 대부분 초기 시설 투자를 위한 비용이 많이 들고, 에너지 생산 효율이 떨어진다.

02 연료 전지는 수소와 산소의 화학 반응으로 생기는 화학 에너지를 전기 에너지로 변환하는 장치이다.

03 석탄 가스화 기술은 석탄을 합성 가스로 만들어 터빈을 돌려 전기를 생산한다.

04 태양광 발전은 햇빛을 받으면 광전 효과에 의해 전기를 생산하는 태양 전지에 의하여 태양광을 직접 전력으로 변환하는 발전 방식이다.

05 수력 에너지는 물이 떨어지는 힘, 즉 위치 에너지를 이용하여 터빈(수차)을 돌려 전기를 얻는 에너지이다.

06 지열 발전은 땅속에서 나오는 증기나 더운 물을 이용하여 발전기를 돌려 전기를 생산하는 발전 방식이다.

07 식물의 기름으로 만든 바이오 디젤 연료로 움직이는 자동차가 바이오 디젤 자동차이다.

08 온도 차 발전은 해양 표면층의 온수(25~30℃)와 심해 500~1,000m 정도의 냉수(5~7℃)와의 온도 차를 이용하여 열에너지를 운동 에너지로 변환하여 전기를 생산한다.

09 조력 발전은 조수 간만의 차를 동력원으로 해수면의 상승·하강 운동을 이용하여 전기를 생산한다.

10 연료 전지, 수소 에너지, 석탄 액화 및 가스화 기술은 신

에너지이다.

11 여름철 실내 적정 온도는 26~28℃를 유지하며, 겨울철 실내 적정 온도는 20℃ 이하를 유지한다.

12 냉장고 안에 음식량은 60%만 채운다. 음식량이 10%씩 증가할 경우, 전기 소비가 4% 정도 증가한다.

13 에너지 소비 효율 등급 표시 제도는 소비자들이 효율이 높은 에너지 절약형 제품을 쉽게 구입할 수 있도록 해 준다.

## 06 에너지 문제의 창의적 해결

**개념** 익히기 39쪽

01 창출 02 ○ 03 아이디어 04 실행 05 ③
06 ⑤ 07 × 08 글루건 09 자기 평가 10 동료 평가

**개념** 활용하기 40쪽

01 ⑤ 02 ③ 03 ③ 04 ④ 05 ④ 06 ③

01 에너지 문제의 창의적 해결 과정은 문제 확인하기 → 아이디어 창출하기 → 아이디어 구체화하기 → 실행하기 → 평가하기 순으로 이루어진다.

02 에너지 문제의 창의적 해결 과정의 확인하기는 '자연의 힘을 이용할 수 있는 방법은 무엇일까?' 이 문제를 해결하기 위해 태양광 스마트폰 충전기를 창의적으로 고민하는 단계이다.

03 에너지 문제의 창의적 해결 과정의 아이디어 창출하기 단계에서는 태양광 스마트폰 충전기를 만들기 위해 관련 정보를 수집하고, 창의적인 아이디어를 구상한다.

04 태양 전지란 태양의 빛 에너지를 전기로 바꾸는 장치를 말한다.

05 USB 케이블은 라디오 펜치를 사용하여 자른다.

06 에너지 문제의 창의적 해결 과정의 평가하기 단계에서는 스스로 자기를 평가하거나 친구와 완성품에 대한 평가를 한다.

# Ⅵ 세상과 소통하는 기술

## 01 정보 기술 시스템

**개념** 익히기 47쪽

01 정보 02 ④ 03 ○ 04 정보 기술 시스템
05 되먹임 06 ○ 07 ⑤ 08 음성 통신 09 ③ 10 ○

**개념** 활용하기 48쪽

01 ③ 02 ④ 03 ② 04 ④ 05 ② 06 이미지

01 정보 기술 시스템은 투입, 과정, 산출 및 되먹임으로 이루어진다. 보기에 대한 내용은 중간 단계에 해당하며 정보가 완성되기 직전 단계이다.

02 정보 통신은 수집, 가공 및 처리한 정보를 송수신하는 모든 과정을 말한다.

03 정보 통신 기술은 전송 신호에 따라 아날로그 방식과 디지털 방식으로 나눌 수 있다.

04 마이크로폰은 음성 신호를 전기 신호로 바꾸는 역할을 하며, 스피커는 받은 전기 신호를 음성으로 바꾸는 역할을 한다.

05 안테나와 마이크로폰은 음성 통신과 영상 통신에서, 팩시밀리는 이미지 통신에서 이용된다.

06 정보 통신 기술은 데이터 전송 방향에 따라 단방향·반이중·전이중 통신으로 나누어진다. 그리고 전송 신호에 따라 디지털 방식과 아날로그 방식으로 나누며, 형태에 따라 음성·데이터·이미지·영상·멀티미디어 통신으로 나누어진다.

## 02 정보 통신 기술의 특성과 발달

**개념** 익히기 52쪽

01 정보 통신 02 ③ 03 × 04 ○ 05 ○
06 × 07 ① 08 ⑤ 09 증강 현실 10 ○

**개념** 활용하기 53쪽

01 ③ 02 ① 03 ⑤ 04 ④ 05 ③ 06 ①

01 정보 통신 기술의 요소로는 정보, 송신자, 전송 매체, 수신자가 있다.

02 빅 데이터란 일반적인 데이터베이스 체계가 저장, 관리, 분석할 수 있는 범위를 초과하는 규모의 데이터를 말한다.

03 정보 통신의 발달로 많은 정보를 빠르고 정확하게 전달할 수 있게 되었으며 여러 사람이 정보를 공유할 수 있게 되었다.

04 통신 위성을 이용하여 통신 기지국 간에 전파를 전달함으로써 지구상 모든 곳에 통신이 가능하게 되었다.

05 인쇄술은 1251년, 목판에 글을 새기고 먹을 칠해 종이에 인쇄하면서 발달하기 시작하였다.

06 사물 인터넷은 모든 사물이 인터넷으로 연결되어 정보가 생성되고 수집, 공유, 활용되는 통신 기술이다.

## 03 통신 매체의 이해

### 개념 익히기 58쪽

01 ① 02 ○ 03 × 04 ○ 05 ○
06 ③ 07 ④

### 개념 활용하기 59쪽

01 ② 02 ① 03 ② 04 ② 05 ⑤ 06 ②

02 음성 통신 매체에는 전화기, 라디오 등이 있다.

03 뉴 미디어는 새 매체라고도 하며, 통신 형태가 새로운 형태로 변하고 발달한 것으로 스마트폰이 대표적인 사례이다.

04 ①은 인터넷, ③은 내비게이션, ④는 DMB, ⑤는 콘텐츠에 해당하는 기능이다.

05 통신 매체의 과다 사용으로 인해 신체적, 심리적 위험에 노출될 수 있다.

06 스마트 미디어 중독의 증상으로 미디어의 사용 시간 증가, 불안과 초조, 현실에서의 인간 관계보다 미디어를 통한 관계에 익숙함 등이 있다.

## 04 정보 통신 기술의 창의적 문제 해결

### 개념 익히기 63쪽

01 ㄱ, ㅁ, ㄷ, ㄹ, ㄴ 02 스토리 보드 03 아이디어 구체화하기 04 평가 05 빔 프로젝터 06 공유 07 ○

### 개념 활용하기 64쪽

01 ② 02 ③ 03 ④ 04 ③ 05 ⑤ 06 ⑤

01 아이디어 창출하기는 주제와 관련된 정보를 찾고 창의적인 아이디어를 구상하는 단계이다.

02 스토리 보드 작성은 아이디어 구체화하기 단계에 해당한다.

03 창의적 문제 해결을 위한 만들기 단계에서는 구체화된 아이디어를 실행한다.

04 스마트폰으로 우리 학교 소개 동영상을 만들 때 실행하기 단계에서는 사진, 음악, 동영상을 편집하여 저장, 완성한다.

05 가장 적극적으로 실습에 참여한 동료는 누구인가, 창의적인 디자인 아이디어를 낸 동료는 누구인가에 대한 평가는 동료평가에 해당한다.

# Ⅶ 삶을 창조하는 기술

## 01 생명 기술 시스템

**개념** 익히기 71쪽

01 생명 기술 02 ○ 03 산출 04 ① 05 과정
06 × 07 환경·에너지 08 ①
09 ㉠ 현미경, ㉡ 페니실린 10 ⑤

**개념** 활용하기 72~73쪽

01 ⑤ 02 ③ 03 ② 04 단계: 과정, 세부 요소: 증식
05 산출 06 ⑤ 07 ④ 08 ○ 09 형질 전환
10 발효 11 ① 12 인간 게놈 프로젝트 13 3D 바이오 프린팅 14 ③ 15 줄기세포

01 생명 기술은 생명체의 특성이나 기능을 활용하여 인간에게 유용한 물질을 만드는 수단이나 활동을 말한다.

03 생명 기술 시스템의 과정은 필요에 따라 투입 요소를 적절히 활용하여 인간에게 유용한 생산물을 생산하는 단계이다.

06 생명 기술 시스템의 과정 단계에서는 증식, 성장, 유지, 적응, 수확 등의 절차에 따라 투입 요소를 활용하여 유용한 물질을 생산한다.

07 식물 공장은 지구의 환경 오염이나 예측할 수 없는 기후 변화에 대비하여 외부 환경에 영향을 받지 않고 식물을 생산할 수 있는 생명 기술 분야이다.

11 바이오 장기는 사람의 것과 비슷한 장기를 가진 동물로부터 얻는 동물 장기, 다양한 신체 조직으로 변화할 수 있는 능력을 가진 줄기세포로 만든 장기 등이 있다.

14 생물의 유전 정보를 검출할 수 있는 장치인 유전자 칩을 이용하여 질병을 사전에 예방한다.

## 02 생명 기술의 특징과 영향

**개념** 익히기 77~78쪽

01 생명 기술 02 × 03 ⑤ 04 환경 오염
05 ① 06 ○ 07 ○ 08 부가 가치가 매우 높다.
09 × 10 × 11 ○ 12 유전 13 ⑤
14 바이오 인증 기술 15 × 16 ○ 17 ①
18 식량 문제의 해결 19 생명 윤리 문제 20 ×

**개념** 활용하기 79쪽

01 ① 02 ③ 03 ③ 04 ③ 05 ④ 06 ⑤

01 생명 기술은 생명체를 대상으로 하기 때문에 그 응용 범위가 대단히 넓고, 다양한 학문 분야를 아우르는 종합적인 응용 기술이다.

02 생명 기술은 살아 있는 생명체를 대상으로 한다.

03 생명 기술은 바이오 에탄올, 바이오 디젤 등은 화석 연료의 사용을 줄여 준다.

04 유전자 변형 생물체(GMO)가 유전자 조작 과정에서 예측하지 못한 질병에 감염되거나 새로운 품종이 나타나 생태계가 교란될 가능성이 있다.

05 유채, 콩 등 유지 식물에서 기름을 추출한 것이 바이오 디젤이다.

06 개인 정보 유출을 막기 위한 바이오 인증 기술은 지문, 정맥, 홍채, 얼굴, 음성 등 인간의 고유한 생체 정보를 통해 개인을 식별하거나 인증하는 기술을 말한다.

# VIII 모두를 위한 지속 가능한 기술

## 01 적정 기술과 지속 가능 발전의 이해

**개념 익히기** 87쪽

01 적정 기술 02 × 03 ① 04 팟인팟 쿨러
05 바이슬아 바도라 06 × 07 지속 가능 발전 08 ①
09 재생 06 로컬 푸드

**개념 활용하기** 88쪽

01 ⑤ 02 ③ 03 ④ 04 ③ 05 ② 06 ①

01 적정 기술은 누구나 쉽게 쓸 수 있어야 한다.

02 페트병 조명은 전기가 전혀 필요 없고, 패트병 하나가 55W가량의 전등을 켠 것과 비슷하다.

03 바이슬아 바도라: 전기 없이 사람의 힘으로 세탁을 할 수 있는 세탁기
어드스펙스: 사용자가 스스로 안경의 도수를 조절하여 사용할 수 있게 만든 안경

04 적정 기술 제품은 산업화된 국가의 소외 지역이나, 재난·재해 지역에서도 사용할 수 있다.

05 자원이 제대로 순환되려면 쓰레기 분리 배출을 잘해야 한다.

06 지속 가능 발전을 위한 올바른 먹을거리 선택 실천으로 수입 농산물이 아닌 지역에서 생산하는 로컬 푸드를 선택한다.

## 02 적정 기술의 창의적 문제 해결

**개념 익히기** 93쪽

01 ○ 02 × 03 구체화하기 04 실행하기 05 ③
06 ○ 07 ③ 08 ○ 09 자기 평가
10 • 해피 볼로 축구, 야구 등의 놀이를 할 수 있을 만큼 튼튼하고 탄력이 좋은가?
• 해피 데스크는 분리와 조립이 간편한가?
• 해피 데스크는 휴대가 가능한가?
• 해피 볼과 해피 데스크를 해당 지역의 학생들이 이용할 수 있겠는가?

**개념 활용하기** 94쪽

01 ⑤ 02 ③ 03 ⑤ 04 ⑤ 05 ③ 06 ②

01 적정 기술의 창의적 해결 과정은 문제 확인하기 → 아이디어 창출하기 → 아이디어 구체화하기 → 실행하기 → 평가하기 순으로 이루어진다.

02 나만의 해피볼 만들기의 문제 확인하기 단계에서는 맨발로 공을 차는 아이들을 위해 탄성과 강도가 높은 해피볼을 만들기 위한 문제 상황을 확인한다.

03 나만의 해피볼 만들기의 아이디어 구체화하기 단계에서는 나만의 해피볼을 만들기 위해 선정한 아이디어를 도면으로 나타낸다.

04 헬프 데스크는 골판지를 재활용하여 책상 또는 가방으로 변신 가능하도록 만든 것으로, 분해와 조립이 쉽고, 휴대가 간편해야 한다.

05 원 모양의 끈을 별 모양 중앙에 놓아야 중심을 잡을 수 있다.

06 동료 평가는 타인을 통해 나를 객관적으로 평가하는 평가 방법이다.a

# 중학교 기술·가정② 평가문제집 기술편

민창기 · 윤병구 · 박세열 · 류보람
이고은 · 임윤희 · 김민정

**금평이가 지닌 특별한 매력 3가지**

- **단계 학습** 이해, 적용, 실전 문제의 단계별 학습
- **창의융합** 창의융합형 문제를 통해 사고력, 표현력 향상
- **개념 완결** 핵심 정리와 기초 문제를 통한 완벽 마무리

금성출판사

# **기술** 잡는 **금평**씨를 소개합니다.

[핵심 정리]와 [기초 문제]를 통해 핵심적인 내용을 한번에 정리하고 확인할 수 있으며, [이해]→[적용]→[실전]의 단계별 문항을 통해 학습 내용을 탄탄하게 다질 수 있습니다. 또한, [창의융합 코너]를 통해 사고력과 표현력을 향상시킬 수 있습니다.

QR 코드로 평가문제집 정답을 확인할 수 있어요.

**편리한 정답 확인!**

학교시험대비 평가 시리즈

# 금평아 놀자!

## 중학교 **기술·가정 ②** 평가문제집

**기술편**

민창기 · 윤병구 · 박세열 · 류보람
이고은 · 임윤희 · 김민정

금성출판사

# 이 책의 구성과 특징

## 핵심 정리

단원에서 알아야 할 핵심 내용을 정리하였습니다.

## 기초 문제

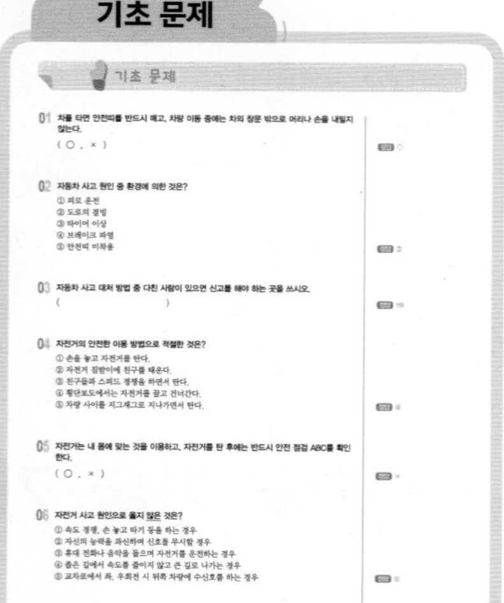

기초 문제를 통해 핵심 내용을 점검해 볼 수 있게 하였습니다.

## 이해 문제

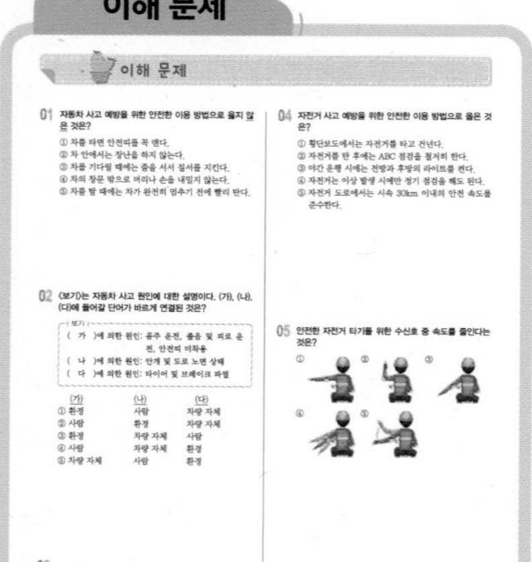

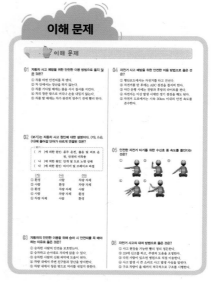

핵심 개념을 반영한 문제를 통해 학습 내용을 쉽게 이해할 수 있도록 하였습니다.

## 적용 문제

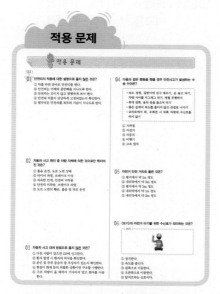

여러 유형의 심화 문제를 통해 핵심 개념을 깊이 있게 학습할 수 있도록 하였습니다.

## 실전 문제

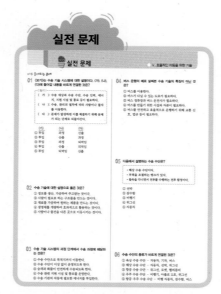

자주 출제되는 문제와 서술형 문제를 제시하여 대단원 학습을 완벽하게 마무리할 수 있도록 하였습니다.

## 창의 융합

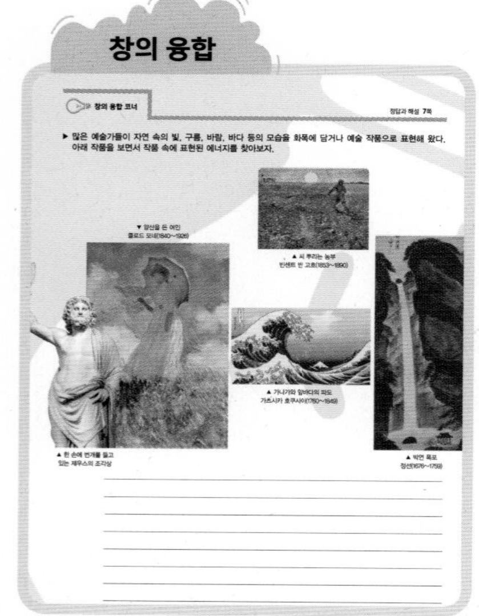

단원과 관련된 주제를 바탕으로 창의 융합적인 소재를 제시하여 사고력과 표현력이 향상되도록 하였습니다.

# 차례

## V. 효율적인 이동을 위한 기술



## VI. 세상과 소통하는 기술

## VII. 삶을 창조하는 기술



## VIII. 모두를 위한 지속 가능한 기술

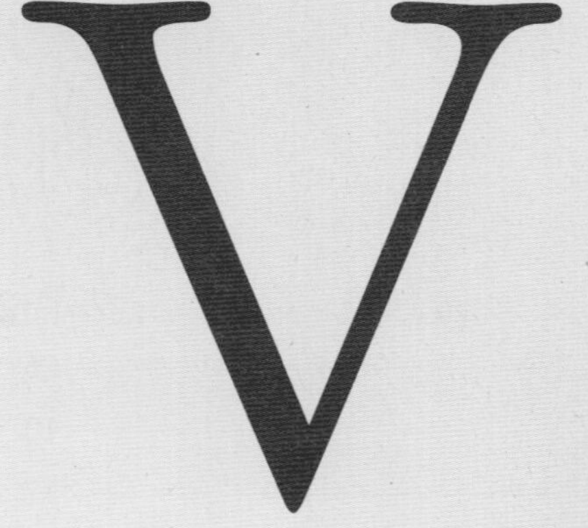

# 효율적인 이동을 위한 기술

1. 수송 기술 시스템
2. 수송 기술의 특징과 발달
3. 수송 수단의 안전한 이용
4. 수송 기술의 창의적 문제 해결
5. 신·재생 에너지의 이해
6. 에너지 문제의 창의적 해결

## 이 단원의 성취 기준과 학습 요소

| 섹션 | 성취 기준 | 학습 요소 |
|---|---|---|
| 1. 수송 기술 시스템 | 수송 기술 시스템의 각 단계별 세부 요소를 이해한다. | – 수송 기술 시스템의 이해<br>– 수송 기술 시스템의 단계별 세부 요소 |
| 2. 수송 기술의 특징과 발달 | 수송 기술의 특징과 발달 과정을 설명한다. | – 수송 기술의 특징<br>– 수송 수단의 종류<br>– 수송 기술의 발달 과정 |
| 3. 수송 수단의 안전한 이용 | 수송 수단의 안전한 이용 방법을 알고, 사고 원인과 예방 및 대처 방법을 조사하고 실천한다. | – 자동차의 안전한 이용<br>– 자전거의 안전한 이용<br>– 선박의 안전한 이용<br>– 항공기의 안전한 이용 |
| 4. 수송 기술의 창의적 문제 해결 | 수송 기술과 관련된 문제를 이해하고, 해결책을 창의적으로 탐색하고 실현하며 평가한다. | – 바퀴 없는 진동카 만들기 |
| 5. 신·재생 에너지의 이해 | 신·재생 에너지의 활용을 이해하고, 신·재생 에너지 개발의 중요성을 인식하여 효율적인 에너지 이용 방안을 제안한다. | – 신·재생 에너지 개발의 중요성<br>– 신·재생 에너지의 활용<br>– 에너지의 효율적 이용 방안 |
| 6. 에너지 문제의 창의적 해결 | 에너지와 관련된 문제를 이해하고, 해결책을 창의적으로 탐색하고 실현하며 평가한다. | – 태양광 스마트폰 충전기 만들기 |

## 1. 수송 기술 시스템의 이해

**① 수송 기술의 의미**

㉠ 수송: 수송 수단을 이용하여 사람, 동물, 물건 등을 한 장소에서 다른 장소로 이동하는 것이다. 수송 수단에는 자전거, 자동차, 버스, 트럭, 기차, 배, 비행기 등이 있다.

㉡ 수송 기술: 사람이나 물건 등을 한 장소에서 다른 장소로 효율적이고 안전하게 이동시키기 위한 수단이나 활동

**② 수송 기술 시스템의 의미와 단계**

㉠ 수송 기술 시스템의 의미

- 수송 기술이 실현되는 데 이용되는 모든 활동을 체계화한 것이다.
- 수송 기술 시스템은 모든 영역의 기술 시스템과 마찬가지로 사회적 요구나 필요에 기초하여 운영되고 있다.

㉡ 수송 기술 시스템의 단계

- 투입: 사람이나 물자를 목적지까지 이동하기 위해 여러 요소들을 투입한다.
- 과정: 수송, 관리의 절차에 따라 투입 요소를 활용하여 이동한다.
- 산출: 목적지에 도착
- 되먹임: 문제가 발생하면 이를 해결하기 위해 문제가 되는 단계로 되돌아간다.

## 2. 수송 기술 시스템의 단계별 세부 요소

**① 투입**

투입 요소에는 인적 자원, 지식, 재료, 에너지, 자본, 자산 등이 있는데, 이는 기술의 하위 체계에 공통으로 포함되는 요소이다.

㉠ 수송 대상

목적지까지 이동해야 할 대상으로, 승객 또는 화물이 수송 대상이 된다.

㉡ 수송 수단

수송 대상을 목적지까지 운반하기 위한 수송 기관으로, 자동차, 기차, 선박, 비행기 등이 있다.

㉢ 수송 인력

수송 기관을 조종하는 사람, 화물을 싣고 내리는 사람, 수송 기관을 정비하는 사람, 수송 시설을 관리하는 사람 등 수송에 필요한 인적 자원을 말한다.

㉣ 에너지

수송 기관이 작동하는 데 필요한 에너지로, 휘발유, 경유, 중유, 항공유, 가스, 전기 에너지 등이 있다.

㉤ 지원 시설 및 통로

터미널, 정류장, 차량 보관소, 정비소, 주유소, 도로, 선로, 교통 관제 시설 등 수송에 필요한 각종 시설과 통로를 말한다.

㉥ 수송 규칙

안전하고 효율적인 이동을 위해 교통 법규, 항공 규칙, 화물 운송 규칙 등이 있어야 한다.

**② 과정**

승객이나 물건이 실제로 이동되는 과정으로, 수송 과정과 관리 과정으로 구분할 수 있다.

㉠ 수송 과정

수송 기관을 작동하여 목적지까지 이동하는 과정으로, 이동할 것들에 대한 보관, 저장, 짐 싣기, 수송, 운반, 짐 내리기, 최종 목적지로의 배달이 포함된다.

㉡ 관리 과정

수송을 위해 계획하고 조직하며, 감독 및 통제에 따라 수송이 잘 이루어지도록 관리하는 과정이다.

- 수송 수단이 이상 없이 운영되도록 관리하는 활동
- 승객과 화물이 안전하게 수송되도록 관리하는 활동
- 수송 관련 시설물을 운영하는 활동

**③ 산출**

목적지 도착 즉, 수송 기술 시스템에서 계획했던 수송 과정이 실행된 단계이다.

㉠ 모든 수송 계획이 실행되어 상품이나 원료, 사람이 목적지에 재배치된다.

㉡ 산출 요소가 자연·사회적 문화 환경에 끼치는 영향에 대해서 다루게 된다.

㉢ 이러한 결과는 적절한 되먹임으로 앞 요소들의 평가나 조정에 활용된다.

## 기초 문제

**01** 수송 수단을 이용하여 사람, 동물, 물건 등을 한 장소에서 다른 장소로 이동하는 것을 무엇이라고 하는지 쓰시오.

(　　　　　　　　　　)

정답 수송

**02** 수송 기술은 사람이나 물건 등을 한 장소에서 다른 장소로 효율적이고 안전하게 이동시키기 위한 수단이나 활동을 말한다.

( ○ , × )

정답 ○

**03** 수송 기술 시스템은 투입 – 과정 – 산출 및 (　　　　)의 단계로 이루어진다.

정답 되먹임

**04** 다음에서 설명하는 수송 기술 시스템의 단계를 쓰시오.

- 수송, 관리의 절차에 따라 각종 요소들을 활용한다.
- 사람이나 물자를 이동한다.

(　　　　　　　　　　)

정답 과정

**05** 사람이나 물자를 목적지까지 이동하는 데 필요한 기본 요소들을 제공하는 수송 기술 시스템의 단계는?

① 응용　　② 산출
③ 과정　　④ 투입
⑤ 되먹임

정답 ④

**06** 수송 기술 시스템의 투입 단계에서 수송 기관을 작동하는 데 필요한 요소를 쓰시오.

(　　　　　　　　　　)

정답 에너지

**07** 수송 기술 시스템에서 사람이나 물자가 최종 목적지에 도착하는 단계는?

① 산출　　② 투입
③ 과정　　④ 수송
⑤ 응용

정답 ①

**08** 수송 기술 시스템의 과정 단계에서 수송 과정은 승객과 화물이 안전하게 수송되도록 관리하는 활동이다.

( ○ , × )

정답 ×

## 이해 문제

정답과 해설 2쪽

**01** 사람이나 물건 등을 한 장소에서 다른 장소로 이동하는 수단이나 활동은?

① 제조 기술
② 건설 기술
③ 수송 기술
④ 생명 기술
⑤ 정보 통신 기술

**02** 수송 기술 시스템의 단계로 옳은 것은?

① 투입 – 과정 – 산출 및 되먹임
② 투입 – 산출 – 과정 및 되먹임
③ 과정 – 투입 – 산출 및 되먹임
④ 과정 – 산출 – 투입 및 되먹임
⑤ 산출 – 과정 – 투입 및 되먹임

**03** 문제가 발생하면 이를 해결하기 위해 문제가 되는 단계로 되돌아가는 수송 기술 시스템의 단계를 쓰시오.

(　　　　　　　　　　　　　　　)

**04** 다음에서 설명하는 수송 기술 시스템의 단계는?

> • 수송 수단으로 목적지까지 이동한다.
> • 수송 수단이 이상 없이 운영되도록 관리한다.
> • 승객과 화물이 안전하게 수송되도록 관리한다.
> • 수송 관련 시설을 운영하는 활동을 한다.

① 투입
② 과정
③ 산출
④ 통과
⑤ 되먹임

**05** 수송 기술 시스템의 투입에 대한 설명으로 옳은 것은?

① 수송 관련 시설물을 운영한다.
② 고객의 반응이 좋은지 평가한다.
③ 수송 수단이 이상 없이 운영되도록 관리한다.
④ 승객과 화물이 안전하게 수송되도록 관리한다.
⑤ 수송 기관을 작동하는 데 필요한 에너지를 공급한다.

**06** 〈보기〉의 (가)와 (나)에 해당하는 수송 기술 시스템의 단계가 바르게 연결된 것은?

> 보기
> ( 가 ): 수송과 관리 절차에 따라 세부 요소를 활용하여 사람이나 물건을 이동한다.
> ( 나 ): 사람이나 물건을 이동하는 데 필요한 수송 수단, 수송 인력, 에너지, 지원 시설 및 통로 등을 공급한다.

| | (가) | (나) |
|---|---|---|
| ① | 투입 | 산출 |
| ② | 투입 | 과정 |
| ③ | 투입 | 되먹임 |
| ④ | 과정 | 투입 |
| ⑤ | 과정 | 산출 |

**07** 수송 기술 시스템의 단계별 세부 요소 중 되먹임에 대한 설명으로 옳은 것은?

① 수송에 필요한 시설과 통로를 확인한다.
② 수송 수단이 이상 없이 운영되는지 관리한다.
③ 승객과 화물이 안전하게 수송되도록 관리한다.
④ 수송의 모든 단계가 효율적이었는지 평가한다.
⑤ 수송 수단을 작동하는 데 필요한 에너지를 공급한다.

# 적용 문제

정답과 해설 2쪽

중요

**01** 〈보기〉의 (가), (나)에 들어갈 단어가 바르게 연결된 것은?

> 보기
>
> 사람이나 물건 등을 한 장소에서 다른 장소로 이동하는 기술을 ( 가 ) 기술이라고 한다. 이 기술이 실현되는 데 이용되는 모든 활동을 체계화한 것으로, 이 시스템은 투입, 과정, ( 나 ) 및 되먹임 등의 단계로 이루어진다.

| | (가) | (나) |
|---|---|---|
| ① | 수송 | 산출 |
| ② | 수송 | 응용 |
| ③ | 수송 | 피드백 |
| ④ | 제조 | 피드백 |
| ⑤ | 제조 | 평가 |

**02** 수송 기술 시스템의 과정 단계에 해당하는 세부 요소는?

① 수송에 필요한 사람을 투입한다.
② 고객의 반응이 좋은지 평가한다.
③ 목적지에 잘 도착했는지 확인한다.
④ 수송 수단이 이상 없이 운영되도록 한다.
⑤ 수송 수단을 작동하는 데 필요한 에너지를 제공한다.

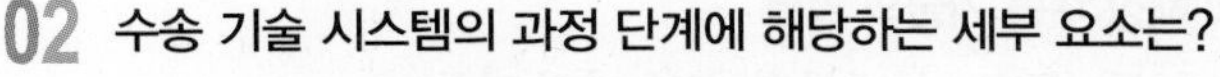

**03** 수송 기술 시스템의 산출에 대한 설명으로 옳은 것은?

① 사람이나 물건이 최종 목적지에 도착한다.
② 발생한 문제의 원인을 찾아 해결하는 것이다.
③ 사람이나 물건이 안전하게 이동하도록 관리하는 것이다.
④ 사람이나 물건을 수송하는 데 필요한 기본 요소들을 제공하는 것이다.
⑤ 사람이나 물건이 적절한 수송 수단으로 목적지까지 이동하는 과정이다.

중요

**04** 〈보기〉에서 수송 기술 시스템의 투입 요소에 해당하는 것을 모두 고른 것은?

> 보기
>
> 가. 수송 대상　　나. 수송 수단
> 다. 수송 인력　　라. 수송 관리
> 마. 지원 시설

① 가, 나, 다, 라
② 가, 나, 라, 마
③ 가, 나, 다, 마
④ 가, 나, 라, 마
⑤ 나, 다, 라, 마

**05** 수송, 관리의 절차에 따라 사람이나 물건을 이동하는 수송 기술 시스템의 단계는?

① 투입
② 과정
③ 산출
④ 응용
⑤ 되먹임

**06** 수송 대상을 목적지까지 운반하기 위한 수송 기관으로, 자동차, 기차, 비행기 등의 투입 요소는?

① 에너지
② 수송 물건
③ 수송 수단
④ 수송 인력
⑤ 지원 시설 및 통로

## 1. 수송 기술의 특징

버스의 운행을 예로 수송 기술의 특징을 살펴보면 다음과 같다.

① **수송 규칙이 필요하다**: 교통 신호, 법규 등이 필요하다.

② **수송 수단을 이용한다**: 버스를 이용한다.

③ **수송 공간이 필요하다**: 버스가 다닐 수 있는 도로가 필요하다.

④ **지원 시설과 인력이 필요하다**: 버스 정류장과 버스 운전사가 필요하다.

## 2. 수송 수단의 종류

**① 육상 수송 수단**

㉠ 자동차: 원동기를 장치해 그 동력으로 바퀴를 굴려 땅 위를 움직이도록 만든 차

㉡ 기차: 기관차에 여객차나 화물차를 연결하여 궤도 위를 운행하는 차량

**② 해상 수송 수단**

㉠ 선박: 사람이나 가축, 물건 따위를 싣고 물 위로 떠다니도록 나무나 쇠로 만든 구조물

㉡ 잠수함: 물속을 다니면서 전투를 수행하는 전투 함정

**③ 항공 · 우주 수송 수단**

㉠ 로켓: 고온 · 고압의 가스를 발생 · 분출시켜 그 반동으로 추진하는 비행물

㉡ 비행기: 항공 수송의 대표적인 수단으로, 양력을 이용하여 사람이나 물건을 싣고 공중을 비행하는 탈것

㉢ 인공위성: 지구 위에서 일정한 궤도를 돌며 방송, 통신, 지구 및 우주 관측 등의 용도로 만들어진 위성

㉣ 우주 정거장: 사람이 우주 공간에 장기간 머물 수 있도록 만들어진 구조물

㉤ 우주 왕복선: 우주와 지구를 왕복하고 재사용이 가능하도록 만들어진 우주선

**④ 새로운 수송 수단**

㉠ 수륙 양용 자동차: 물 위나 땅 위를 움직이도록 만든 차

㉡ 비행 자동차: 하늘을 날거나 땅 위를 움직이도록 만든 차

㉢ 위그선: 바다 위를 최대 5m의 높이로 떠서 날아가는 선박

## 3. 수송 기술의 발달 과정

**① 육상 수송 기술의 발달**

㉠ 수레바퀴의 발명: 육상 수송 기술의 발달에 큰 영향

㉡ 자동차의 발달

- 퀴뇨의 증기 자동차: 1769년 프랑스의 퀴뇨, 동력을 이용한 최초의 자동차
- 벤츠의 가솔린 자동차: 1886년 독일의 다임러와 벤츠, 최초의 가솔린 자동차
- 포드의 자동차: 20세기 초 미국의 포드, 컨베이어 벨트 방식 이용, 자동차의 대중화 시대를 이룸.
- 하이브리드 자동차: 에너지 절약, 환경 오염 적음.

㉢ 기차의 발달

- 마차 철도: 18세기 경, 말이 끄는 수레를 궤도 위에서 운행
- 트레비식의 증기 기관차: 1802년, 영국의 트레비식이 증기 기관차 발명
- 스티븐슨의 증기 기관차: 1825년, 석탄을 싣고 운행, 최초의 상업용 기차
- 디젤 기관차: 20세기, 열효율이 높고 성능이 우수한 디젤 기관차 등장
- 고속 철도: 최근, 시속 250km 이상의 철도

**② 해상 수송 기술의 발달**

㉠ 통나무 배: 통나무의 속을 파서 만듦.

㉡ 노 젓는 목선: 나무로 만든 목선, 사람이 직접 노를 저음.

㉢ 범선: 13세기, 목선에 돛을 달아 바람의 힘으로 이동

㉣ 증기선: 1807년, 미국의 폴턴이 세계 최초의 증기선 만듦.

㉤ 디젤 기관선: 20세기 초, 디젤 기관을 이용한 배 등장

㉥ 원자력 항공 모함: 20세기 초, 원자력을 이용한 배 등장

**③ 항공 · 우주 수송 기술의 발달**

㉠ 릴리엔탈의 글라이더: 1891년 독일의 릴리엔탈, 사람이 탈 수 있는 글라이더 개발

㉡ 라이트 형제의 동력 비행기: 1903년 미국의 라이트 형제, 최초의 가솔린 기관을 이용한 동력 비행기

㉢ 로켓: 1926년, 로버트 고더스의 액체 로켓 비행

㉣ 제트 비행기: 1939년 제트 비행기 등장, 프로펠러가 아닌 제트 엔진의 힘 이용

㉤ 스푸트니크: 1957년 최초의 인공위성 발사

㉥ 화성 탐사 로봇(큐리오시티): 2011년 발사, 2012년 화성 표면 착륙, 현재 화성 탐사 중

## 기초 문제

**01** **수송 기술은 버스의 운행을 예로 들면, 수송 규칙인 교통 신호와 법규, 수송 수단인 버스, 수송 공간인 도로, 지원 시설인 버스 정류장, 인력인 버스 운전사가 필요하다는 특징이 있다.**

( ○ , × )

정답 ○

**02** **수송 기술의 특징으로 옳지 않은 것은?**

① 수송 규칙이 필요하다.
② 수송 수단을 이용한다.
③ 수송 공간이 필요하다.
④ 생산 자원이 필요하다.
⑤ 지원 시설과 인력이 필요하다.

정답 ④

**03** **기관차에 여객차나 화물차를 연결하여 궤도 위를 운행하는 차량을 무엇이라고 하는지 쓰시오.**

( )

정답 기차

**04** **해상 수송 수단에 해당하는 것은?**

① 기차 ② 선박
③ 드론 ④ 자동차
⑤ 위그선

정답 ②

**05** **비행기는 고온 고압의 가스를 발생, 분출시켜 그 반동으로 추진하는 비행물이다.**

( ○ , × )

정답 ×

**06** **육상 수송 기술의 발달에 큰 영향을 준 것으로, 사람이나 가축의 힘으로 움직이는 수레나 마차에 주로 이용되었던 것이 무엇인지 쓰시오.**

( )

정답 수레바퀴

**07** **다음에서 설명하는 자동차는 무엇인지 쓰시오.**

> • 20세기 초, 미국의 포드가 컨베이어 벨트 방식을 이용하여 자동차를 대량 생산하였다.
> • 오늘날과 같은 자동차의 대중화 시대를 이루게 되었다.

( )

정답 포드의 자동차

**08** 1825년, 스티븐슨의 증기 기관차는 석탄을 싣고 운행한 최초의 상업용 기차이다.
( ○ , × )

정답 ○

**09** 20세기에 들어 만들어진 것으로 열효율이 높고, 성능이 우수한 기관차는?

① 디젤 기관차
② 전기 기관차
③ 가솔린 기관차
④ 트레비식 기관차
⑤ 스티븐슨 기관차

정답 ①

**10** 13세기, 목선에 돛을 달아 바람의 힘으로 움직인 해양 수송 수단은?

① 뗏목
② 범선
③ 통나무 배
④ 증기선
⑤ 디젤 기관선

정답 ②

**11** 20세기 초, 미국의 풀턴이 세계 최초의 디젤 기관선을 만들었다.
( ○ , × )

정답 ×

**12** 다음에서 설명하는 항공 수송 수단에 이용된 기관은 무엇인지 쓰시오.

> 1903년, 미국의 라이트 형제는 최초로 동력 비행기를 타고 하늘을 나는 데 성공하였다.

(　　　　　　　　　　)

정답 가솔린 기관

**13** 1939년 (　　　　　　　　)이/가 등장하여 프로펠러 없이 제트 엔진의 힘을 이용한 더 빠른 속도의 비행기가 등장하기 시작하였다.

정답 제트 비행기

**14** 다음에서 설명하는 수송 수단은 무엇인지 쓰시오.

> • 2011년에 발사되어 약 9개월 동안 우주 공간을 비행하였다.
> • 2012년에 화성 표면에 착륙하였고, 현재 화성 탐사 임무를 수행 중이다.

(　　　　　　　　　　)

정답 화성 탐사 로봇(큐리오시티)

## 이해 문제

정답과 해설 2쪽

**01** 육상 수송 수단에 해당하는 것으로만 짝지어진 것은?

① 드론, 잠수함
② 기차, 자동차
③ 위그선, 비행기
④ 잠수함, 위그선
⑤ 헬리콥터, 자동차

**02** 자동차에 대한 설명으로 옳은 것은?

① 디젤 기관의 힘으로 철길을 달리는 수송 수단이다.
② 로켓 기관을 이용하여 우주 공간으로 날아다니는 수송 수단이다.
③ 원동기에서 발생한 동력을 바퀴에 전달하여 도로 위를 달리는 수송 수단이다.
④ 자석의 힘을 이용하여 일정한 높이로 선로 위로 띄워 움직이는 수송 수단이다.
⑤ 가솔린 기관으로 발전기를 돌려 전기의 힘으로 철도 위를 달리는 수송 수단이다.

**03** 다음에서 설명하는 수송 수단은?

- 해상 수송 수단이다.
- 부력을 이용하여 물 위에 띄운다.
- 사람이나 짐 등을 싣고 물 위로 떠다니도록 나무나 쇠 따위로 만든다.

① 선박
② 위그선
③ 잠수함
④ 비행기
⑤ 자동차

**04** 바다 위를 최대 5m의 높이로 떠서 날아가는 초고속 선박은?

① 잠수함
② 준설선
③ 쇄빙선
④ 위그선
⑤ 쾌속정

**05** 육상 수송 기술에서 동력을 이용한 최초의 자동차는?

① 포드의 자동차
② 디젤 기관 자동차
③ 하이브리드 자동차
④ 퀴뇨의 증기 자동차
⑤ 벤츠의 가솔린 자동차

**06** 〈보기〉의 자동차들을 발달 과정의 순서대로 바르게 나열한 것은?

보기
가. 포드의 자동차
나. 퀴뇨의 증기 자동차
다. 벤츠의 가솔린 자동차
라. 하이브리드 자동차

① 가 – 나 – 다 – 라
② 가 – 다 – 나 – 라
③ 나 – 다 – 가 – 라
④ 나 – 라 – 다 – 가
⑤ 다 – 라 – 가 – 나

**07** 석탄을 싣고 운행한 최초의 기차는?

① 고속 철도
② 디젤 기관차
③ 자기 부상 열차
④ 스티븐슨의 증기 기관차
⑤ 트레비식의 증기 기관차

**08** 〈보기〉는 기차의 발달 과정에 관한 내용이다. (가), (나)에 들어갈 단어를 바르게 연결한 것은?

보기

- 1825년, 스티븐슨의 (　가　) 기관차는 석탄을 싣고 운행한 최초의 기차이다.
- 20세기에 들어 (　가　) 기관차보다 열효율이 높고, 성능이 우수한 (　나　) 기관차가 등장하였다.

| | (가) | (나) |
|---|---|---|
| ① | 석탄 | 증기 |
| ② | 석탄 | 디젤 |
| ③ | 증기 | 석탄 |
| ④ | 증기 | 디젤 |
| ⑤ | 디젤 | 자기 부상 |

**09** 범선에 대한 설명으로 옳은 것은?

① 통나무를 엮어서 만든 배이다.
② 디젤 기관의 힘으로 움직이는 배이다.
③ 증기 기관의 힘으로 움직이는 베이다.
④ 사람이 직접 노를 저어 움직이는 배이다.
⑤ 돛을 달아 바람의 힘으로 움직이는 배이다.

**10** 라이트 형제의 비행기가 가지는 의미는?

① 열기구로 비행한 최초의 비행기이다.
② 글라이더로 비행한 최초의 비행기이다.
③ 우주 공간을 비행한 최초의 비행기이다.
④ 디젤 기관으로 비행한 최초의 비행기이다.
⑤ 가솔린 기관으로 비행한 최초의 비행기이다.

**11** 〈보기〉의 항공 수송 수단들을 발달 과정 순서대로 바르게 나열한 것은?

보기

가. 몽골피에 형제의 열기구
나. 릴리엔탈의 글라이더
다. 라이트 형제의 동력 비행기
라. 제트 비행기

① 가 – 나 – 다 – 라
② 가 – 다 – 나 – 라
③ 나 – 다 – 가 – 라
④ 나 – 라 – 다 – 가
⑤ 다 – 라 – 가 – 나

**12** 다음에서 설명하는 우주 수송 수단은?

- 1957년, 소비에트 연방이 최초의 인공위성으로 발사하였다.
- '여행의 동반자'란 뜻을 가진 이것에 사용된 로켓은 R–7로켓이다.

① 스푸트니크
② 콜롬비아호
③ 아폴로 11호
④ 디스커버리호
⑤ 큐리오시티

# 적용 문제

정답과 해설 3쪽

중요

**01** 〈보기〉에서 수송 기술의 특징만을 모두 고른 것은?

보기
가. 수송 규칙이 필요하다.
나. 수송 수단을 이용한다.
다. 수송 공간이 필요하다.
라. 지원 시설이 필요하다.
마. 생산 자원이 필요하다.
바. 시장 개척이 필요하다.

① 가, 나, 다, 라
② 가, 나, 다, 마
③ 가, 나, 다, 바
④ 나, 다, 라, 마
⑤ 나, 다, 라, 바

**02** 다음에서 설명하는 수송 수단은?

- 육상 수송 수단이다.
- 철도 위를 달리는 수송 수단이다.
- 정해진 시간에 목적지까지 도착할 수 있어 수송 시간을 절약할 수 있다.

① 기차
② 잠수함
③ 비행기
④ 위그선
⑤ 자동차

**03** 물속을 다니면서 전투를 수행하는 전투 함정은?

① 준설선
② 잠수함
③ 쾌속정
④ 위그선
⑤ 원자력선

**04** 항공 수송 수단으로, 양력을 이용하여 사람이나 물건을 싣고 공중을 비행할 수 있는 탈것은?

① 위그선
② 비행기
③ 자동차
④ 잠수함
⑤ 쾌속정

**05** 가솔린 기관의 4행정 사이클 작동 순서로 옳은 것은?

① 흡입 → 압축 → 폭발 → 배기
② 흡입 → 폭발 → 압축 → 배기
③ 흡입 → 배기 → 압축 → 폭발
④ 흡입 → 압축 → 배기 → 폭발
⑤ 흡입 → 폭발 → 배기 → 압축

중요

**06** 다음에서 설명하는 수송 수단은?

- 육상 수송 수단이다.
- 1769년, 프랑스의 공병 장교가 증기 기관을 이용하여 만들었다.
- 동력을 이용한 최초의 자동차이다.

① 포드의 자동차
② 디젤의 자동차
③ 하이브리드 자동차
④ 퀴뇨의 증기 자동차
⑤ 벤츠의 가솔린 자동차

**07** 포드의 자동차에 대한 설명으로 옳은 것은?

① 최초의 가솔린 자동차이다.
② 동력을 이용한 최초의 자동차이다.
③ 경유를 연료로 사용하고, 점화 장치가 필요없다.
④ 대량 생산으로 자동차의 대중화를 가능하게 하였다.
⑤ 에너지 소비량이 적으며, 환경을 오염시키지 않는다.

**08** 트레비식 증기 기관차에 대한 설명으로 옳은 것은?

① 석탄을 싣고 운행한 최초의 기차이다.
② 궤도 위로 석탄 차를 끈 최초의 기차이다.
③ 증기 기관을 동력원으로 하는 기관차이다.
④ 자기력으로 부상시켜 움직이는 기관차이다.
⑤ 디젤 기관으로 객차나 화차를 견인하는 기관차이다.

**09** 〈보기〉의 기차들을 발달 과정의 순서대로 바르게 나열한 것은?

보기
가. 마차 철도
나. 디젤 기관차
다. 고속 철도 열차
라. 스티븐슨 증기 기관차
마. 트레비식 증기 기관차

① 가 – 나 – 다 – 라 – 마
② 가 – 다 – 나 – 라 – 마
③ 가 – 라 – 마 – 나 – 다
④ 가 – 마 – 라 – 나 – 다
⑤ 가 – 마 – 가 – 다 – 나

**10** 〈보기〉의 (가), (나), (다)에 들어갈 해상 수송 수단이 바르게 나열된 것은?

보기
( 가 ): 13세기, 목선에 돛을 달아 바람의 힘으로 움직일 수 있었다.
( 나 ): 1807년, 미국의 풀턴이 세계 최초로 만들었다.
( 다 ): 20세기 초, 디젤 기관을 이용한 배가 등장하였다.

| | (가) | (나) | (다) |
|---|---|---|---|
| ① | 뗏목 | 증기선 | 원자력선 |
| ② | 범선 | 증기선 | 디젤 기관선 |
| ③ | 증기선 | 원자력선 | 디젤 기관선 |
| ④ | 통나무배 | 범선 | 증기선 |
| ⑤ | 디젤 기관선 | 증기선 | 원자력선 |

**11** 다음에서 설명하는 우주 수송 수단은?

2011년에 발사되어 약 9개월 동안 우주 공간을 비행한 뒤 2012년 화성 표면에 착륙하였고, 현재 화성 탐사 임무를 수행 중이다.

① 스푸트니크
② 콜롬비아 호
③ 아폴로 11호
④ 디스커버리
⑤ 큐리오시티

**12** 인간의 활동 영역을 우주까지 넓히는 계기를 마련한 것은?

① 나로호
② 콜롬비아호
③ 아폴로 11호
④ 스푸트니크
⑤ 익스플로러 1호

## 1. 자동차의 안전한 이용

**① 사고 예방을 위한 안전한 이용 방법**

㉠ 차를 기다릴 때에는 질서를 지키고, 차례로 타고 내린다.

㉡ 차가 완전히 멈출 때까지 차도에 내려서면 안 된다.

㉢ 차를 타면 안전띠를 꼭 맨다.

㉣ 차의 창문 밖으로 머리나 손을 내밀지 않는다.

㉤ 차 안에서는 장난을 하지 않는다.

**② 사고 원인**

㉠ 사람에 의한 원인: 음주, 졸음 및 피로 운전

㉡ 환경에 의한 원인: 안개 및 도로 노면 상태

㉢ 차량 자체에 의한 원인: 타이어 및 브레이크 파열

**③ 사고 대처 방법**

㉠ 본인 및 주위 동승자 중 부상자가 있는지 확인한다.

㉡ 다친 사람이 있으면 119에 신고한다.

㉢ 환자 발생 시 환자의 의식을 확인한다.

㉣ 구조 차량이 올 때까지 무리한 이송이나 구조를 하지 않는다.

## 2. 자전거의 안전한 이용

**① 사고 예방을 위한 안전한 이용 방법**

㉠ 내 몸에 맞는 자전거를 이용하고, 안전 장비를 착용한다.

㉡ 자전거는 주기적으로 점검한다. 타기 전에는 안전 점검 ABC를 확인한다.

㉢ 횡단보도에서는 자전거를 끌고 건너간다.

㉣ 야간 운행 시에는 전방과 후방의 라이트를 켜고, 시속 20km 이내의 안전 속도를 준수한다.

**② 사고 원인**

㉠ 자신의 능력을 과신하며 신호를 무시할 경우

㉡ 속도 경쟁, 짐받이에 친구 태우기, 손 놓고 타기, 차량 사이를 지그재그 타기, 병렬 주행 등을 할 경우

㉢ 좁은 길에서 속도를 줄이지 않고 큰길로 나가는 경우

㉣ 교차로에서 좌, 우회전 시 뒤쪽 차량에 수신호를 하지 않는 경우

㉤ 휴대 전화, 음악 등을 들으며 자전거를 운전하는 경우

**③ 사고 대처 방법**

㉠ 119에 신고하고, 주변에 도움을 요청한다.

㉡ 사고 현장을 사고 발생 상태로 보존한다.

㉢ 사고 목격자를 확보하여 연락처와 이름을 알아둔다.

## 3. 선박의 안전한 이용

**① 사고 예방을 위한 안전한 이용 방법**

㉠ 구명 장비(구명조끼, 구명줄) 보관 위치와 사용 요령을 알아두고, 비상구 및 탈출 경로를 확인한다.

㉡ 승객 출입 금지 표시 장소에는 출입하지 않는다.

㉢ 비나 눈이 오거나 바람이 심하게 부는 경우에는 위험하므로 갑판으로 나가지 않는다.

㉣ 부두에 선박이 완전히 정지한 후 승무원의 안내에 따라 질서 있게 내린다.

**② 사고 원인**

㉠ 운항 과실: 실수, 태만, 안전 수칙 미준수

㉡ 취급 불량 및 결함: 기계적 결함과 노후화

㉢ 기타: 관리 문제와 기상

**③ 사고 대처 방법**

㉠ 사고 발생 시 즉시 큰 소리로 외치거나 비상벨을 눌러 사고 발생 사실을 알린다.

㉡ 위험한 상황이 되었을 때 구명조끼를 입고, 물속에서 행동이 쉽도록 가능한 한 신발을 벗는다.

㉢ 저체온증에 걸리지 않도록 구명조끼를 착용하고, 물속에 뛰어든 사람은 신속하게 육지 쪽으로 이동하거나 부유품을 이용해 체온을 유지한다.

㉣ 선체가 한쪽으로 기울면 반대 방향의 높은 쪽으로 대피한다.

## 4. 항공기의 안전한 이용

**① 사고 예방을 위한 안전한 이용 방법**

㉠ 이착륙 시 안전띠를 매고 테이블, 의자를 제자리에 놓는다.

㉡ 위험 물품을 반입하지 않으며, 비상구 위치를 확인해 둔다.

㉢ 승무원의 안내 방송을 잘 따른다.

**② 사고 원인**

조종사의 판단 및 조작 실수, 장비 과실 및 장치의 고장, 항공 교통관제의 착오 및 기상의 영향

**③ 사고 대처 방법**

㉠ 흉기가 될 수 있는 소지품은 미리 제거한다.

㉡ 충돌 전 웅크린 자세로 충격을 최소화한다.

㉢ 사고 발생 시 일행을 찾지 말고 먼저 신속히 탈출한다.

㉣ 구명조끼는 반드시 탈출 후 부풀린다.

㉤ 생존자끼리 모여 있어야 구조될 가능성이 높다.

# 기초 문제

**01** **차를 타면 안전띠를 반드시 매고, 차량 이동 중에는 차의 창문 밖으로 머리나 손을 내밀지 않는다.**

( ○ , × )

정답 ○

**02** **자동차 사고 원인 중 환경에 의한 것은?**

① 피로 운전
② 도로의 결빙
③ 타이어 이상
④ 브레이크 파열
⑤ 안전띠 미착용

정답 ②

**03** **자동차 사고 대처 방법 중 다친 사람이 있으면 신고를 해야 하는 곳을 쓰시오.**

( )

정답 119

**04** **자전거의 안전한 이용 방법으로 적절한 것은?**

① 손을 놓고 자전거를 탄다.
② 자전거 짐받이에 친구를 태운다.
③ 친구들과 스피드 경쟁을 하면서 탄다.
④ 횡단보도에서는 자전거를 끌고 건너간다.
⑤ 차량 사이를 지그재그로 지나가면서 탄다.

정답 ④

**05** **자전거는 내 몸에 맞는 것을 이용하고, 자전거를 탄 후에는 반드시 안전 점검 ABC를 확인한다.**

( ○ , × )

정답 ×

**06** **자전거 사고 원인으로 옳지 않은 것은?**

① 속도 경쟁, 손 놓고 타기 등을 하는 경우
② 자신의 능력을 과신하며 신호를 무시할 경우
③ 휴대 전화나 음악을 들으며 자전거를 운전하는 경우
④ 좁은 길에서 속도를 줄이지 않고 큰 길로 나가는 경우
⑤ 교차로에서 좌, 우회전 시 뒤쪽 차량에 수신호를 하는 경우

정답 ⑤

**07** **자전거 도로에서는 시속 ( ) 이내의 안전 속도를 준수한다.**

정답 20km

08 선박 승선 시 비나 눈이 오거나 바람이 심하게 부는 경우에는 위험하므로 (          )로/으로 나가지 않도록 주의한다.

정답 갑판

09 선박 사고 발생 시 즉시 큰 소리로 외치거나 비상벨을 눌러 사고 발생 사실을 알린다.
( ○ , × )

정답 ○

10 선박 사고 발생 시 물속에서 신발을 벗는 이유로 가장 옳은 것은?
① 저체온증에 걸리지 않기 위해
② 물속에서 행동을 쉽게 하기 위해
③ 승무원의 안내 지시를 잘 따르기 위해
④ 갑판 위에서 미끄러지지 않게 하기 위해
⑤ 선체가 한쪽으로 기울지 않게 하기 위해

정답 ②

11 비행기 이착륙 시에는 안전띠를 착용하고, 테이블과 의자를 제자리에 놓는다.
( ○ , × )

정답 ○

12 다음과 같은 사고 원인으로 발생하는 사고를 쓰시오.

- 조종사의 판단 및 조작 실수
- 정비 과실, 장치의 고장
- 항공 교통관제의 착오 및 기상의 영향

(                                        )

정답 항공기 사고

13 항공기 사고 발생 시 충돌 전 웅크린 자세로 (          )을/를 최소화해야 하며, 일행을 찾지 말고 먼저 신속히 탈출한다.

정답 충격

14 항공기 사고 시 생존자끼리 모여 있어야 하는 이유를 쓰시오.
(                                        )

정답 구조 가능성을 높이기 위해

## 이해 문제

**01** 자동차 사고 예방을 위한 안전한 이용 방법으로 옳지 않은 것은?

① 차를 타면 안전띠를 꼭 맨다.
② 차 안에서는 장난을 하지 않는다.
③ 차를 기다릴 때에는 줄을 서서 질서를 지킨다.
④ 차의 창문 밖으로 머리나 손을 내밀지 않는다.
⑤ 차를 탈 때에는 차가 완전히 멈추기 전에 빨리 탄다.

**02** <보기>는 자동차 사고 원인에 대한 설명이다. (가), (나), (다)에 들어갈 단어가 바르게 연결된 것은?

보기
( 가 )에 의한 원인: 음주 운전, 졸음 및 피로 운전, 안전띠 미착용
( 나 )에 의한 원인: 안개 및 도로 노면 상태
( 다 )에 의한 원인: 타이어 및 브레이크 파열

| | (가) | (나) | (다) |
|---|---|---|---|
| ① | 환경 | 사람 | 차량 자체 |
| ② | 사람 | 환경 | 차량 자체 |
| ③ | 환경 | 차량 자체 | 사람 |
| ④ | 사람 | 차량 자체 | 환경 |
| ⑤ | 차량 자체 | 사람 | 환경 |

**03** 자동차의 안전한 이용을 위해 승차 시 안전띠를 꼭 매야 하는 이유로 옳은 것은?

① 승차한 사람의 안전을 보호받는다.
② 승차하고 순서대로 자리에 앉을 수 있다.
③ 승차한 사람의 신원 파악에 도움이 된다.
④ 차량 내에서 주변 친구들과 장난을 방지한다.
⑤ 차량 내에서 창문 밖으로 머리를 내밀지 못한다.

**04** 자전거 사고 예방을 위한 안전한 이용 방법으로 옳은 것은?

① 횡단보도에서는 자전거를 타고 건넌다.
② 자전거를 탄 후에는 ABC 점검을 철저히 한다.
③ 야간 운행 시에는 전방과 후방의 라이트를 켠다.
④ 자전거는 이상 발생 시에만 정기 점검을 해도 된다.
⑤ 자전거 도로에서는 시속 30km 이내의 안전 속도를 준수한다.

**05** 안전한 자전거 타기를 위한 수신호 중 속도를 줄인다는 것은?

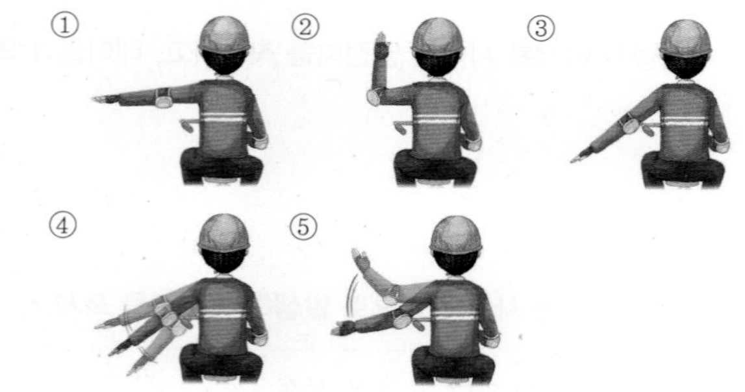


**06** 자전거 사고의 대처 방법으로 옳은 것은?

① 사고 현장을 가능한 빨리 정리 정돈한다.
② 119에 신고를 하고, 주변의 도움을 요청한다.
③ 다친 사람이 있으면 병원으로 직접 이송한다.
④ 사고 발생 시 큰 소리로 사고 발생 사실을 알린다.
⑤ 구조 차량이 올 때까지 적극적으로 구조를 시행한다.

**07** **〈보기〉에서 선박 사고 예방을 위한 안전한 이용 방법을 모두 고른 것은?**

보기

가. 비상구 및 탈출 경로를 확인한다.
나. 구명 장비의 보관 위치와 사용 요령을 알아둔다.
다. 승객 출입 금지 표시 장소에는 출입하지 않는다.
라. 비나 눈이 오는 경우에는 갑판으로 나간다.
마. 부두에 선박이 정지한 후 질서 있게 내린다.

① 가, 나, 다, 라
② 가, 나, 다, 마
③ 가, 나, 라, 마
④ 가, 다, 라, 마
⑤ 나, 다, 라, 마

**08** **선박 사고 발생 시 저체온증에 걸리지 않기 위한 방법으로 옳은 것은?**

① 안전띠를 맨다.
② 비상벨을 누른다.
③ 구명조끼를 착용한다.
④ 큰 소리로 사고를 알린다.
⑤ 가능한 한 신발을 벗는다.

**09** **선박 사고 대처 방법으로 옳지 않은 것은?**

① 사고 발생 시 즉시 큰 소리로 외친다.
② 즉시 비상벨을 눌러 사고 발생 사실을 알린다.
③ 위험한 상황이 되었을 때 구명조끼를 입는다.
④ 저체온증이 걸리지 않도록 가능한 한 신발을 벗는다.
⑤ 선체가 한쪽으로 기울 경우 반대 방향의 높은 쪽으로 대피한다.

**10** **〈보기〉에서 항공기 사고 예방을 위한 안전한 이용 방법을 모두 고른 것은?**

보기

가. 비상구 위치를 확인해 둔다.
나. 위험 물품을 반입하지 않는다.
다. 승무원의 안내 방송을 잘 따른다.
라. 이착륙 시는 안전띠를 착용하지 않는다.
마. 운항 중에는 테이블과 의자를 제자리에 놓는다.

① 가, 나, 다
② 가, 나, 라
③ 가, 나, 마
④ 나, 다, 라
⑤ 나, 다, 마

**11** **항공기 사고 예방을 위한 안전한 이용 방법으로 옳지 않은 것은?**

① 비상구 위치를 확인해 둔다.
② 위험 물질을 반입하지 않는다.
③ 비행 시 항상 안전띠를 착용한다.
④ 승무원의 안내 방송을 잘 따른다.
⑤ 이착륙 시에는 테이블과 의자를 제자리에 놓는다.

**12** **항공기 사고 대처 방법 중 충돌 전 웅크린 자세를 취해야 하는 이유로 가장 옳은 것은?**

① 충격을 최소화하기 위해
② 구조 가능성을 높이기 위해
③ 저체온증에 걸리지 않기 위해
④ 사고 후 의식을 잃지 않기 위해
⑤ 사고 발생 시 일행을 빨리 찾기 위해

## 적용 문제

중요

**01** 안전띠의 착용에 대한 설명으로 옳지 않은 것은?

① 차를 타면 곧바로 안전띠를 맨다.
② 안전띠는 어깨와 골반뼈를 지나도록 한다.
③ 안전띠는 꼬이지 않고 평평하게 펴서 맨다.
④ 안전띠 버클이 단단하게 고정되었는지 확인한다.
⑤ 뒷자석은 안전띠를 복부와 가슴이 지나도록 한다.

**02** 자동차 사고 원인 중 차량 자체에 의한 것으로만 짝지어진 것은?

① 졸음 운전, 도로 노면 상태
② 타이어 파열, 브레이크 이상
③ 자욱한 안개, 안전띠 미착용
④ 안전띠 미착용, 브레이크 파열
⑤ 도로 노면의 훼손, 졸음 및 피로 운전

**03** 자동차 사고 대처 방법으로 옳지 않은 것은?

① 다친 사람이 있으면 119에 신고한다.
② 환자 발생 시 환자의 의식을 확인한다.
③ 본인 및 주위 동승자 중 부상자가 있는지 확인한다.
④ 현장이 화재 등의 위험한 상황이면 구조를 시행한다.
⑤ 구조 차량이 올 때까지 기다리지 말고 환자를 이송한다.

**04** 다음과 같은 행동을 했을 경우 안전사고가 발생하는 수송 수단은?

- 속도 경쟁, 짐받이에 친구 태우기, 손 놓고 타기, 차량 사이를 지그재그 타기, 병렬 주행하기
- 휴대 전화, 음악 등을 들으며 타기
- 좁은 길에서 속도를 줄이지 않고 큰길로 나가기
- 교차로에서 좌, 우회전 시 뒤쪽 차량에 수신호를 하지 않기

① 지하철
② 자전거
③ 자동차
④ 비행기
⑤ 고속 열차

**05** 자전거 안전 거리로 옳은 것은?

① 평지에서 약 1m 정도
② 내리막에서 약 3m 정도
③ 평지에서 약 3m 정도
④ 내리막에서 약 1m 정도
⑤ 내리막에서 약 2m 정도

**06** 〈보기〉의 자전거 타기를 위한 수신호가 의미하는 것은?

보기

① 정지한다.
② 속도를 줄인다.
③ 왼쪽으로 이동한다.
④ 오른쪽으로 이동한다.
⑤ 앞지르라는 신호이다.

**07** **〈보기〉는 수송 수단을 안전하게 이용하기 위한 방법을 나타낸 것이다. (가)와 (나)에 해당하는 수송 수단은?**

보기
( 가 ): 차를 타면 안전띠를 꼭 매고, 이동 시 창문 밖으로 머리나 손을 내밀지 않는다.
( 나 ): 내 몸에 맞는 것을 이용하며, 안전 장비를 착용하고, 타기 전에는 안전 점검 ABC를 확인한다.

| | (가) | (나) |
|---|---|---|
| ① | 자전거 | 자동차 |
| ② | 자동차 | 자전거 |
| ③ | 항공기 | 자동차 |
| ④ | 자동차 | 항공기 |
| ⑤ | 항공기 | 자전거 |

**08** **선박 사고 예방을 위한 안전한 이용 방법으로 옳지 <u>않은</u> 것은?**

① 비상구 및 탈출 경로를 확인한다.
② 구명 장비의 보관 위치와 사용 요령을 알아둔다.
③ 승객 출입 금지 표시 장소에는 출입하지 않는다.
④ 바람이 심하게 부는 경우에는 위험하므로 갑판으로 나가지 않는다.
⑤ 부두에 선박이 정지하기 전에, 승무원의 안내에 따라 빨리 내린다.

**09** **〈보기〉는 수송 수단의 사고 원인을 나타낸 것이다. (가)와 (나)에 해당하는 수송 수단은?**

보기
( 가 ): 기계적 결함과 노후화, 실수, 태만, 안전 수칙 미준수, 관리 문제와 기상
( 나 ): 조종사의 판단 및 조작 실수, 장비 과실, 장치의 고장, 항공 교통관제의 착오 및 기상의 영향

| | (가) | (나) |
|---|---|---|
| ① | 선박 | 자동차 |
| ② | 선박 | 자전거 |
| ③ | 선박 | 항공기 |
| ④ | 자동차 | 항공기 |
| ⑤ | 자전거 | 자동차 |

**10** **선박 사고 시 물속에서 행동이 쉽도록 해야 하는 사고 대처 방법으로 옳은 것은?**

① 가능한 한 신발을 벗는다.
② 부유품을 꼭 잡고 행동한다.
③ 신속하게 육지 쪽으로 이동한다.
④ 큰 소리를 외치거나 비상벨을 누른다.
⑤ 구명조끼를 입고 가슴 단추를 채운다.

**11** **항공기 사고 원인에 해당하는 것은?**

① 안전띠 미착용
② 노면 상태 불량
③ 교통 신호의 무시
④ 기계적 결함과 노후화
⑤ 항공 교통관제의 착오

**12** **항공기 사고 대처 방법으로 생존자끼리 모여 있어야 하는 이유로 가장 옳은 것은?**

① 구조될 가능성을 높이기 위해
② 저체온증에 걸리지 않기 위해
③ 환자의 의식을 확인하기 위해
④ 서로의 충격을 최소화하기 위해
⑤ 사고 현장을 정확히 확보하기 위해

**13** **항공기 사고 대처 방법으로 옳은 것은?**

① 구명조끼는 반드시 탈출 전에 부풀린다.
② 생존자들은 서로 흩어져 구조를 요청한다.
③ 사고 발생 시 일행을 찾아 같이 행동한다.
④ 충돌 전 몸자세를 넓혀 충격을 최대화한다.
⑤ 흉기가 될 수 있는 소지품은 미리 제거한다.

## 1. 문제 확인하기

① **과제명**: 바퀴 없는 진동카 만들기

② **제한 사항**

㉠ 하드보드지, 자, 칼, 송곳, 종이컵, 건전지, 전동기, 탁구공, 글루건 등을 사용한다.

㉡ 한 시간 내에 목적지까지 도착해야 한다.

㉢ 목적지까지 도착하는 동안 탁구공이 떨어지면 안 된다.

## 2. 아이디어 창출하기

바퀴 없는 진동카를 만들기 위해 관련 정보를 수집하고, 창의적인 아이디어를 구상한다.

① **정보 수집하기**

㉠ 바퀴 없이 움직이는 수송 수단

- 자기 부상 열차: 자석의 힘을 이용하여 선로에서 뜬 상태로 달린다.
- 에어로 모빌: 영화 〈스타워즈Ⅶ〉에 등장한 수송 수단으로 땅 위를 일정 높이 떠서 달린다.
- 호버크래프트: 압축 공기를 뿜어내어 기체를 띄워서 달린다.

㉡ 편심을 이용한 진동 원리: 축이 회전체의 중심에 있으면 잘 돌아가지만 중심에서 벗어나면 진동이 생긴다. 이처럼 어떤 물체의 중심이 한쪽으로 쏠려 있는 상태를 편심이라고 하는데, 이 편심을 이용한다.

② **창의적인 아이디어 구상하기**

㉠ 바퀴가 없어도 자동차를 움직일 수 있게 하는 방법에는 무엇이 있을까?

- 휴대 전화도 바퀴가 없는데 움직이네.

㉡ 얼음 위에서는 이동이 가능하지만, 일반 도로에서는 이동이 어려울 것 같다.

- 진동을 이용해서 원하는 위치까지 이동할 수 있을까?

㉢ 제대로 이동할 수 있을까?

- 길을 만들어 자동차를 움직이게 하면 원하는 위치까지 이동할 거야. 바퀴 없는 진동카를 만들자.

## 3. 아이디어 구체화하기

① 프리핸드로 스케치하여 구체화한다.

② 구상도와 제작도를 그린다.

## 4. 실행하기

① **준비물**

하드보드지, 자, 전동기, 스위치, 전선, 건전지 홀더, 건전지, 병뚜껑, 종이컵, 탁구공, 글루건, 글루건 심, 칼, 송곳

② **만들기**

㉠ 설계한 대로 하드보드지에 선을 긋는다.

㉡ 하드보드지를 자른다.

㉢ 다리 부분을 접는다.

㉣ 글루건을 사용하여 삼각형의 하드보드지를 다리와 수직이 되게 붙인다.

㉤ 송곳으로 병뚜껑에 구멍을 뚫는다.

㉥ 전동기, 건전지, 스위치 등을 연결한다.

㉦ 병뚜껑 구멍에 전동기를 꽂고 글루건으로 고정한다.

㉧ 글루건을 사용하여 회로를 진동카 몸체에 붙인다.

㉨ 글루건을 사용하여 종이컵을 진동카 몸체에 붙인다.

㉩ 탁구공 2개를 넣어 작동해 본다.

## 5. 평가하기

① **자기 평가**

㉠ 진동카의 원리를 이해하였는가?

㉡ 진동카에 사용되는 동력을 이해하였는가?

㉢ 작업 시 안전 및 유의 사항을 잘 지켰는가?

② **동료 평가**

㉠ 창의적인 디자인 아이디어를 낸 동료는 누구인가?

㉡ 가장 적극적으로 실습에 참여한 동료는 누구인가?

③ **제품 평가**

㉠ 진동카의 디자인은 창의적인가?

㉡ 진동카는 견고하게 제작되었는가?

㉢ 진동카가 탁구공을 떨어뜨리지 않고 잘 주행하는가?

㉣ 진동카가 목적지까지 주행한 시간은?

## 기초 문제

**01** 수송 기술의 창의적 문제 해결에서 바퀴 없는 진동카를 만들기 위해 관련 정보를 수집하고, 창의적인 아이디어를 구상하는 것은 아이디어 (　　　　)하기 단계이다.

정답 창출

**02** 축이 회전체의 중심에 있으면 잘 돌아가지만 중심에서 벗어나면 진동이 생긴다. 이처럼 어떤 물체의 중심이 한쪽으로 쏠려 있는 상태를 편심이라고 한다.

( ○ , × )

정답 ○

**03** 수송 기술의 창의적 문제 해결에서 바퀴 없는 진동카의 아이디어를 구체화하는 방법은?

① 스케치하기　　② 정보 수집하기
③ 설명도 그리기　　④ 입면도 그리기
⑤ 아이디어 선정하기

정답 ①

**04** 바퀴 없는 진동카 만들기에서 실행하기에 대한 설명으로 옳은 것은?

① 개선하려는 대상의 특성을 찾는 것이다.
② 개선하려는 대상의 불편한 점을 찾는 것이다.
③ 다양한 아이디어를 최적의 아이디어로 만드는 것이다.
④ 다른 사람이 생각을 알아볼 수 있도록 표현하는 것이다.
⑤ 필요한 재료와 공구를 준비하여 바퀴 없는 진동카를 만든다.

정답 ⑤

**05** 글루건을 사용할 때에는 손을 데이지 않도록 주의한다.

( ○ , × )

정답 ○

**06** 바퀴 없는 진동카 만들기에서 다음과 같은 역할을 하는 준비물을 쓰시오.

- 삼각형의 하드보드지를 다리와 수직이 되게 붙인다.
- 병뚜껑 구멍에 전동기를 꽂고 고정한다.
- 회로를 종이컵 진동카 몸체에 붙인다.

(　　　　　　　　　　)

정답 글루건

**07** 바퀴 없는 진동카 만들기의 평가하기에서 자기 평가에 속하는 것은?

① 진동카의 원리를 이해하였는가?
② 진동카의 디자인은 창의적인가?
③ 진동카는 견고하게 제작되었는가?
④ 진동카가 목적지까지 주행한 시간은?
⑤ 창의적인 디자인 아이디어를 낸 동료는 누구인가?

정답 ①

## 이해 문제

정답과 해설 **4쪽**

**01** **바퀴 없는 진동카 만들기에서 다음과 같이 정보를 수집하는 창의적 문제 해결 과정의 단계는?**

> 가. 바퀴 없이 움직이는 수송 수단: 자기 부상 열차, 에어로 모빌, 호버크래프트 등
> 나. 편심을 이용한 진동 원리
> • 어떤 물체의 중심이 한쪽으로 쏠려 있는 상태를 편심이라 한다.
> • 편심의 원리를 이용하여 전동기에 금속 회전 추를 고정하여 회전시키면 진동이 발생한다.

① 실행하기
② 평가하기
③ 문제 확인하기
④ 아이디어 창출하기
⑤ 아이디어 구체화하기

**02** **바퀴 없는 진동카 만들기에서 아이디어 구체화하기에 대한 설명으로 옳은 것은?**

① 대상의 특성과 불편한 점을 찾는다.
② 표현된 아이디어를 완성품으로 만든다.
③ 정보를 수집하고, 아이디어를 구상한다.
④ 필요한 재료와 공구를 준비하여 만든다.
⑤ 선정한 아이디어를 프리핸드로 스케치한다.

**03** **바퀴 없는 진동카 만들기에서 병뚜껑에 구멍을 뚫는 데 필요한 준비물은?**

① 칼
② 송곳
③ 전동기
④ 종이컵
⑤ 글루건

**04** **바퀴 없는 진동카 만들기에 대한 설명으로 옳지 않은 것은?**

① 전동기, 건전지, 스위치 등을 연결한다.
② 칼을 사용하여 병뚜껑에 구멍을 뚫는다.
③ 설계한 대로 하드보드지에 선을 긋는다.
④ 글루건을 사용하여 회로를 진동카 몸체에 붙인다.
⑤ 병뚜껑 구멍에 전동기를 꽂고 글루건으로 고정한다.

**05** **다음에서 설명하는 바퀴 없는 진동카 만들기의 평가는?**

> • 진동카의 디자인은 창의적인가?
> • 진동카는 견고하게 제작되었는가?
> • 진동카가 탁구공을 떨어뜨리지 않고 잘 주행하는가?
> • 진동카가 목적지까지 주행한 시간은?

① 자기 평가
② 동료 평가
③ 제품 평가
④ 수행 평가
⑤ 구상 평가

**06** **수송 기술의 창의적 문제 해결 과정에서 평가하기를 통해 얻을 수 있는 것은?**

① 최적의 아이디어
② 다양한 아이디어
③ 더욱 뛰어난 결과물
④ 표현할 수 있는 생각
⑤ 생각하는 과정과 방법

## 적용 문제

정답과 해설 4쪽

중요

**01** 바퀴 없는 진동카 만들기의 아이디어 창출하기에서 찾는 것은?

① 뛰어난 결과물
② 새로운 개선 방향
③ 창의적인 아이디어
④ 자동차의 불편한 점
⑤ 생각을 표현하는 방법

**02** 〈보기〉는 수송 기술의 창의적 문제 해결 과정에 대한 설명이다. (가), (나)에 들어갈 단어가 바르게 연결된 것은?

보기
( 가 ): 바퀴 없는 진동카를 만들기 위해 관련 정보를 수집하고, 창의적인 아이디어를 구상한다.
( 나 ): 선정한 아이디어를 프리핸드로 스케치하여 구체화한다.

| | (가) | (나) |
|---|---|---|
| ① | 문제 확인하기 | 아이디어 창출하기 |
| ② | 문제 확인하기 | 아이디어 구체화하기 |
| ③ | 아이디어 창출하기 | 아이디어 구체화하기 |
| ④ | 아이디어 구체화하기 | 아이디어 창출하기 |
| ⑤ | 실행하기 | 평가하기 |

**03** 바퀴 없는 진동카 만들기의 아이디어 구체화하기에 대한 내용으로 옳은 것은?

① 실제로 제품 만들기
② 뛰어난 결과물 만들기
③ 창의적인 아이디어 찾기
④ 창의적인 아이디어 표현하기
⑤ 개선하려는 진동카의 특성 찾기

중요

**04** 〈보기〉는 바퀴 없는 진동카 만들기의 과정을 나타낸 것이다. 그 순서를 바르게 나열한 것은?

보기
가. 더 잘 달릴 수 있는 방법을 생각해 본다.
나. 필요한 재료와 공구를 준비한다.
다. 바퀴 없는 진동카 만드는 방법을 생각한다.
라. 바퀴 없는 진동카를 만들기 위한 정보를 수집한다.
마. 선정한 아이디어를 프리핸드로 스케치하여 구체화한다.

① 가 → 나 → 다 → 라 → 마
② 가 → 다 → 라 → 나 → 마
③ 가 → 다 → 라 → 마 → 나
④ 다 → 가 → 나 → 라 → 마
⑤ 다 → 라 → 마 → 나 → 가

**05** 다음 설명에 해당하는 수송 기술의 창의적 문제 해결 과정의 단계는?

- 설계한 대로 하드보드지에 선을 긋고 자른다.
- 설계한 대로 하드보드지에 선을 긋는다
- 전동기, 건전지, 스위치 등을 연결한다.
- 글루건을 사용하여 회로를 진동카 몸체에 붙인다.

① 문제 확인하기
② 아이디어 창출하기
③ 아이디어 구체화하기
④ 실행하기
⑤ 평가하기

**06** 바퀴 없는 진동카 만들기의 평가에 대한 내용이 바르게 연결된 것은?

① 동료 평가 – 진동카의 원리를 이해하였는가?
② 자기 평가 – 진동카의 디자인은 창의적인가?
③ 자기 평가 – 진동카는 견고하게 제작되었는가?
④ 제품 평가 – 진동카가 목적지까지 주행한 시간은?
⑤ 제품 평가 – 창의적인 아이디어를 낸 동료는 누구인가?

## 1. 신·재생 에너지 개발의 중요성

**① 신·재생 에너지의 의미**

기존의 화석 연료를 변환하여 이용하거나, 햇빛, 물, 지열, 강수, 생물 유기체 등을 재생 가능한 에너지로 변환하여 이용하는 에너지

**② 신·재생 에너지 개발의 중요성**

화석 에너지의 고갈, 환경 문제, 석유 가격의 불안정성 문제 해결, 세계 기후 변화 협약 준수

## 2. 신·재생 에너지의 활용

**① 신에너지**

㉠ 연료 전지
- 원리: 수소와 산소의 화학 반응으로 생기는 화학 에너지를 전기 에너지로 변환하는 장치
- 활용: 연료 전지를 사용한 드론, 연료 전지 자동차, 가정용 연료 전지 등

㉡ 수소 에너지
- 원리: 수소를 태울 때 발생하는 폭발력을 이용하는 에너지
- 활용: 수소 자동차, 수소 자동차 충전소, 로켓 등

㉢ 석탄 액화 및 가스화
- 원리: 석탄 액화 기술은 고체 연료인 석탄을 휘발유 또는 경유와 같은 액체 연료로 전환하는 기술이고, 석탄 가스화 기술은 석탄을 이용하여 만든 가스로 터빈을 돌려 전기를 얻는 기술이다.
- 활용: 석탄 가스화 복합 발전 단지

**② 재생 에너지**

㉠ 태양광 에너지
- 원리: 태양 전지를 이용하여 전기를 얻는 에너지
- 활용: 태양광 발전, 태양광 비행기, 태양광 자동차, 태양광 가방 등

㉡ 태양열 에너지
- 원리: 태양열을 모아 이용하는 에너지
- 활용: 태양열 난방 장치, 태양열 발전기 등

㉢ 수력 에너지
- 원리: 물이 떨어지는 힘으로 터빈을 돌려 전기를 얻는 에너지
- 활용: 수력 발전소(섬진강 댐)

㉣ 풍력 에너지
- 원리: 바람으로 풍차를 돌려 전기를 얻는 에너지
- 활용: 풍력 발전 등

㉤ 지열 에너지
- 원리: 깊은 땅속의 열로 얻은 증기로 터빈을 돌려 전기를 얻는 에너지
- 활용: 지열 발전소(포항)

㉥ 바이오 에너지
- 원리: 식물, 가축의 분뇨, 음식물 쓰레기 등을 고체, 액체, 기체 형태의 연료로 만들어 사용하는 에너지
- 활용: 바이오 디젤 자동차 등

㉦ 해양 에너지
- 원리: 해양의 밀물과 썰물, 조류, 파도, 온도 차 등을 이용하여 전기나 열을 얻는 에너지
- 활용: 조력 발전(시화호), 조류 발전(울돌목)

㉧ 폐기물 에너지
- 원리: 폐기물을 연료로 만들어 사용하는 에너지
- 활용: 생활 폐기물 재생 연료, 폐목재 재생 연료, 폐타이어 재생 연료 등

## 3. 에너지의 효율적 이용 방안

**① 올바른 물 사용**

㉠ 빨랫감이나 설거지는 한 번에 모아서 한다.

㉡ 양치질이나 세수는 물을 받아 놓고 하고, 청소할 때에는 목욕에 사용했던 물이나 허드렛물을 사용한다.

**② 올바른 전기 사용**

㉠ 가전제품을 사용하지 않을 때 플러그를 빼면 연간 11%의 대기 전력을 줄일 수 있다.

㉡ 냉장고 안에 음식량은 60%만 채운다. 음식량이 10% 증가 시 전기 소비가 4% 정도 증가한다.

㉢ 냉장고 문을 자주 여닫지 않는다.

㉣ 텔레비전을 안 볼 때에는 꼭 꺼두고 필요한 시청만 한다.

**③ 실내 적정 온도 유지**

㉠ 여름철 실내 적정 온도는 26~28℃를 유지한다.

㉡ 겨울철 실내 적정 온도는 20℃ 이하를 유지한다.

# 기초 문제

**01** 신 · 재생 에너지는 화석 에너지의 고갈, 환경 문제, 석유 가격의 불안정성 등에 대한 해결 방안이 되고 있어 그 중요성이 강조된다.

( ○ , × )

정답 ○

**02** 신 · 재생 에너지의 중요성으로 보기 <u>어려운</u> 것은?

① 대기 환경 문제를 해결한다.
② 세계 기후 변화 협약을 준수한다.
③ 화석 에너지의 고갈 문제를 해결한다.
④ 석유 가격의 불안정성 문제를 해결한다.
⑤ 초기 비용이 적게 들고 생산 효율이 높다.

정답 ⑤

**03** 수소와 산소의 화학 반응으로 생기는 화학 에너지를 전기 에너지로 변환하는 장치를 무엇이라 하는지 쓰시오.

(　　　　　　　　　　　　)

정답 연료 전지

**04** 고체 연료인 석탄을 휘발유 또는 경유와 같은 액체 연료로 전환하는 기술은?

① 석탄 기화 기술
② 석탄 액화 기술
③ 석탄 고체화 기술
④ 석탄 가스화 기술
⑤ 석탄 응고화 기술

정답 ②

**05** 폐기물 에너지는 깊은 땅속의 열로 얻은 증기로 터빈을 돌려 전기를 얻는 에너지이다.

( ○ , × )

정답 ×

**06** 다음에서 설명하는 용도로 활용되는 재생 에너지를 쓰시오.

- 주택의 옥상에 설치하고, 태양열로 물을 가열하여 온수를 사용한다.
- 반사광을 통해 집열 탑에 모인 태양열로 증기를 만들고, 그 증기가 터빈을 돌려 전기를 생산한다.

(　　　　　　　　　　　　)

정답 태양열 에너지

**07** 댐에 물을 가두어 두었다가 댐의 문을 열면, 높은 곳에서 떨어지는 물의 힘으로 터빈을 돌려 전기를 생산하는 발전소를 쓰시오.

(　　　　　　　　　　　　)

정답 수력 발전소

**08** 풍력 에너지는 바람으로 (         )을/를 돌려 전기를 얻는 에너지이다.

정답 풍차

**09** 바이오 에너지는 식물, 가축의 분뇨, 음식물 쓰레기 등을 고체, 액체, 기체 형태의 연료로 만들어 사용하는 에너지이다.

( ○ , × )

정답 ○

**10** 해양 에너지는 해양의 밀물과 썰물, 조류, 파도, 온도 차 등을 이용하여 전기나 열을 생산한다.

( ○ , × )

정답 ○

**11** 해양의 밀물과 썰물을 이용하여 전기나 열을 얻는 에너지는?

① 파력 발전
② 조류 발전
③ 조력 발전
④ 온도 차 발전
⑤ 염도 차 발전

정답 ③

**12** 폐기물을 연료로 만들어 사용하는 재생 에너지는?

① 바이오 에너지
② 폐기물 에너지
③ 염도 차 에너지
④ 석탄 액화 에너지
⑤ 석탄 가스화 에너지

정답 ②

**13** 사용하지 않는 가전제품의 플러그를 빼두는 가장 큰 이유는?

① 대기 전력을 줄이기 위해
② 전기 누전을 줄이기 위해
③ 감전 사고를 방지하기 위해
④ 가전제품의 과열을 막기 위해
⑤ 소비 전력량을 높게 하기 위해

정답 ①

**14** 에너지의 효율적 이용을 실천하기 위해 냉장고 안에 음식량은 60%만 채운다. 10% 증가할 경우, 전기 소비가 (         ) 정도 증가한다.

정답 4%

# 이해 문제

정답과 해설 4쪽

[01~02] 〈보기〉의 글을 읽고 물음에 답하시오.

> 보기
>
> 신·재생 에너지는 ㉠ 기존의 화석 연료를 변환하여 이용하거나, ㉡ 햇빛, 물, 지열, 강수, 생물 유기체 등을 재생 가능한 에너지로 변환하여 이용하는 에너지를 말한다.

**01** 〈보기〉의 ㉠에 해당하는 것은?

① 태양 전지
② 바이오 에너지
③ 온도 차 에너지
④ 석탄 액화 기술
⑤ 수소 가스화 기술

**02** 〈보기〉의 ㉡에 대한 설명으로 옳은 것은?

① 태양 전지를 이용하여 전기를 얻는 에너지이다.
② 수소를 태울 때 발생하는 폭발력을 이용하는 에너지이다.
③ 석탄을 이용하여 만든 가스로 터빈을 돌려 전기를 얻는 기술이다.
④ 고체 연료인 석탄을 휘발유 또는 경유와 같은 액체 연료로 전환하는 기술이다.
⑤ 수소와 산소의 화학 반응으로 생기는 화학 에너지를 전기 에너지로 변환하는 장치이다.

**03** 다음에서 설명하고 있는 신에너지는?

> 수소와 산소의 화학 반응으로 생기는 화학 에너지를 전기 에너지로 변환하는 장치이다.

① 태양 전지
② 연료 전지
③ 바이오 에너지
④ 온도 차 에너지
⑤ 석탄 액화 기술

**04** 다음과 같은 원리로 이용되는 에너지는?

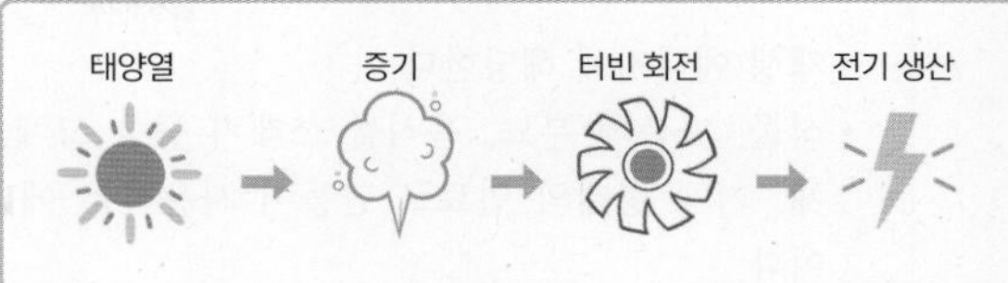


① 연료 전지
② 태양광 에너지
③ 태양열 에너지
④ 바이오 에너지
⑤ 온도 차 에너지

**05** 다음에서 설명하고 있는 재생 에너지는?

> • 바람으로 풍차를 돌려 전기를 얻는 에너지이다.
> • 산이나 바다에 설치할 수 있어 국토 이용의 효율을 높일 수 있다.

① 파력 에너지
② 조력 에너지
③ 지열 에너지
④ 수력 에너지
⑤ 풍력 에너지

**06** 지열 에너지에 이용되는 것은?

① 바람이 부는 힘
② 땅속 고온 증기
③ 태양열의 에너지
④ 떨어지는 물의 힘
⑤ 태양 전지의 모듈

**07** 다음에서 설명하는 신·재생 에너지는?

> • 재생 에너지에 해당한다.
> • 식물, 가축의 분뇨, 음식물 쓰레기 등을 고체, 액체, 기체 형태의 연료로 만들어 사용하는 에너지이다.

① 바이오 에너지
② 폐기물 에너지
③ 연료 전지 에너지
④ 태양 전지 에너지
⑤ 석탄 액화 에너지

**08** 다음과 같은 원리로 이용되는 해양 에너지는?

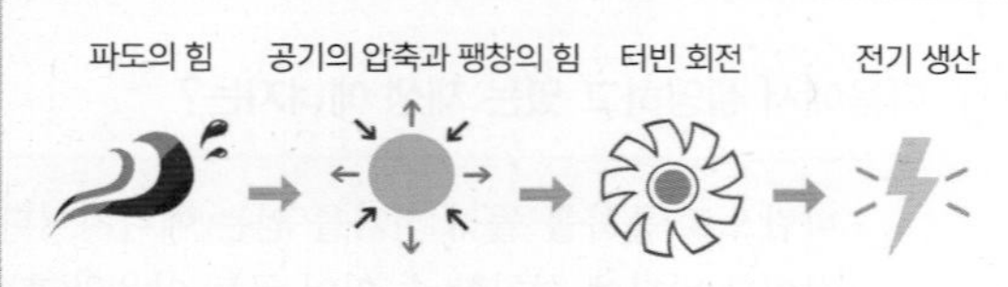


① 조력 발전
② 조류 발전
③ 파력 발전
④ 온도 차 발전
⑤ 염도 차 발전

**09** 다음에서 설명하는 해양 에너지에 이용되는 것은?

> 시화호에 설치된 발전소로 해양 에너지를 이용하여 터빈을 돌려 전기를 얻는다. 국내 최초이면서 세계 최대 규모의 발전소이다.

① 파도의 힘
② 바닷물의 흐름
③ 바닷속의 온도 차
④ 바닷속의 염도 차
⑤ 밀물과 썰물의 힘

**10** 에너지의 효율적인 이용을 위한 실천 방법으로 옳지 않은 것은?

① 빨랫감은 한 번에 모아서 세탁한다.
② 냉장고 안에 음식량은 가득 채운다.
③ 가전제품 플러그는 사용하지 않을 때에는 빼둔다.
④ 여름철 실내 적정 온도는 26~28℃ 를 유지한다.
⑤ 텔레비전을 안 볼 때에는 꼭 꺼두고, 불필요한 텔레비전 시청은 자제한다.

**11** 다음에서 설명하는 효율적인 에너지 이용을 위한 제도를 쓰시오.

> 소비자들이 효율이 높은 에너지 절약형 제품을 쉽게 구입할 수 있도록 하고, 생산 단계에서부터 에너지 절약형 제품을 생산하고 판매하도록 하기 위한 제도이다. 에너지 소비 효율 등급 라벨을 부착한다.

(　　　　　　　　　　　　　　　　)

**12** <보기>에서 숫자가 의미하는 것은?

보기

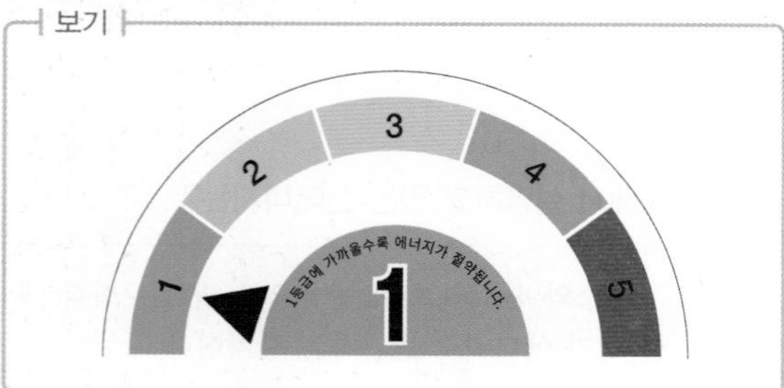


① 소비 전력량
② 인증 마크(KC)
③ 제품의 세부 정보
④ 연간 에너지 비용
⑤ 에너지 소비 효율 등급

# 적용 문제

중요

**01** 〈보기〉는 신·재생 에너지에 대한 설명이다. 옳은 것을 모두 고른 것은?

보기
가. 화석 에너지의 고갈 문제를 해결한다.
나. 기존의 화석 연료를 변환하여 이용한다.
다. 환경 문제 등에 대한 해결 방안이 된다.
라. 초기 비용이 적게 들고 생산 효율이 높다.
마. 석유 가격의 불안정성 등에 대한 해결 방안이 된다.

① 가, 나, 다, 라
② 가, 나, 라, 마
③ 가, 다, 라, 마
④ 나, 다, 라, 마
⑤ 가, 나, 다, 마

**02** 다음에서 설명하는 신에너지는?

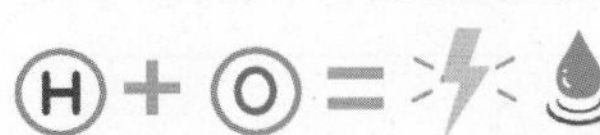


① 연료 전지
② 태양 전지
③ 수소 에너지
④ 태양광 에너지
⑤ 바이오 에너지

**03** 석탄을 이용하여 만든 가스로 터빈을 돌려 전기를 얻는 기술은?

① 바이오 기술
② 폐기물 기술
③ 석탄 액화 기술
④ 석탄 가스화 기술
⑤ 연료 전지 변환 기술

중요

**04** 신에너지로만 짝지어진 것은?

① 태양 전지, 지열 에너지, 바이오 에너지
② 태양 전지, 바이오 에너지, 염도 차 에너지
③ 연료 전지, 수소 에너지, 석탄 액화 및 가스화
④ 연료 전지, 바이오 에너지, 석탄 액화 및 가스화
⑤ 폐기물 에너지, 염도 차 에너지, 태양열 및 광 에너지

**05** 다음에서 설명하는 재생 에너지는?

- 독도의 동도에 설치하여 전기를 생산하고 있다.
- 낮에 충전한 전기를 저장하여 사용할 수 있어서 흐린 날이나 밤에도 사용할 수 있다.
- 헬멧, 가방, 키보드 등에 생활용품에 부착하여 활용하고 있다.

① 풍력 에너지
② 수소 에너지
③ 태양광 에너지
④ 태양열 에너지
⑤ 바이오 에너지

**06** 태양열 에너지에 대한 설명으로 옳은 것은?

① 태양열을 모아 이용하는 에너지이다.
② 연료 전지를 이용하여 전기를 얻는다.
③ 수소를 태울 때 발생하는 폭발력을 이용한다.
④ 바람으로 풍차를 돌려 전기를 얻는 에너지이다.
⑤ 물이 떨어지는 힘으로 터빈을 돌려 전기를 얻는다.

**07** 수력 발전에 이용되는 물의 에너지는?

① 열에너지
② 위치 에너지
③ 운동 에너지
④ 화학 에너지
⑤ 원자력 에너지

**08** 풍력 에너지에 대한 설명으로 옳은 것은?

① 높은 곳에서 떨어지는 물의 힘으로 터빈을 돌려 전기를 생산한다.
② 산이나 바다에 설치할 수 있어 국토 이용의 효율을 높일 수 있다.
③ 땅속에서 나오는 증기나 더운 물을 이용하여 발전기를 돌려 전기를 생산한다.
④ 태양열의 흡수, 저장, 열 변환 등의 과정을 거쳐 건물의 냉난방 및 급탕 등에 활용한다.
⑤ 햇빛을 받으면 광전 효과에 의해 전기를 생산하는 태양 전지에 의하여 직접 전력으로 변환한다.

**09** 다음과 같은 원리로 이용되는 재생 에너지는?

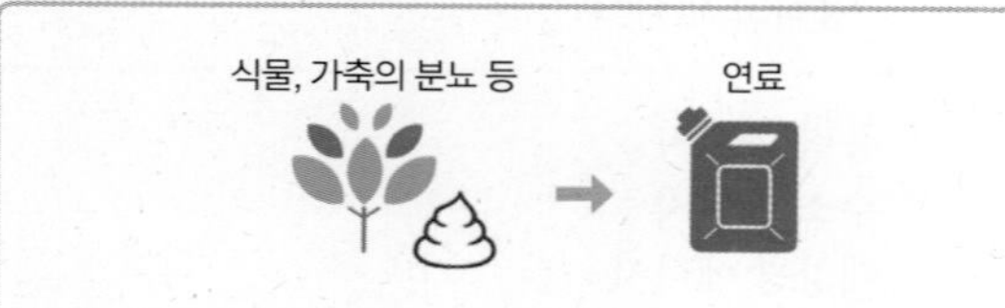


① 연료 전지
② 수소 에너지
③ 해양 에너지
④ 폐기물 에너지
⑤ 바이오 에너지

**10** 해양 에너지에 대한 설명으로 옳은 것은?

① 염도 차 발전은 연안 또는 심해의 파랑 에너지를 이용하여 전기를 생산한다.
② 파력 발전은 해수의 유동에 의한 운동 에너지를 이용하여 전기를 생산한다.
③ 온도 차 발전은 바닷물의 흐름을 이용하여 터빈을 돌려 전기를 얻는다.
④ 조력 발전은 조수 간만의 차를 이용하여 해수면의 상승 · 하강 운동으로 전기를 생산한다.
⑤ 조류 발전은 해양 표면층의 온수와 심해의 냉수와의 온도 차를 이용하여 전기를 생산한다.

중요

**11** 실내 적정 온도로 옳은 것은?

| | 겨울철 | 여름철 |
|---|---|---|
| ① | 10℃ 이하 유지 | 24℃ 이하 유지 |
| ② | 15℃ 이하 유지 | 24~26℃ 유지 |
| ③ | 20℃ 이하 유지 | 26~28℃ 유지 |
| ④ | 25℃ 이하 유지 | 28~30℃ 유지 |
| ⑤ | 30℃ 이하 유지 | 30℃ 이상 유지 |

**12** 〈보기〉는 에너지의 효율적인 이용을 위한 실천 사항이다. 올바른 것을 모두 고른 것은?

보기
가. 빨랫감은 한 번에 모아서 세탁한다.
나. 냉장고 안에 음식량은 가득 채운다.
다. 양치질이나 세수는 물을 받아 놓고 한다.
라. 여름철 실내 적정 온도는 20℃ 이하를 유지한다.
마. 가전제품을 사용하지 않을 때에는 플러그를 빼둔다.

① 가, 나, 다
② 가, 나, 라
③ 가, 다, 마
④ 나, 다, 라
⑤ 나, 다, 마

**13** 에너지 소비 효율 등급 표시 제도를 사용하는 이유는?

① 고효율 에너지 기자재로 인증하기 위해
② 에너지 절약 미달 제품을 표시하기 위해
③ 에너지 효율이 높은 제품을 구입하기 위해
④ 대기 전력 저감 기술 개발을 촉진하기 위해
⑤ 대기 전력 저감 우수 제품을 보급하기 위해

## 1. 문제 확인하기

① **과제명**: 태양광 스마트폰 충전기 만들기

② **제한 사항**

㉠ 태양 전지, USB 케이블, 우드락, 자, 핀, 칼, 글루건, 글루건 심, 라디오 펜치 등을 사용하되, 우드락 외에 다른 재료도 가능하다.

㉡ 충전의 효율이 좋아야 한다.

㉢ 충전할 때 태양 전지를 세울 수 있어야 한다.

## 2. 아이디어 창출하기

① **정보 수집하기**

태양 전지란 태양의 빛 에너지를 전기로 바꾸는 장치를 말한다.

㉠ 장점

- 태양만 있으면 언제든지 전기가 생긴다.
- 소음과 악취가 없고, 온실가스를 배출하지 않는 친환경적인 에너지이다.

㉡ 단점

- 발전 효율이 낮아 큰 전력을 얻기 위해서는 태양 전지를 설치할 수 있는 넓은 장소가 필요하다.
- 기상 조건에 따라 영향을 받는다.

② **창의적인 아이디어 구상하기**

## 3. 아이디어 구체화하기

선정한 아이디어를 프리핸드로 스케치하여 구체화한다.

## 4. 실행하기

필요한 재료와 공구를 준비하여 태양광 스마트폰 충전기를 만든다.

① **준비물**: 우드락, 자, USB 케이블, SW 태양 전지, 핀, 칼, 라디오 펜치, 글루건 심, 글루건

② **만들기**

㉠ 라디오 펜치를 사용하여 USB 케이블을 자른다.

㉡ USB 케이블의 선과 태양 전지의 전선 중에서 같은 색의 선끼리 서로 연결한다.

㉢ 설계한 대로 우드락에 선을 긋고 자른다.

㉣ 태양 전지가 걸쳐질 수 있도록 우드락에 홈을 판다.

㉤ 글루건을 사용하여 밑판과 옆판을 붙인다.

㉥ 우드락의 가운데 부분을 사각형으로 잘라낸 후, 잘라낸 부분이 구부러질 수 있도록 우드락에 칼집을 낸다.

㉦ 글루건을 사용하여 상판 틀을 붙인다.

㉧ 핀을 사용하여 덮개를 조립한다.

㉨ 충전기 커버에 태양광 스마트폰 전기를 넣는다.

## 5. 평가하기

스스로 평가를 하거나 친구와 완성품에 대한 평가를 한다. 평가를 거치면서 더 창의적인 아이디어를 구상하여 개선된 태양광 스마트폰 충전기를 만드는 방법을 생각해 본다.

① **자기 평가**

㉠ 태양 전지의 원리를 이해하였는가?

㉡ 태양광 에너지의 활용 분야를 이해하였는가?

㉢ 작업할 때 안전 및 유의 사항을 잘 지켰는가?

② **동료 평가**

㉠ 창의적인 디자인 아이디어를 낸 동료는 누구인가?

㉡ 가장 적극적으로 실습에 참여한 동료는 누구인가?

③ **제품 평가**

㉠ 태양광 스마트폰 충전기 커버의 디자인은 창의적인가?

㉡ 태양광 스마트폰 충전기는 견고하게 제작되었는가?

㉢ 충전 시 태양 전지를 세울 수 있는가?

㉣ 태양광 스마트폰 충전기로 스마트폰 충전이 되는가?

※ 일상생활 속 다양한 태양 전지의 활용

- **태양광 스마트폰 충전기**: 종이처럼 말리는 태양 전지로 휴대하기 간편하다.
- **태양광 헤드폰**: 헤드폰에 태양 전지를 부착하여 이동하면서 전기를 생산할 수 있다.
- **태양광 쓰레기통**: 태양 전지로 만들어진 전기를 이용하여 쓰레기를 압축하므로, 일반 쓰레기통보다 4~8배가량 많은 쓰레기를 담을 수 있다.
- **태양광 버스 정류장**: 버스 정류장 지붕의 태양 전지로 만들어진 전기를 이용하여 휴대 전화를 충전하거나 의자를 따뜻하게 할 수 있다.
- **태양광 텐트**: 텐트 외부에 설치한 태양 전지로 만들어진 전기를 이용하여 각종 전기 제품을 충전할 수 있고, 밤에는 다른 전등의 도움 없이 텐트를 밝힐 수도 있다.

# 기초 문제

**01** 에너지 문제의 창의적 해결에서 문제 (　　　　　)하기는 자연의 힘을 이용하여 '태양광 스마트폰 충전기'를 창의적으로 만들어 해결하려는 단계이다.

정답 확인

**02** 태양 전지란 태양의 빛 에너지를 전기로 바꾸는 장치로, 소음과 악취가 없고, 온실가스를 배출하지 않는 친환경적인 에너지이다.

( ○ , × )

정답 ○

**03** 에너지 문제의 창의적 해결의 아이디어 창출하기 단계에서 하는 것은?

① 특성 찾기
② 정보 수집하기
③ 아이디어 나타내기
④ 필요한 재료 준비하기
⑤ 완성품에 대한 문제 찾기

정답 ②

**04** 에너지 문제의 창의적 해결의 아이디어 구체화하기에 대한 설명으로 옳은 것은?

① 개선하려는 대상의 특성을 찾는 것이다.
② 개선하려는 대상의 불편한 점을 찾는 것이다.
③ 다양한 아이디어를 최적의 아이디어로 만드는 것이다.
④ 생각을 다른 사람이 알아볼 수 있도록 표현하는 것이다.
⑤ 완성물을 적절한 기준에 따라 새로운 개선 방향을 찾는 것이다.

정답 ④

**05** 구상한 아이디어는 프리핸드 스케치나 도면으로 나타낼 수 있다.

( ○ , × )

정답 ○

**06** 다음에서 설명하는 에너지 문제의 창의적 해결 과정의 단계를 쓰시오.

- 필요한 재료와 공구를 준비하여 '태양광 스마트폰 충전기'를 만든다.
- 핀을 사용할 때에는 손을 찔리지 않도록 주의한다.
- 글루건을 사용할 때에는 손을 데지 않도록 주의한다.

(　　　　　　　　　　　　)

정답 실행하기

**07** '태양광 스마트폰 충전기' 만들기에서 USB 케이블을 자르는 공구를 쓰시오.

(　　　　　　　　　　　　)

정답 라디오 펜치

## 이해 문제

정답과 해설 **5쪽**

**01** 다음과 같이 정보를 수집하는 에너지 문제의 창의적 해결 과정의 단계는?

- 태양 전지란 태양의 빛 에너지를 전기로 바꾸는 장치를 말한다.
- 태양만 있으면 언제든지 전기가 생긴다.
- 소음과 악취가 없고, 온실가스를 배출하지 않는 친환경적인 에너지이다.

① 문제 확인하기 ② 아이디어 창출하기
③ 아이디어 구체화하기 ④ 실행하기
⑤ 평가하기

**02** 에너지 문제의 창의적 해결 과정에서 실행하기에 대한 설명으로 옳은 것은?

① 문제를 해결하기 위해 고민한다.
② 정보를 수집하고, 아이디어를 구상한다.
③ 필요한 재료와 공구를 준비하여 직접 만든다.
④ 제품이 구상한 대로 만들어졌는지 확인한다.
⑤ 아이디어를 프리핸드로 스케치하여 구체화한다.

**03** 태양광 스마트폰 충전기 만들기에서 설계한 대로 우드락에 선을 긋고 자르는 것을 무엇이라 하는지 쓰시오.

( )

**04** 태양광 스마트폰 충전기 만들기에서 다음과 같은 과정을 거치는 에너지 문제의 창의적 해결 과정의 단계는?

- 창출된 아이디어를 다른 사람이 알아볼 수 있도록 표현한다.
- 선정된 아이디어를 프리핸드로 스케치하여 구체화한다.

① 문제 확인하기 ② 아이디어 창출하기
③ 아이디어 구체화하기 ④ 실행하기
⑤ 평가하기

**05** 〈보기〉는 태양광 스마트폰 충전기 만들기에 관한 내용이다. (가), (나), (다)에 들어갈 내용을 바르게 나열한 것은?

보기
- USB 케이블은 ( 가 )을/를 사용하여 자르고, USB 케이블의 선과 태양 전지의 전선 중에서 ( 나 )의 선끼리 서로 연결한다.
- 밑판과 옆판 그리고 상판 틀은 ( 다 )을/를 사용하여 붙인다.

| | (가) | (나) | (다) |
|---|---|---|---|
| ① | 라디오 펜치 | 다른 색 | 접착제 |
| ② | 플라이어 | 다른 색 | 접착제 |
| ③ | 플라이어 | 같은 색 | 글루건 |
| ④ | 라디어 펜치 | 같은 색 | 글루건 |
| ⑤ | 라디오 펜치 | 색 구별 없음 | 나사못 |

**06** 다음에서 설명하는 평가는?

- 창의적인 디자인 아이디어를 낸 사람은 누구인가?
- 가장 적극적으로 실습에 참여한 사람은 누구인가?

① 자기 평가
② 동료 평가
③ 제품 평가
④ 수행 평가
⑤ 구상 평가

**07** 일상생활 속 태양 전지의 활용으로 보기 어려운 것은?

① 태양광 텐트
② 태양광 헤드폰
③ 태양광 쓰레기통
④ 태양광 버스 정류장
⑤ 태양광 바이오 발전

## 적용 문제

정답과 해설 6쪽

**01** **〈보기〉는 에너지 문제의 창의적 해결 과정에 대한 설명이다. (가), (나)에 들어갈 단어가 바르게 연결된 것은?**

> 보기
> ( 가 ): 자연의 힘으로 문제를 해결하기 위해 태양광 스마트폰 충전기를 창의적으로 만들어 해결해 보도록 한다.
> ( 나 ): 선정된 아이디어를 다른 사람이 알아볼 수 있도록 프리핸드 스케치로 나타낸다.

| | (가) | (나) |
|---|---|---|
| ① | 문제 확인하기 | 아이디어 창출하기 |
| ② | 문제 확인하기 | 아이디어 구체화하기 |
| ③ | 아이디어 창출하기 | 아이디어 구체화하기 |
| ④ | 아이디어 구체화하기 | 아이디어 창출하기 |
| ⑤ | 실행하기 | 평가하기 |

중요

**02** **아이디어 창출하기에서 문제를 해결하기 위해 구상하는 것은?**

① 뛰어난 완성품
② 창의적인 아이디어
③ 새로운 제품의 특성
④ 아이디어를 표현하는 방법
⑤ 문제를 해결하기 위한 재료

**03** **아이디어 구체화하기에 대한 설명으로 옳은 것은?**

① 재료와 공구를 준비하여 제품을 만든다.
② 스마트폰의 특성과 불편한 점을 찾는다.
③ 선정된 아이디어를 프리핸드로 스케치한다.
④ 다양한 아이디어에서 가장 좋은 것을 찾는다.
⑤ 더 좋은 결과물을 만들기 위한 방법을 찾는다.

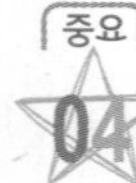

중요

**04** **〈보기〉는 에너지 문제의 창의적 해결 과정을 나타낸 것이다. 그 순서를 바르게 나열한 것은?**

① 평가하기 → 실행하기 → 문제 확인하기 → 아이디어 창출하기 → 아이디어 구체화하기
② 평가하기 → 문제 확인하기 → 아이디어 창출하기 → 실행하기 → 아이디어 구체화하기
③ 평가하기 → 문제 확인하기 → 아이디어 창출하기 → 아이디어 구체화하기 → 실행하기
④ 문제 확인하기 → 평가하기 → 실행하기 → 아이디어 창출하기 → 아이디어 구체화하기
⑤ 문제 확인하기 → 아이디어 창출하기 → 아이디어 구체화하기 → 실행하기 → 평가하기

**05** **〈보기〉는 태양광 스마트폰 충전기 만들기의 안전에 대한 설명이다. (가), (나)에 들어갈 단어가 바르게 연결된 것은?**

> 보기
> ( 가 )을/를 사용할 때에는 손을 찔리지 않도록 주의한다.
> ( 나 )을/를 사용할 때에는 손을 데지 않도록 주의한다.

| | (가) | (나) |
|---|---|---|
| ① | 핀 | 글루건 |
| ② | 핀 | 접착제 |
| ③ | 칼 | 글루건 |
| ④ | 칼 | 접착제 |
| ⑤ | 자 | 라디오 펜치 |

**06** **태양광 스마트폰 충전기 만들기의 평가하기에서 '완성된 결과물은 어땠어?'에 해당하는 평가 항목은?**

① 태양 전지의 원리를 이해하였는가?
② 태양광 에너지의 활용 분야를 이해하였는가?
③ 작업할 때 안전 및 유의 사항을 잘 지켰는가?
④ 창의적인 디자인 아이디어를 낸 동료는 누구인가?
⑤ 태양광 스마트폰 충전기로 스마트폰 충전이 되는가?

# 실전 문제

자주 출제되는 문제

**01** 〈보기〉는 수송 기술 시스템에 대한 설명이다. (가), (나), (다)에 들어갈 내용을 바르게 연결한 것은?

보기

( 가 ): 수송 대상과 수송 수단, 수송 인력, 에너지, 지원 시설 및 통로 등이 필요하다.

( 나 ): 수송, 관리의 절차에 따라 사람이나 물자를 이동한다.

( 다 ): 문제가 발생하면 이를 해결하기 위해 문제가 되는 단계로 되돌아간다.

| | (가) | (나) | (다) |
|---|---|---|---|
| ① | 투입 | 과정 | 산출 |
| ② | 투입 | 산출 | 과정 |
| ③ | 투입 | 과정 | 되먹임 |
| ④ | 투입 | 산출 | 되먹임 |
| ⑤ | 투입 | 되먹임 | 산출 |

**02** 수송 기술에 대한 설명으로 옳은 것은?

① 정보를 생산, 가공하여 주고받는 것이다.
② 사람이 필요로 하는 구조물을 만드는 것이다.
③ 재료를 가공하여 원하는 제품을 만드는 것이다.
④ 생명체를 개량하여 효과적으로 활용하는 것이다.
⑤ 사람이나 물건을 다른 곳으로 이동시키는 것이다.

**03** 수송 기술 시스템의 과정 단계에서 수송 과정에 해당하는 것은?

① 수송 수단으로 목적지까지 이동한다.
② 수송 수단이 이상 없이 운영되도록 한다.
③ 승객과 화물이 안전하게 수송되도록 한다.
④ 수송 관련 지원 시설 및 통로를 운영한다.
⑤ 수송 기관의 작동에 필요한 에너지를 투입한다.

**04** 버스 운행의 예로 살펴본 수송 기술의 특징이 아닌 것은?

① 버스를 이용한다.
② 버스가 다닐 수 있는 도로가 필요하다.
③ 버스 정류장과 버스 운전사가 필요하다.
④ 버스를 만들기 위한 시설과 자본이 필요하다.
⑤ 버스를 안전하고 효율적으로 운행하기 위해 교통 신호, 법규 등이 필요하다.

**05** 다음에서 설명하는 수송 수단은?

- 해상 수송 수단이다.
- 부력을 조절하는 탱크가 있다.
- 물속을 다니면서 전투를 수행하는 전투 함정이다.

① 선박
② 잠수함
③ 비행기
④ 위그선
⑤ 자동차

**06** 수송 수단의 종류가 바르게 연결된 것은?

① 육상 수송 수단 – 자동차, 기차, 버스
② 해상 수송 수단 – 자동차, 선박, 위그선
③ 항공 수송 수단 – 위그선, 로켓, 헬리콥터
④ 우주 수송 수단 – 비행기, 아폴로 11호, 위그선
⑤ 항공·우주 수송 수단 – 비행 자동차, 잠수함, 버스

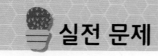

자주 출제되는 문제

**07** 휘발유와 공기의 혼합기를 실린더 속으로 흡입하여 압축한 다음, 전기 불꽃으로 폭발시켜 그 팽창되는 힘으로 동력을 얻는 동력 기관은?

① 증기 기관 ② 디젤 기관
③ 로켓 기관 ④ 제트 기간
⑤ 가솔린 기관

**08** 다음과 같이 가솔린 기관에서 작동하여 동력을 얻는 행정은?

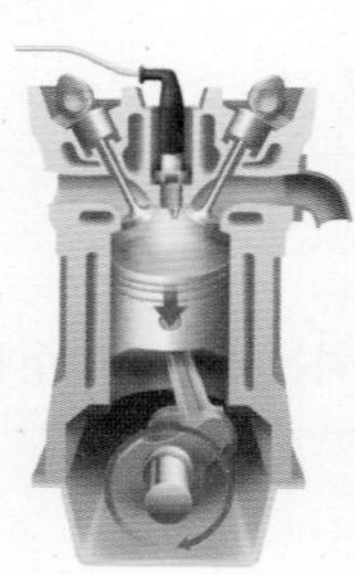

① 흡입 행정
② 압축 행정
③ 폭발 행정
④ 배기 행정
⑤ 소기 행정

**09** 다음에서 설명하고 있는 동력 기관은?

- 분사 추진 기관이다.
- 연소실 안에서 고온 · 고압의 연소 가스를 뒤로 분출시켜 그 반작용으로 추진력을 얻는 기관이다.
- 항공기에 이용된다.

① 가스 기관 ② 디젤 기관
③ 제트 기관 ④ 로켓 기관
⑤ 가스 터빈 기관

**10** 다음에서 설명하고 있는 발명은?

- 육상 수송 기술의 발달에 큰 영향을 주었다.
- 사람이나 가축의 힘으로 움직이는 수레나 마차에 주로 이용되었다.

① 자석의 발명
② 나침반의 발명
③ 수레바퀴의 발명
④ 로켓 기관의 발명
⑤ 디젤 자동차의 발명

**11** 그림과 같은 수송 수단은?

① 포드의 자동차
② 디젤의 자동차
③ 하이브리드 자동차
④ 퀴뇨의 증기 자동차
⑤ 벤츠의 가솔린 자동차

**12** 다음에서 설명하고 있는 수송 수단은?

- 20세기 들어 발명된 육상 수송 수단이다.
- 열효율이 높고, 성능이 우수하다.
- 우리나라는 전기식 기관차를 사용하고 있다.

① 마차 철도 ② 고속 철도
③ 증기 기관차 ④ 디젤 기관차
⑤ 자기 부상 열차

자주 출제되는 문제

**13** 〈보기〉는 선박의 발달에 대한 설명이다. 옳은 것을 모두 고른 것은?

보기
ㄱ. 통나무 배는 통나무를 서로 엮어서 만든 배이다.
ㄴ. 범선은 목선에 돛을 달아 바람의 힘으로 움직이는 배이다.
ㄷ. 1807년, 미국의 풀턴이 세계 최초의 증기선을 만들었다.
ㄹ. 20세기 초, 디젤 기관을 이용한 배가 등장하였다.
ㅁ. 20세기 초, 원자력을 이용한 배가 등장하였다.

① ㄱ, ㄴ, ㄷ
② ㄱ, ㄴ, ㄹ
③ ㄱ, ㄴ, ㄷ, ㄹ
④ ㄱ, ㄴ, ㄹ, ㅁ
⑤ ㄴ, ㄷ, ㄹ, ㅁ

**14** 선박의 발달 과정을 순서대로 나열한 것은?

① 통나무배 → 목선 → 범선 → 증기선 → 디젤 기관선
② 목선 → 통나무배 → 범선 → 증기선 → 디젤 기관선
③ 목선 → 범선 → 통나무배 → 증기선 → 디젤 기관선
④ 범선 → 증기선 → 통나무배 → 목선 → 디젤 기관선
⑤ 증기선 → 통나무배 → 목선 → 범선 → 디젤 기관선

**15** 13세기에 만들어진 것으로, 목선에 돛을 달아 바람의 힘으로 움직이는 선박은?

① 뗏목
② 범선
③ 증기선
④ 통나무배
⑤ 디젤 기관선

**16** 1891년, 독일의 릴리엔탈이 개발한, 사람이 탈 수 있는 항공 수송 수단은?

① 드론
② 열기구
③ 비행기
④ 글라이더
⑤ 디스커버리호

**17** 다음은 항공 수송 기술의 발달에 대한 설명이다. (가), (나)에 들어갈 내용이 바르게 연결된 것은?

- 1903년, 미국의 라이트 형제는 최초로 (　가　) 기관을 이용한 동력 비행기를 타고 하늘을 나는 데 성공하였다.
- 1939년, 프로펠러 없이 (　나　) 엔진의 힘을 이용한 더 빠른 속도의 비행기가 등장하기 시작하였다.

| | (가) | (나) |
|---|---|---|
| ① | 제트 | 로켓 |
| ② | 제트 | 가솔린 |
| ③ | 가솔린 | 제트 |
| ④ | 가솔린 | 로켓 |
| ⑤ | 가스터빈 | 가솔린 |

**18** 인류가 발사한 최초의 인공위성은?

① 나로호
② 콜롬비아호
③ 아폴로 11호
④ 스푸트니크
⑤ 익스플로러 1호

자주 출제되는 문제

**19** 〈보기〉는 자동차 사고 예방을 위한 안전한 이용 방법에 대한 설명이다. 옳은 것을 모두 고른 것은?

보기
ㄱ. 차 안에서는 장난을 하지 않는다.
ㄴ. 차의 창문 밖으로 머리나 손을 내밀지 않는다.
ㄷ. 차를 기다릴 때에는 질서를 지키고, 차례로 타고 내린다.
ㄹ. 자동차의 안전띠는 시속 60km 이상 달릴 경우만 꼭 맨다.
ㅁ. 차를 탈 때에는 차가 완전히 멈추기 전에 빨리 차도에 내려서 탄다.

① ㄱ, ㄴ, ㄷ ② ㄱ, ㄴ, ㄹ
③ ㄱ, ㄴ, ㅁ ④ ㄴ, ㄷ, ㄹ
⑤ ㄴ, ㄹ, ㅁ

**20** 자전거 야간 주행 시 안전등이 향하는 거리로 적당한 것은?

① 5m 이내 ② 5~10m
③ 10~15m ④ 15~20m
⑤ 20m 이상

**21** 〈보기〉는 자전거 사고 예방을 위한 안전한 이용 방법에 대한 설명이다. 옳은 것을 모두 고른 것은?

보기
ㄱ. 내 몸에 맞는 자전거를 이용한다.
ㄴ. 자전거를 탄 후에는 안전 점검 ABC를 확인한다.
ㄷ. 횡단보도에서는 자전거를 끌고 건너간다.
ㄹ. 야간 운행 시에는 전방과 후방의 라이트를 켠다.
ㅁ. 자전거 도로에서는 시속 20km 이내로 달린다.

① ㄱ, ㄴ, ㄷ, ㄹ
② ㄱ, ㄴ, ㄷ, ㅁ
③ ㄱ, ㄴ, ㄹ, ㅁ
④ ㄱ, ㄷ, ㄹ, ㅁ
⑤ ㄴ, ㄷ, ㄹ, ㅁ

**22** 자전거 타기를 위한 수신호 중 정지한다는 것은?

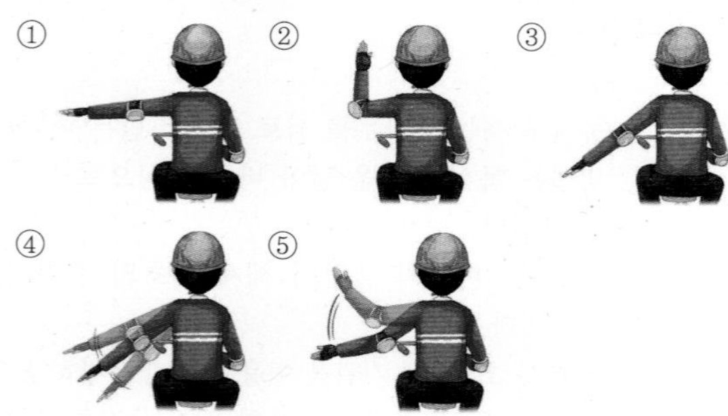


**23** 〈보기〉는 선박 사고 대처 방법에 대한 설명이다. 옳은 것을 모두 고른 것은?

보기
ㄱ. 사고 발생 시 즉시 큰 소리로 외치거나 비상벨을 눌러 사고 발생 사실을 알린다.
ㄴ. 선체가 한쪽으로 기울 경우 반대 방향의 높은 쪽으로 대피한다.
ㄷ. 물속에서는 부유품을 이용해 서로 모여 있어 구조 가능성을 높인다.
ㄹ. 위험한 상황이 되었을 때 구명조끼를 입고, 물속에서 행동이 쉽도록 가능한 한 신발을 벗는다.
ㅁ. 저체온증에 걸리지 않도록 구명조끼를 착용하고, 물속에 뛰어든 사람은 신속히 육지 쪽으로 이동한다.

① ㄱ, ㄴ, ㄷ, ㄹ
② ㄱ, ㄴ, ㄹ, ㅁ
③ ㄱ, ㄷ, ㄹ, ㅁ
④ ㄱ, ㄴ, ㄷ, ㅁ
⑤ ㄴ, ㄷ, ㄹ, ㅁ

**24** 선박 사고 발생 시 물속에서 신발을 벗어야 하는 이유는?

① 저체온증을 막기 위해
② 행동을 쉽게 하기 위해
③ 부유품을 이용하기 위해
④ 구조 가능성을 높이기 위해
⑤ 환자의 의식을 유지하기 위해

**25** 항공기 사고의 원인에 해당하는 것은?

① 기계적 결함과 노후화
② 안개 및 도로 노면 상태
③ 타이어 및 브레이크 파열
④ 지그재그 타기 및 병렬 주행
⑤ 조종사의 판단 및 조작 실수

자주 출제되는 문제

**26** 항공기 사고 대처 방법 중 구조 가능성을 높이기 위한 방법으로 옳은 것은?

① 신속히 탈출한다.
② 소지품을 제거한다.
③ 구명조끼를 부풀린다.
④ 웅크린 자세를 취한다.
⑤ 생존자끼리 모여 있는다.

**27** 바퀴 없는 진동카 만들기에서 축이 회전체의 중심에 있으면 잘 돌아가지만 중심에서 벗어나면 진동이 생긴다. 이처럼 어떤 물체의 중심이 한쪽으로 쏠려 있는 상태는?

① 편심 ② 진동
③ 전동기 ④ 다이오드
⑤ 하이브리드

**28** 바퀴 없는 진동카 만들기에서 글루건의 용도로 옳은 것은?

① 하드보드지를 자른다.
② 병뚜껑에 구멍을 뚫는다.
③ 하드보드지에 선을 긋는다.
④ 회로를 진동카 몸체에 붙인다.
⑤ 전동기, 건전지, 스위치 등을 연결한다.

**29** 신에너지에 해당하는 것으로만 짝지어진 것은?

① 태양 전지, 해양 에너지
② 연료 전지, 수소 에너지
③ 수력 에너지, 풍력 에너지
④ 태양광 에너지, 폐기물 에너지
⑤ 바이오 에너지, 태양열 에너지

**30** 다음과 같은 원리로 만들어진 에너지에 대한 설명으로 옳은 것은?

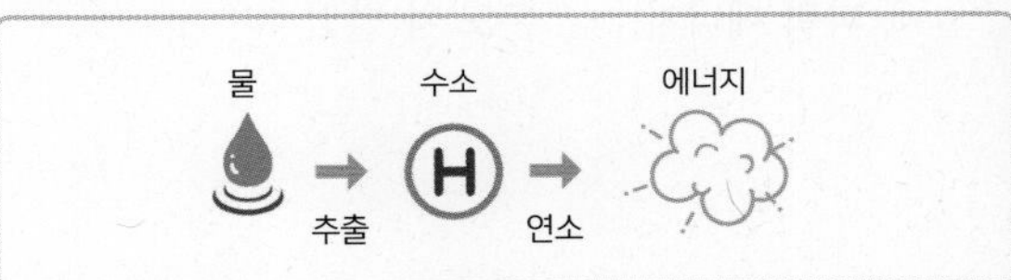


① 수소를 태울 때 발생하는 폭발력을 이용하는 에너지이다.
② 물이 떨어지는 힘으로 터빈을 돌려 전기를 얻는 에너지이다.
③ 석탄을 이용하여 만든 가스로 터빈을 돌려 전기를 얻는 기술이다.
④ 수소와 산소의 화학 반응으로 생기는 화학 에너지를 전기 에너지로 변환한다.
⑤ 고체 연료인 석탄을 휘발유 또는 경유와 같은 액체 연료로 전환하는 기술이다.

**31** 재생 에너지와 그 원리가 바르게 연결되지 않은 것은?

① 태양열 에너지 – 태양열
② 태양광 에너지 – 연료 전지
③ 수력 에너지 – 떨어지는 물의 힘
④ 풍력 에너지 – 바람의 힘
⑤ 지열 에너지 – 땅속의 고온 증기

## 실전 문제

틀리기 쉬운 문제

**32** 〈보기〉의 (가), (나)에 들어갈 말로, 바르게 짝지어진 것은?

보기

( 가 ): 바람으로 풍차를 돌려 전기를 얻는 에너지로, 산이나 바다에 설치할 수 있어 국토 이용의 효율을 높일 수 있다.

( 나 ): 해양의 밀물과 썰물의 힘을 이용하여 터빈을 돌려 얻는 전기로, 국내 최초이면서 세계 최대 규모의 발전소가 시화호에 있다.

| | (가) | (나) |
|---|---|---|
| ① | 수력 에너지 | 파력 발전 |
| ② | 수소 에너지 | 조류 발전 |
| ③ | 풍력 에너지 | 조력 발전 |
| ④ | 지열 에너지 | 태양광 발전 |
| ⑤ | 파력 에너지 | 온도 차 발전 |

**33** 에너지의 효율적 이용을 위한 실천 방안 중 올바른 전기 사용에 대한 설명으로 옳지 않은 것은?

① 냉장고 문을 자주 여닫지 않는다.
② 텔레비전을 안 볼 때에는 꼭 꺼둔다.
③ 냉장고 안에 음식량은 60%만 채운다.
④ 여름철 에어컨의 적정 온도는 18℃로 한다.
⑤ 가전제품 플러그를 사용하지 않을 때에는 빼둔다.

**34** 다음에서 설명하는 평가 항목은?

- 태양 전지의 원리를 이해하였는가?
- 태양광 에너지의 활용 분야를 이해하였는가?
- 작업할 때 안전 및 유의 사항을 잘 지켰는가?

① 자기 평가 ② 동료 평가
③ 제품 평가 ④ 과정 평가
⑤ 진로 평가

### 서술형 문제

**35** 수송 기술 시스템의 각 단계를 서술하시오.

**36** 버스를 예로 수송 기술의 특징을 설명하시오.

**37** 선박 사고 시 대처 방법을 서술하시오.

**38** 항공기 사고 시 충돌 전 웅크린 자세를 취하고, 생존자끼리 모여 있어야 하는 이유를 설명하시오.

**39** 바퀴 없는 진동카 만들기에서 동료 평가 항목을 서술하시오.

**40** 사용하지 않는 가전제품의 플러그를 빼두는 이유를 서술하시오.

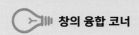

▶ 많은 예술가들이 자연 속의 빛, 구름, 바람, 바다 등의 모습을 화폭에 담거나 예술 작품으로 표현해 왔다. 아래 작품 속에 표현된 에너지를 찾아보자.

▲ 씨 뿌리는 농부
빈센트 반 고흐(1853~1890)

▼ 양산을 든 여인
클로드 모네(1840~1926)

▲ 한 손에 번개를 들고 있는 제우스의 조각상

▲ 가나가와 앞바다의 파도
가츠시카 호쿠사이(1760~1849)

▲ 박연 폭포
정선(1676~1759)

# VI 세상과 소통하는 기술

01. 정보 기술 시스템

02. 정보 통신 기술의 특성과 발달

03. 통신 매체의 이해

04. 정보 통신 기술의 창의적 문제 해결

## 이 단원의 성취 기준과 학습 요소

| 섹션 | 성취 기준 | 학습 요소 |
|---|---|---|
| 1. 정보 기술 시스템 | 정보 기술 시스템의 각 단계별 세부 요소를 이해하고, 정보 통신 과정을 구체적으로 설명한다. | – 정보 기술 시스템의 이해<br>– 정보의 통신 과정 |
| 2. 정보 통신 기술의 특성과 발달 | 정보 통신 기술의 특성, 발달 과정을 이해하고, 현대 정보 통신 기술의 특징을 설명한다. | – 정보 통신 기술의 특성<br>– 정보 통신 기술의 영향<br>– 정보 통신 기술의 발달 과정<br>– 현대 정보 통신 기술의 특징 |
| 3. 통신 매체의 이해 | 다양한 통신 매체의 종류와 특징을 이해하고 활용한다. | – 통신 매체의 종류와 특징<br>– 통신 매체의 활용 |
| 4. 정보 통신 기술의 창의적 문제 해결 | 정보 통신 기술과 관련된 문제를 이해하고, 해결책을 창의적으로 탐색하고 실현하며 평가한다. | – 스마트폰으로 학교 소개 동영상 만들기 |

# 01 정보 기술 시스템

## 1. 정보 기술 시스템의 이해

### ① 정보 기술의 이해

㉠ 자료: 단순한 관찰이나 측정을 통하여 수집된 사실 또는 값을 의미한다.

㉡ 정보: 여러 가지 자료를 사용자가 의미 있게 활용할 수 있도록 가공한 것이다.

㉢ 정보 기술: 정보를 수집하여 가공 및 처리, 저장하는 기술

### ② 정보 기술 시스템의 이해

㉠ 의미: 정보 기술이 실현되는 데 이용되는 모든 활동을 체계화한 것으로, 투입, 과정, 산출 및 되먹임 등의 단계로 이루어진다.

㉡ 정보 기술 시스템의 단계

| 투입 | 과정 | 산출 | 되먹임 |
|---|---|---|---|
| 정보를 생산하기 위해 자료, 자본, 인력, 소프트웨어와 하드웨어 등의 요소를 투입한다. | 자료 수집, 자료 가공 및 처리, 저장 등의 절차에 따라 투입 요소를 활용하여 정보를 생산한다. | 정보 완성 | 문제가 발생하면 이를 해결하기 위해 문제가 되는 단계로 되돌아간다. |

㉢ 정보 기술 시스템의 단계별 세부 요소

| 투입 | 과정 | 산출 |
|---|---|---|
| • 자료: 관찰이나 측정으로 수집된 내용<br>• 자본: 정보를 처리하는 데 필요한 비용<br>• 인력: 정보를 처리하는 데 필요한 사람<br>• 소프트웨어와 하드웨어 | • 자료 수집: 각종 기기를 통해 자료를 수집하는 단계<br>• 자료 가공 및 처리: 자료에 맞는 소프트웨어와 하드웨어를 이용하여 정보를 가공하고 처리하는 단계<br>• 저장: 가공 및 처리한 자료를 저장하는 단계 | 정보 완성 |

## 2. 정보의 통신 과정

### ① 정보 통신 기술의 의미

㉠ 통신: 서로 간에 필요한 정보를 신속하고 정확하게 주고받고 공유하는 것을 말한다.

㉡ 정보 통신: 수집, 가공 및 처리한 정보를 송신하고 수신하는 모든 과정을 말한다.

㉢ 정보 통신 기술: 수집, 가공 및 처리한 정보를 송신하고 수신하는 모든 과정에 사용되는 기술

### ② 정보 통신 과정의 형태에 따른 분류

㉠ 음성 통신: 가장 오래된 통신 방식이며, 현재까지 널리 이용되고 있다.

예) 전화기, 라디오 방송 등

• 마이크로폰: 음성 신호를 전기 신호로 바꾼다.
• 송신 안테나: 전기 신호를 높은 주파수에 실어서 보낸다.
• 수신 안테나: 높은 주파수에 실린 전기 신호를 받는다.
• 스피커: 받은 전기 신호를 음성으로 바꾼다.

㉡ 이미지 통신: 그림, 사진, 도표, 차트, 그래픽 등의 정보를 전달하는 것으로, 정보의 이해력을 높이는 데 도움이 된다.

예) 팩시밀리

• 팩시밀리: 원본의 이미지를 센서로 잘게 쪼개어 읽은 후, 전기 신호로 바꾼다.
• 통신 회선: 전화 회선을 통해 전기 신호를 보낸다.
• 팩시밀리: 받은 전기 신호를 원래의 이미지로 바꾸어 종이에 출력한다.

㉢ 영상 통신: 영상 정보를 전기 신호로 바꾸어 전송하고, 받는 쪽에서 눈에 보이는 형태로 재생하는 것이다.

예) 텔레비전 방송, 영상 통화 등

• 카메라와 마이크로폰: 비디오 및 오디오 데이터를 바꾸어 압축한 후 전기 신호로 바꾸어 준다.
• 송신 안테나: 전기 신호를 높은 주파수에 실어서 보낸다.
• 수신 안테나: 높은 주파수에 실린 전기 신호를 받는다.
• 텔레비전: 받은 전기 신호를 음성 및 영상 신호로 바꾼다.

㉣ 데이터 통신: 다양한 형태의 정보를 전송 매체에 적합한 형태의 신호로 바꾸어 주고받는 것이다.

예) 컴퓨터 통신

• 컴퓨터: 키보드를 통해 데이터를 입력한다.
• 신호 변환 장치: 데이터를 전송 매체에 적합한 형태의 신호로 바꾼다.
• 통신 회선: 통신 회선을 통해 전기 신호를 보낸다.
• 신호 변환 장치: 받은 전기 신호를 컴퓨터에 적합한 형태의 데이터로 바꾼다.
• 컴퓨터: 모니터를 통해 데이터를 출력한다.

## 기초 문제

**01** 여러 가지 자료를 사용자가 의미 있게 활용할 수 있도록 가공한 것을 무엇이라고 하는지 쓰시오.

(　　　　　　　　　　)

정답 정보

**02** 정보 기술이 실현되는 데 이용되는 모든 활동을 체계화한 것을 무엇이라고 하는지 쓰시오.

(　　　　　　　　　　)

정답 정보 기술 시스템

**03** 정보 기술 시스템에서 정보가 완성되는 단계는 되먹임 단계이다.

( ○ , × )

정답 ×

**04** 다음에서 설명하는 기술은 무엇인지 쓰시오.

> 수집, 가공 및 처리한 정보를 송신하고 수신하는 모든 과정에 사용되는 기술

(　　　　　　　　　　)

정답 정보 통신 기술

**05** 서로 간에 필요한 정보를 신속하고 정확하게 주고받고 공유하는 것을 무엇이라고 하는지 쓰시오.

(　　　　　　　　　　)

정답 통신

**06** 정보 통신 과정에서 가장 오래된 방식은 영상 통신이다.

( ○ , × )

정답 ×

**07** 이미지 통신은 이미지를 전기 신호로 바꾸어 이를 무엇을 통해 전송하는지 쓰시오.

(　　　　　　　　　　)

정답 통신 회선

**01** (    )에 들어갈 말은?

> (       )은/는 정보를 수집하여 가공 및 처리, 저장하는 기술이다.

① 건설 기술 ② 생명 기술
③ 수송 기술 ④ 제조 기술
⑤ 정보 통신 기술

**02** (    )에 들어갈 말은?

> 정보란 여러 가지 자료를 사용자가 (       ) 있게 활용할 수 있도록 가공한 것이다.

**03** <보기>는 정보 기술 시스템을 나타낸 것이다. (가), (나), (다)에 들어갈 말은?

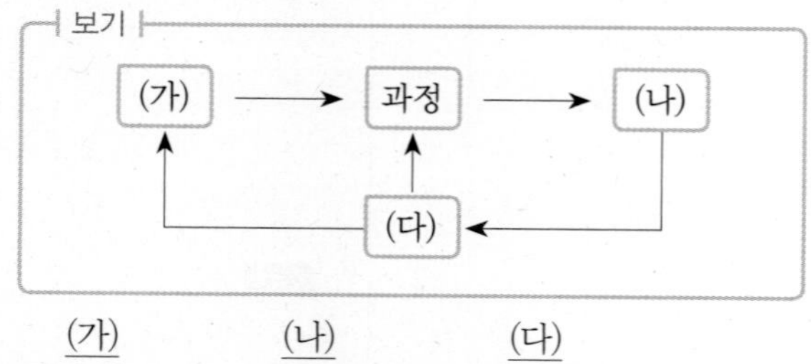



| | (가) | (나) | (다) |
|---|---|---|---|
| ① | 투입 | 산출 | 되먹임 |
| ② | 투입 | 되먹임 | 산출 |
| ③ | 산출 | 투입 | 되먹임 |
| ④ | 산출 | 되먹임 | 투입 |
| ⑤ | 되먹임 | 투입 | 산출 |

**04** 다음에서 설명하는 정보 기술 시스템의 단계는?

> 문제가 발생하면 이를 해결하기 위해 문제가 되는 단계로 되돌아간다.

① 과정 ② 결과
③ 산출 ④ 투입
⑤ 되먹임

**05** 정보의 통신 과정에서 가장 오래된 통신 방식은?

① 영상 통신 ② 음성 통신
③ 데이터 통신 ④ 이미지 통신
⑤ 멀티미디어 통신

**06** 라디오 방송에서 전기 신호를 음성으로 바꾸어 주는 장치는?

① 스피커 ② 주파수
③ 마이크로폰 ④ 송신 안테나
⑤ 수신 안테나

**07** 이미지를 통신하는 기기는?

① 전화기 ② 팩시밀리
③ 영상 통화 ④ 텔레비전 방송
⑤ 라디오 방송

**08** <보기>에서 설명하는 정보 통신 방법은?

> 보기
> • 다양한 형태의 정보를 전송 매체에 적합한 형태의 신호로 바꾸어 주고받는 것이다.
> • 대표적인 예로 컴퓨터 통신이 있다.

① 영상 통신 ② 음성 통신
③ 데이터 통신 ④ 이미지 통신
⑤ 멀티미디어 통신

# 적용 문제

정답과 해설 **8쪽**

**01** 다음에서 (가), (나)에 들어갈 용어가 바르게 연결된 것은?

> ( 가 )란/이란 여러 가지 ( 나 )을/를 사용자가 의미 있게 활용할 수 있도록 가공한 것이다.

| | (가) | (나) | | (가) | (나) |
|---|---|---|---|---|---|
| ① | 신호 | 자료 | ② | 자료 | 정보 |
| ③ | 자료 | 메시지 | ④ | 정보 | 자료 |
| ⑤ | 메시지 | 신호 | | | |

**[02~03]** 〈보기〉는 정보 기술 시스템을 나타낸 것이다. 다음 물음에 답하시오.

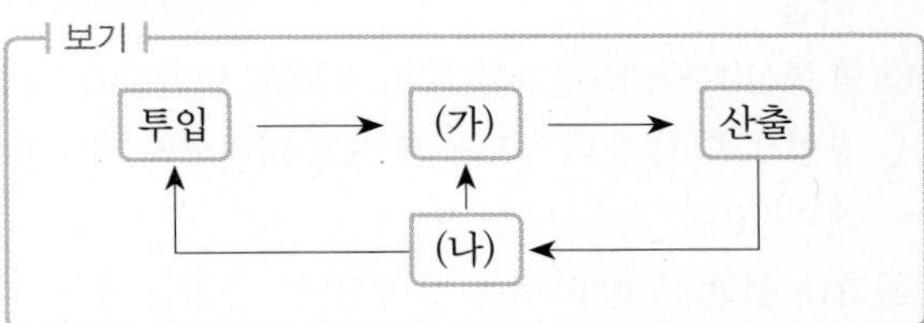


중요

**02** (가), (나)에 들어갈 말은?

| | (가) | (나) | | (가) | (나) |
|---|---|---|---|---|---|
| ① | 과정 | 입력 | ② | 과정 | 되먹임 |
| ③ | 입력 | 과정 | ④ | 입력 | 산출 |
| ⑤ | 입력 | 되먹임 | | | |

**03** (가) 단계에 속하는 세부 요소는?

① 인력 ② 자본
③ 하드웨어 ④ 자료 수집
⑤ 소프트웨어

중요

**04** 다음은 기상청 일기예보의 과정을 나타낸 것이다. (ㄱ)~(ㅁ) 중에서 산출 단계에 해당하는 것은?

> (ㄱ)기상 관측 장비와 (ㄴ)위성 관측을 통해 온도, 습도, 바람, 구름 등의 자료를 수집한다. (ㄷ)수집한 자료를 종합하여 분석한다. (ㄹ)일기 예보 결과가 나왔다. (ㅁ)갑작스러운 기상 변화로 인해 일기 예보가 달라졌다.

① (ㄱ) ② (ㄴ) ③ (ㄷ)
④ (ㄹ) ⑤ (ㅁ)

**05** 다음에서 설명하고 있는 정보 통신 형태는?

> • 그림, 사진, 도표, 차트, 그래픽 등의 정보를 전달하는 것으로, 정보의 이해력을 높이는 데 도움이 된다.
> • 대표적인 예로 팩시밀리가 있다.

① 영상 통신 ② 음성 통신
③ 데이터 통신 ④ 이미지 통신
⑤ 멀티미디어 통신

**06** 정보 통신 과정에서 같은 원리가 이용되는 것끼리 연결된 것은?

① 라디오, 텔레비전 ② 라디오, 팩시밀리
③ 전화기, 컴퓨터 ④ 전화기, 영상 통화
⑤ 텔레비전, 영상 통화

**07** 다음은 친구들의 대화이다. 사용하고 있는 정보 통신 형태는?

> 철수: 우리가 수집한 자료를 정리하여 컴퓨터로 민지에게 전송하자.
> 민지: 전자 우편이 도착했네! 친구들이 전송해 준 자료를 바탕으로 모둠별 과제를 완성해야 겠어.

① 영상 통신 ② 음성 통신
③ 데이터 통신 ④ 이미지 통신
⑤ 멀티미디어 통신

**08** 다음에서 설명하는 장치는?

> 데이터 통신에서 데이터를 전송 매체에 적합한 형태의 신호로 바꾸거나, 받은 전기 신호를 컴퓨터에 적합한 형태의 데이터로 바꾸는 장치

① 안테나 ② 스피커
③ 통신 회선 ④ 마이크로폰
⑤ 신호 변환 장치

## 1. 정보 통신 기술의 특성

① 정보 통신 매체는 서로 연결 및 통합되어 있다.
② 정보를 여러 사람이 공유할 수 있다.
③ 정보를 신속하고 정확하게 전달할 수 있다.
④ 정보를 저장하고 보존할 수 있다.

## 2. 정보 통신 기술의 영향

① 시간과 공간의 제약을 덜 받게 되었다.
② 개인의 생활이 보다 편리해졌다.
③ 효율적으로 일을 처리할 수 있게 되었다.
④ 교육, 문화, 산업, 행정 등 모든 분야에 큰 변화를 가져왔다.

## 3. 정보 통신 기술의 발달 과정

**① 전기 통신 이전**

㉠ **소리나 몸짓(기원전)**: 원시 시대는 의사소통 방법으로 소리나 몸짓을 이용하였다.
㉡ **상형 문자(기원전)**: 고대 이집트에서는 그림으로 표현한 문자를 이용하였다.
- 언어의 사용과 문자의 발명으로 인류 문화는 더욱 빠른 속도로 발전

㉢ **인쇄술(팔만대장경)(1251년)**: 목판에 글을 새기고 먹을 칠해 종이에 인쇄하였다.
㉣ **직지심체요절(1377년)**: 세계 최초로 금속 활자로 인쇄된 책이며, 유네스코 세계 기록 유산으로 지정되었다.
㉤ **인쇄기(1450년)**: 독일의 구텐베르크가 금속 활자를 이용하여 문서를 대량으로 인쇄하였다.
- 인쇄술의 발명으로 정보나 지식을 효과적으로 보존, 문서를 대량으로 빠르게 보급

**② 전기 통신 이후**

㉠ **유선 전신기(1837년)**: 전류를 이용하여 모스 부호를 전달할 수 있게 되었다.
㉡ **전화기(1876년)**: 음파를 전류로 바꾸어 전송한 후, 다시 음파로 바꾸는 방법으로 음성을 직접 전달할 수 있게 되었다.
㉢ **무선 전신기(1896년)**: 무선으로 통신이 가능한 전신기로, 정보를 멀리까지 전달할 수 있게 되었다.
- 전신기와 전화기가 발명되어 전기 통신이 사용되기 시작

㉣ **라디오(1906년)**: 전파를 음성으로 변환하는 기계로, 정보를 멀리까지 전달할 수 있게 되었다.
㉤ **텔레비전(1926년)**: 전파를 이용하여 음성과 영상을 동시에 멀리까지 전달할 수 있게 되었다.
- 라디오와 텔레비전은 여러 지역의 많은 사람들에게 소식을 빠르게 전달

㉥ **컴퓨터(애니악)(1946년)**: 전자식 컴퓨터이며, 프로그램을 통하여 정보를 빠르고 정확하게 처리하였다.
㉦ **위성 통신(1965년)**: 통신 위성을 이용하여 통신 기지국 간에 전파를 전달함으로써 지구 상 모든 곳에 통신이 가능하게 되었다.
- 위성 통신은 무선 통신과 휴대 전화의 발달에 큰 영향을 끼침

㉧ **광 통신(1970년)**: 정보를 빛의 형태로 변환하여 통신하는 방법으로, 대량의 정보를 빠르고 멀리까지 전달할 수 있게 되었다.
㉨ **휴대 전화(1973년)**: 이동 중에 음성 통화는 물론 다양한 정보 처리와 무선 통신이 가능하다.
㉩ **스마트폰(2000년 이후)**: 휴대 전화에 컴퓨터 기능을 추가한 기기로, 사용자가 원하는 애플리케이션을 설치하여 사용할 수 있다.

## 4. 현대 정보 통신 기술의 특징

① 정보의 처리 및 전송 속도가 더욱 가속화된다.
② 언제 어디서나 인터넷에 쉽게 접근 가능하다.
③ 누리 소통망 서비스(SNS)의 확대로 정보의 공유가 더욱 늘어난다.
④ 빅 데이터의 활용이 증가한다.
⑤ 증강 현실 및 가상 현실, 사물 인터넷이 현실화되고 있다.
㉠ **증강 현실(AR)**: 사용자가 눈으로 보는 현실 세계에 가상 물체를 겹쳐 보여 주는 기술이다.
㉡ **가상 현실(VR)**: 컴퓨터 그래픽 등으로 만든 가상 세계를 마치 현실 세계처럼 체험할 수 있도록 하는 기술이다.
㉢ **사물 인터넷(IoT)**: 모든 사물이 인터넷으로 서로 연결되어 정보가 생성, 수집, 공유, 활용되는 초연결 인터넷을 말한다.
⑥ 유선망보다 무선망의 사용이 더욱 늘어난다.

## 기초 문제

01 정보 통신은 무선 기기에서 유선 기기로 발달하면서 더 먼 곳까지, 더욱 편리하게 정보를 전달할 수 있게 되었다.
( ○ , × )

정답 ×

02 정보 통신 기술의 발달로 인해 시간과 공간의 제약을 덜 받게 되었다.
( ○ , × )

정답 ○

03 정보나 지식을 효과적으로 보존하고, 문서를 대량으로 빠르게 보급할 수 있게 한 발명은 무엇인지 쓰시오.
( )

정답 인쇄술

04 세계 최초의 금속 활자로 인쇄된 책은 팔만대장경이다.
( ○ , × )

정답 ×

05 전류를 이용하여 모스 부호를 전달하게 한 발명은 무엇인지 쓰시오.
( )

정답 유선 전신기

06 정보를 빛의 형태로 변환하여 통신하는 방법을 무엇이라 하는지 쓰시오.
( )

정답 광 통신

07 오늘날 정보 통신 기술은 ( )와/과 ( ), 통신 기술의 발달로 하루가 다르게 발달하고 있다.

정답 컴퓨터, 인터넷

# 이해 문제

**01** 정보 통신 기술의 특성에 대한 설명이 옳은 것은?

① 정보의 저장 기간이 짧다.
② 정확한 정보를 전달하기 어렵다.
③ 정보를 신속하게 전달하기 어렵다.
④ 정보를 여러 사람과 공유하기 어렵다.
⑤ 정보 통신 매체는 서로 연결되어 있다.

**02** 정보 통신 기술의 영향에 대한 설명으로 옳은 것은?

① 개인 생활이 불편해졌다.
② 일 처리의 효율성이 높아졌다.
③ 공간에 대한 한계가 더 커졌다.
④ 시간에 대한 제약이 증가되었다.
⑤ 문화 분야에서는 영향을 끼치지 못했다.

**03** 다음에서 설명하는 정보 통신 기술에 영향을 받은 분야는?

> 회사에 나가지 않고 집에서 업무를 처리할 수 있는 재택근무가 가능해지고, 공장 자동화를 통해 다양한 수요에 보다 적절하게 대응할 수 있는 생산 체계가 이루어졌다.

① 교육 분야　　② 교통 분야
③ 문화 분야　　④ 산업 분야
⑤ 행정 분야

**04** 인류 최초의 의사소통 방법은?

① 라디오　　② 인쇄기
③ 전화기　　④ 상형 문자
⑤ 소리나 몸짓

**05** 다음에서 설명하는 인쇄물은?

> • 금속 활자로 인쇄된 세계 최초의 책
> • 2001년 유네스코 세계 기록 유산으로 지정

① 성경　　② 불경
③ 훈민정음　　④ 팔만대장경
⑤ 직지심체요절

**06** 다음에서 (ㄱ), (ㄴ)에 들어갈 용어는?

> (　ㄱ　)의 발명으로 전류를 이용하여 모스 부호를 전달할 수 있게 되었고, (　ㄴ　)의 발명으로 전파를 음성으로 변환하여 정보를 멀리까지 전달할 수 있게 되었다.

| | (ㄱ) | (ㄴ) |
|---|---|---|
| ① | 전화기 | 무선 전신기 |
| ② | 전화기 | 유선 전신기 |
| ③ | 무선 전신기 | 전화기 |
| ④ | 무전 전신기 | 유선 전신기 |
| ⑤ | 유선 전신기 | 라디오 |

**07** 다음에서 (ㄱ), (ㄴ)에 들어갈 용어는?

> 라디오와 텔레비전의 발명으로 여러 지역의 많은 사람들에게 소식을 빠르게 전달할 수 있었다.
> 라디오는 전파를 (　　　)로/으로 변환하고, 텔레비전은 전파를 이용하여 (　　　)을/를 동시에 멀리까지 전달할 수 있게 해 주었다.

| | (ㄱ) | (ㄴ) |
|---|---|---|
| ① | 음성 | 영상 |
| ② | 음성 | 음성과 영상 |
| ③ | 영상 | 음성과 영상, 데이터 |
| ④ | 영상 | 음성 |
| ⑤ | 영상 | 음성과 데이터 |

**08** **통신 위성을 이용하여 통신 기지국 간에 전파를 전달함으로써 지구상 모든 곳에 통신이 가능한 통신 기술은?**

① 라디오　　② 텔레비전
③ 팩시밀리　　④ 위성 통신
⑤ 유선 전신기

**09** **다음에서 (ㄱ), (ㄴ)에 들어갈 용어는?**

> 스마트폰은 ( ㄱ )에 ( ㄴ ) 기능을 추가한 기기로, 사용자가 원하는 애플리케이션을 설치하여 사용할 수 있다.

| | (ㄱ) | (ㄴ) |
|---|---|---|
| ① | 라디오 | 컴퓨터 |
| ② | 라디오 | 휴대 전화 |
| ③ | 컴퓨터 | 전신기 |
| ④ | 컴퓨터 | 라디오 |
| ⑤ | 휴대 전화 | 컴퓨터 |

**10** **정보 통신 처리 속도가 가장 빠르고 정확한 통신 기기는?**

① 인쇄기　　② 라디오
③ 광 통신　　④ 텔레비전
⑤ 무선 전신기

**11** **정보 통신 기술의 발달 과정에 대한 설명으로 옳지 않은 것은?**

① 지구 상 모든 곳에서 통신이 가능하다.
② 여러 가지 기술이 융합되어 발달하고 있다.
③ 정보 통신 기기들의 발전 속도가 짧아지고 있다.
④ 무선 정보 통신 기술의 발전 속도가 빨라지고 있다.
⑤ 컴퓨터는 아날로그 신호를 이용하여 정보를 처리한다.

**12** **다음에서 설명하는 암호를 무엇이라 하는지 쓰시오.**

> 미국의 발명가가 고안한 것으로, 점과 선을 배합하여 문자, 기호를 나타내는 전신 부호이다.

(　　　　　　　　　　)

**13** **현대 정보 통신 기술의 특징에 대한 설명으로 옳은 것은?**

① 빅 데이터의 활용이 감소한다.
② SNS 사용으로 정보의 공유가 줄어든다.
③ 무선망보다 유선망 사용이 더욱 늘어난다.
④ 정보의 처리 및 전송 속도가 더욱 느려진다.
⑤ 언제 어디서나 인터넷에 쉽게 접근 가능하다.

**14** **다음에서 설명하고 있는 기술은?**

> 사용자가 눈으로 보는 현실 세계에 가상 물체를 겹쳐 보여 주는 기술

① GPS　　② 가상 현실
③ 증강 현실　　④ 빅 데이터
⑤ 사물 인터넷

# 적용 문제

[01~02] 〈보기〉는 정보 통신 기술의 특성들이다. 물음에 답하시오.

보기
ㄱ. 정보의 공유　　ㄴ. 정보의 저장과 보존
ㄷ. 정보의 신속한 전달　　ㄹ. 정보의 정확한 전달
ㅁ. 정보 통신 매체의 연결

**01** 다음 사례에 해당하는 정보 통신 기술의 특성을 〈보기〉에서 고르면?

온 국민이 동계 올림픽-컬링 경기를 보면서 응원을 한다. 특히, 자신이 좋아하는 선수를 SNS를 통해 릴레이 응원을 한다.

① ㄱ　② ㄴ　③ ㄷ　④ ㄹ　⑤ ㅁ

**02** 다음 사례에 해당하는 정보 통신 기술의 특성을 〈보기〉에서 고르면?

작년 여름방학 때 가족들과 제주도에서 함께 찍은 사진을 보며 가족과의 추억을 떠올렸다.

① ㄱ　② ㄴ　③ ㄷ　④ ㄹ　⑤ ㅁ

**03** 다음에서 설명하는 있는 정보 통신 기술의 영향을 받은 분야는?

- 철수는 주민자치센터에 가지 않고 무인 민원 발급기 및 '정부민원포털 민원24'를 통해 집에서도 각종 민원 서류를 쉽게 발급받았다.
- 영희는 청와대 국민청원 홈페이지에 정부 정책에 대한 의견을 제시하였다.

① 교육 분야　② 교통 분야
③ 문화 분야　④ 산업 분야
⑤ 행정 분야

**04** 전기 통신 이전의 정보 통신 기술에 대한 설명으로 옳지 않은 것은?

① 독일의 구텐베르크는 인쇄기를 발명하였다.
② 고대 이집트에서는 상형 문자를 사용하였다.
③ 세계 최초로 금속 활자로 인쇄된 책은 직지심체요절이다.
④ 금속 활자를 이용한 인쇄가 목판 인쇄보다 먼저 사용되었다.
⑤ 초기의 인류는 소리나 몸짓을 이용하여 의사소통을 하였다.

[05~07] 〈보기〉는 정보 통신 기술 관련 발명들이다. 물음에 답하시오.

보기
ㄱ. 라디오　　ㄴ. 인쇄기
ㄷ. 전화기　　ㄹ. 무선 전신기
ㅁ. 유선 전신기

중요

**05** 다음에서 설명하는 발명을 〈보기〉에서 고른 것은?

- 정보나 지식의 효율적으로 보존
- 문서를 대량으로 빠르게 보급

① ㄱ　② ㄴ　③ ㄷ　④ ㄹ　⑤ ㅁ

중요

**06** 〈보기〉의 발명들을 발달 순서대로 바르게 나열한 것은?

① ㄴ → ㄹ → ㅁ → ㄷ → ㄱ
② ㄴ → ㅁ → ㄷ → ㄱ → ㄹ
③ ㄴ → ㅁ → ㄷ → ㄹ → ㄱ
④ ㅁ → ㄴ → ㄱ → ㄹ → ㄷ
⑤ ㅁ → ㄹ → ㄷ → ㄱ → ㄴ

**07** 〈보기〉에서 전기 통신 이전에 발명된 것을 고르면?

① ㄱ　② ㄴ　③ ㄷ　④ ㄹ　⑤ ㅁ

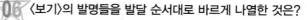

**08** 전기 통신 이전의 정보 통신 기술에 대한 설명으로 옳지 않은 것은?

① 유선 전신기는 모스 부호를 이용해서 통신하였다.
② 위성 통신은 휴대 전화의 발달에 영향을 끼쳤다.
③ 컴퓨터의 발명으로 빠른 정보 처리가 가능해졌다.
④ 라디오는 영상을 멀리까지 전달할 수 있게 되었다.
⑤ 전신기의 발명으로 전기 통신이 사용되기 시작하였다.

**[09~11]** 〈보기〉는 정보 통신 기술 관련 발명들이다. 물음에 답하시오.

| 보기 | |
|---|---|
| ㄱ. 광 통신 | ㄴ. 텔레비전 |
| ㄷ. 위성 통신 | ㄹ. 휴대 전화 |
| ㅁ. 컴퓨터(애니악) | |

**09** 다음에서 설명하는 발명을 〈보기〉에서 고른 것은?

> • 지구 상 모든 곳에 통신을 가능하게 하였다.
> • 무선 통신의 발달에 큰 영향을 끼쳤다.

① ㄱ ② ㄴ ③ ㄷ ④ ㄹ ⑤ ㅁ

**10** 다음에서 설명하는 발명을 〈보기〉에서 고른 것은?

> • 프로그램을 통하여 정보를 빠르고 정확하게 처리하게 되었다.
> • 처음으로 디지털 신호를 이용하여 정보를 처리하였다.

① ㄱ ② ㄴ ③ ㄷ ④ ㄹ ⑤ ㅁ

중요

**11** 〈보기〉의 발명들을 발달 순서대로 바르게 나열한 것은?

① ㄴ → ㄷ → ㅁ → ㄱ → ㄹ
② ㄴ → ㅁ → ㄷ → ㄱ → ㄹ
③ ㄴ → ㅁ → ㄷ → ㄹ → ㄱ
④ ㅁ → ㄴ → ㄱ → ㄹ → ㄷ
⑤ ㅁ → ㄹ → ㄷ → ㄱ → ㄴ

**12** 다음에서 설명하는 분야에 적용되는 정보 통신 기술은?

> 사이버 박물관이나 미술관 등을 직접 가지 않고도 생생한 현장을 접할 수 있게 되었다.

① GPS ② SNS
③ 가상 현실 ④ 블루투스
⑤ 빅 데이터

중요
**13** 다음 사례에 해당하는 현대 정보 통신 기술의 특징은?

> 스키장 정상에서 스마트폰을 활용하여 날씨를 확인하였다.

① 정보의 공유 확대
② 증강 현실 상용화
③ 사물 인터넷의 현실화
④ 빅 데이터의 활용 증가
⑤ 어디서나 인터넷 접근 가능

**14** 다음에서 공통적으로 사용되는 기술은?

> • 손에 쥔 포크가 내 식습관을 파악한다.
> • 집에 설치된 센서가 서로 통신하여 집 안의 온도, 습도, 가전제품 보안 등을 관리한다.
> • 아기의 건강에 이상이 생길 경우, 아이에게 장착된 센서가 이것을 감지하여 출근한 부모의 스마트폰으로 실시간 정보를 보낸다.

① GPS ② 가상 현실
③ 증강 현실 ④ 빅 데이터
⑤ 사물 인터넷

## 1. 통신 매체의 종류와 특징

① **통신 매체:** 인간과 인간 간에 정보, 생각, 감정 등을 전달하는 수단이나 도구

② **통신 매체의 종류와 특성**

㉠ 음성 통신 매체
- 음성은 목소리, 자연의 소리, 음악 등 소리로 정보를 표현하는 수단
- 소리 형태이므로 낮은 비용으로 정보 제공이 가능하다. 예) 전화기, 라디오

㉡ 문자 통신 매체
- 문자는 정보를 표현하는 가장 기본적인 수단
- 적은 용량으로 많은 내용을 전달할 수 있어 효율적이며, 의미를 정확하게 전달할 수 있다. 예) 종이 책, 종이 신문

㉢ 동영상 통신 매체
- 동영상은 움직이는 영상 형태로 정보를 표현하는 수단
- 사물의 움직임과 소리를 실시간으로 전달하기 때문에 정보 전달 효과가 매우 뛰어나다. 예) 텔레비전

㉣ 그래픽 통신 매체
- 그래픽은 시각적으로 정보를 표현하는 수단
- 전달하고자 하는 사물이나 장면 등의 정보를 있는 그대로 표현할 수 있다. 예) 팩시밀리, 카메라

㉤ 뉴 미디어(새 매체)
- 인터넷과 정보 통신 기술의 발달로 기존의 통신 매체가 새로운 형태로 발달한 것이다.
- 기존의 통신 매체와 전혀 다른 것은 아니며, 통신 매체의 형태가 변하고 발전한 것이라 할 수 있다.

예) 전화기 → 인터넷 전화, 라디오 → 인터넷 라디오
종이 책 → 전자책, 종이 신문 → 전자 신문
텔레비전 → IPTV
팩시밀리 → 전자 우편, 카메라 → 디지털카메라

③ **스마트폰**

㉠ 다양한 형태의 정보를 주고받을 수 있다.
㉡ 문자 통신, 음성 통신, 동영상 통신, 그래픽 통신 등 모든 통신 매체 기능을 가지고 있다.
㉢ 응용 프로그램을 설치하면 생활을 편리하게 해 주는 다양한 정보 통신 서비스를 이용할 수 있다.

## 2. 통신 매체의 활용

① **인터넷**

스마트폰으로 무선 인터넷에 접속하여 쇼핑이나 정보 검색, 은행 업무, 게임, 애플리케이션 설치 가능

② **SNS**

트위터, 페이스북 등이 있으며, 스마트폰의 보급으로 시장이 활성화되면서 유명 인사나 다양한 분야의 사람들과도 정보를 나눌 수 있다.

③ **내비게이션**

스마트폰의 기능 중 하나로 위치 정보를 알아내는 것이다. GPS를 활용한 기능으로 차량용 내비게이션이 가능하고, 일반 도보 또는 자전거용 위치 정보도 가능하다.

④ **콘텐츠**

사진을 찍어 바로 트위터나 인스타그램 등으로 전송하여 실시간으로 사람들의 반응을 볼 수 있고, 대답도 가능하여 실시간 콘텐츠 제작이 가능하다.

※ 컴퓨터와 스마트폰의 구조 비교

- 컴퓨터 구조
  - 입력 장치: 데이터를 입력하는 장치이다. 예) 마우스, 키보드, 스캐너, 마이크 등
  - 출력 장치: 컴퓨터가 처리한 결과물을 나타내는 장치이다. 예) 모니터, 프린트, 스피커 등
  - 중앙 처리 장치(CPU): 데이터를 처리하는 장치로 인간의 두뇌에 해당한다.
  - 기억 장치: 컴퓨터의 프로그램과 데이터를 저장하는 장치이다. 예) RAM, ROM, HDD 등
  - 통신 장치: 컴퓨터 간의 데이터를 주고받는 전송 장치이다.
- 스마트폰 구조
  - 입력 장치: 센서, 카메라, 마이크
  - 출력 장치: 화면, 스피커
  - 중앙 처리 장치(CPU): 듀얼코어 칩
  - 기억 장치: 내장 메모리, 외장 메모리 칩
  - 통신 장치: 블루투스, 와이파이, 이동 통신망을 이용한 모뎀 칩, NFC 칩

## 기초 문제

**01** 인간과 인간 간에 정보, 생각, 감정 등을 전달하는 수단이나 도구를 무엇이라고 하는지 쓰시오.

( )

정답 통신 매체

**02** 음성 통신 매체가 낮은 비용으로 정보를 전달할 수 있는 이유를 쓰시오.

( )

정답 소리 형태이기 때문에

**03** 인터넷과 정보 통신 기술의 발달로 기존의 통신 매체가 새로운 형태로 발달한 것을 무엇이라고 하는지 쓰시오.

( )

정답 뉴 미디어(새 매체)

**04** 그래픽 통신 매체인 카메라가 뉴 미디어에서는 어떤 전자 기기로 발전했는지 쓰시오.

( )

정답 디지털카메라

**05** 스마트폰은 문자 통신, 음성 통신, 동영상 통신, 그래픽 통신 등 모든 기능을 할 수 있다.

( ○ , × )

정답 ○

**06** 다음에서 설명하는 장치는 무엇인지 쓰시오.

| 컴퓨터 간의 데이터를 주고받는 전송 장치 |
|---|

( )

정답 통신 장치

**07** 스마트폰의 안에 있는 센서 부품은 데이터를 저장하는 장치이다.

( ○ , × )

정답 ×

## 이해 문제

정답과 해설 **9쪽**

**01** 다음에서 설명하는 통신 매체는?

> • 목소리, 자연의 소리, 음악 등 소리로 정보를 표현하는 수단이다.
> • 소리 형태이므로 낮은 비용으로 정보 제공이 가능하다.

① 뉴 미디어 ② 문자 통신 매체
③ 음성 통신 매체 ④ 그래픽 통신 매체
⑤ 동영상 통신 매체

**02** 다음에서 설명하는 통신 기기끼리만 묶은 것은?

> • 정보를 표현하는 가장 기본적인 수단이다.
> • 적은 용량으로 많은 내용을 전달할 수 있어 효율적이다.
> • 의미를 정확하게 전달할 수 있다.

① 전화기, 라디오 ② 전화기, 종이 신문
③ 종이 책, 종이 신문 ④ 라디오, 텔레비전
⑤ 텔레비전, 팩시밀리

**03** 동영상 통신 매체의 정보 전달 효과가 뛰어난 이유를 쓰시오.

( )

**04** 그래픽 통신 매체인 팩시밀리가 뉴 미디어로 발전된 전자 기기는?

① 전자책 ② IPTV
③ 전자 우편 ④ 디지털카메라
⑤ 인터넷 라디오

**05** 다음에서 설명하는 통신 매체는?

> 인터넷과 정보 통신 기술의 발달로 기존의 통신 매체가 새로운 형태로 발달한 통신 매체

① 뉴 미디어 ② 문자 통신 매체
③ 음성 통신 매체 ④ 그래픽 통신 매체
⑤ 동영상 통신 매체

**06** 뉴 미디어의 설명으로 옳지 <u>않은</u> 것은?

① 새 매체라고 표현되기도 한다.
② 예로는 전자책, 전자 신문이 있다.
③ 스마트폰에서 서로 주고받을 수 있다.
④ 기존의 통신 매체와 전혀 다른 것이다.
⑤ 인터넷의 발달로 생겨난 통신 매체이다.

**07** 다음에서 설명하는 컴퓨터 장치는?

> • 데이터를 처리하는 장치이다.
> • 인간의 두뇌에 해당한다.

① 기억 장치 ② 입력 장치
③ 출력 장치 ④ 통신 장치
⑤ 중앙 처리 장치

**08** 컴퓨터의 출력 장치끼리 묶은 것은?

① 본체, 스피커 ② 키보드, 마우스
③ 모니터, 스피커 ④ 모니터, 마우스
⑤ 키보드, 모니터

# 적용 문제

정답과 해설 **9**쪽

중요

**01** 통신 매체에 대한 설명으로 옳은 것은?

① 뉴 미디어는 처음으로 나온 통신 매체이다.
② 정보, 생각, 감정 등을 전달하는 수단이나 도구이다.
③ 그래픽 통신 매체가 문자 통신 매체보다 차지하는 용량이 적다.
④ 스마트폰은 문자, 음성, 동영상, 그래픽 등 모든 기능을 할 수 없다.
⑤ 동영상 통신 매체가 음성 통신 매체보다 정보 전달 효과가 떨어진다.

**[02~03] 다음은 통신 매체에 대한 설명이다. 물음에 답하시오.**

> • ( ㄱ )은/는 소리 형태이므로 낮은 비용으로 정보 제공이 가능하다.
> • ( ㄴ )은/는 인터넷과 정보 통신 기술의 발달로 기존의 통신 매체가 새로운 형태로 발달된 형태이다.

중요

**02** (ㄱ)에 속하는 통신 매체 기기는?

① 전화기 ② 카메라
③ 텔레비전 ④ 팩시밀리
⑤ 전자 신문

중요

**03** (ㄴ)에 해당하지 <u>않는</u> 통신 매체 기기는?

① 전자책 ② IPTV
③ 팩시밀리 ④ 디지털카메라
⑤ 인터넷 라디오

**04** 데이터를 입력하는 컴퓨터 장치를 〈보기〉에서 모두 고른 것은?

> 보기
> ㄱ. 본체 ㄴ. 마우스
> ㄷ. 모니터 ㄹ. 스피커
> ㅁ. 키보드

① ㄱ, ㄴ ② ㄴ, ㄷ
③ ㄴ, ㅁ ④ ㄷ, ㄹ
⑤ ㄹ, ㅁ

**05** 스마트폰에 대한 설명으로 옳지 <u>않은</u> 것은?

① 음성 및 영상 통화가 가능하다.
② 응용 프로그램을 간단히 설치할 수 있다.
③ 다양한 형태의 정보를 주고받을 수 있다.
④ 블루투스를 통해 장거리 통신을 할 수 있다.
⑤ 스마트폰을 통해 SNS 업로드를 할 수 있다.

**[06~08] 〈보기〉는 스마트폰 부품들이다. 물음에 답하시오.**

> 보기
> ㄱ. 센서 ㄴ. 화면
> ㄷ. 스피커 ㄹ. 블루투스
> ㅁ. 내장 메모리

**06** 〈보기〉에서 데이터를 입력하는 장치는?

① ㄱ ② ㄴ ③ ㄷ ④ ㄹ ⑤ ㅁ

**07** 〈보기〉의 부품들을 같은 성격끼리 묶은 것은?

① ㄱ, ㄴ ② ㄱ, ㄹ
③ ㄴ, ㄷ ④ ㄴ, ㅁ
⑤ ㄹ, ㅁ

**08** 〈보기〉에서 기억 장치인 스마트폰 부품은?

① ㄱ ② ㄴ ③ ㄷ ④ ㄹ ⑤ ㅁ

## 1. 스마트폰으로 학교 소개 동영상 만들기

**① 문제 확인하기**

㉠ 과제명: 스마트폰으로 학교 소개 동영상 만들기

㉡ 제한 사항

- 스마트폰을 사용하여 동영상을 만든다.
- 재생 시간은 3분 이내이다.
- 선생님 한 분의 인터뷰가 들어가야 한다.
- 자신의 모습이 들어가야 한다.

**② 아이디어 창출하기**

스마트폰으로 학교 소개 동영상을 만들기 위해 관련 정보를 수집하고, 창의적인 아이디어를 구상해 본다.

㉠ 정보 수집

- 문자: 스마트폰의 문자 전송 기능을 이용하여 텍스트를 공유할 수 있다.
- 사진: 스마트폰의 카메라 촬영 기능을 이용하여 사진 및 그림을 공유할 수 있다.
- 음성: 스마트폰의 녹음 기능을 이용하여 음성을 공유할 수 있다.
- 동영상: 스마트폰의 동영상 촬영 및 편집 기능을 이용하여 동영상을 공유할 수 있다.

㉡ 창의적 아이디어 구상

수집한 정보를 바탕으로 다양하고 창의적인 아이디어를 구상해 본다.

**③ 아이디어 구체화하기**

선정된 아이디어에 대한 스토리 보드를 작성한다.

**④ 실행하기**

스마트폰의 동영상 응용 프로그램으로 '학교 소개 동영상'을 만든다.

㉠ 동영상 편집 응용 프로그램을 실행한다.

㉡ 동영상 테마를 고른다.

㉢ 내가 촬영한 동영상 및 사진과 어울리는 배경 음악을 선택한다.

㉣ 선택한 동영상, 사진, 배경 음악을 편집하고, 텍스트도 추가한다.

㉤ 편집이 끝나면 동영상이 잘 만들어졌는지 확인한다.

㉥ 완료된 동영상을 저장한다.

**⑤ 평가하기**

스스로 평가를 하거나 친구와 완성품에 대한 평가를 한다.

## 2. 빔 프로젝터 만들기

**① 문제 확인하기**

㉠ 과제명: 빔 프로젝터 만들기

㉡ 제한 사항

- 우드락과 돋보기, 핀을 사용한다. 단, 우드락 이외의 재료도 가능하다.
- 렌즈의 초점 거리를 고려하여 최대한 선명한 화질이 나와야 한다.

**② 아이디어 창출하기**

빔 프로젝터를 만들기 위해 관련 정보를 수집하고, 창의적인 아이디어를 구상해 본다.

㉠ 정보 수집

㉡ 창의적 아이디어 구상

수집한 정보를 바탕으로 다양하고 창의적인 아이디어를 구상해 본다.

**③ 아이디어 구체화하기**

선정된 아이디어를 스케치해 본다.

**④ 실행하기**

㉠ 준비물: 우드락, 핀, 돋보기, 셀로판테이프, 자, 칼

㉡ 만들기

- 설계한 대로 우드락에 선을 긋고 자른다.
- 돋보기를 사용하여 원을 그린 후 자른다.
- 우드락에 돋보기를 끼운다.
- 핀을 사용하여 우드락을 조립한다.
- 우드락 조각과 핀을 사용하여 스마트폰 받침대를 만든다.
- 핀을 사용하여 뚜껑이 열리도록 조립한다.
- 완성: 스마트폰을 넣고 학교 소개 동영상을 재생한다.

**⑤ 평가하기**

스스로 평가를 하거나 친구와 완성품에 대한 평가를 한다.

# 기초 문제

**01** '스마트폰으로 학교 소개 동영상 만들기'의 아이디어 창출하기 단계에서 스마트폰의 문자 전송 기능을 이용하여 텍스트를 공유할 수 없다.

( ○ , × )

정답 ×

**02** '스마트폰으로 학교 소개 동영상 만들기' 제작 중 아이디어 창출하기 단계에서는 (　　　) 와/과 창의적 아이디어 구상을 한다.

정답 정보 수집

**03** '스마트폰으로 학교 소개 동영상 만들기' 제작 중 아이디어 구체화하기 단계에서 작성하는 것은 무엇인지 쓰시오.

(　　　　　　　　　　　)

정답 스토리 보드

**04** '빔 프로젝터 만들기' 제작 중 아이디어 구체화하기 단계에서는 선정한 아이디어를 (　　　)하여 구체화한다.

정답 스케치

**05** '빔 프로젝터 만들기'에 사용되는 재료인 돋보기의 역할은 무엇인지 쓰시오.

(　　　　　　　　　　　)

정답 스마트폰의 화면을 확대시켜 준다.

**06** 친구들이 제작한 '학교 소개 동영상'은 스마트폰을 통해 공유할 수 있다.

( ○ , × )

정답 ○

**07** 정보 통신 기술의 창의적 문제 해결 과정에서 다음에 해당하는 단계는 무엇인지 쓰시오.

> 스스로 평가를 하거나 친구와 완성품에 대한 평가를 한다. 평가를 거치면서 다양한 내용의 영상과 보완된 빔 프로젝터를 만드는 방법을 생각해 본다.

(　　　　　　　　　　　)

정답 평가하기

## 이해 문제

정답과 해설 10쪽

**01** '스마트폰으로 학교 소개 동영상 만들기'에서 텍스트를 공유하기 위해서 사용되는 스마트폰의 기능은?

① 녹음 기능 ② 문자 전송 기능
③ 음악 재생 기능 ④ 카메라 촬영 기능
⑤ 동영상 촬영 기능

**02** '학교 소개 동영상 만들기'에서 스토리 보드를 작성하는 단계는?

① 실행하기 ② 평가하기
③ 문제 확인하기 ④ 아이디어 창출하기
⑤ 아이디어 구체화하기

**03** 스토리 보드의 서론 부분에 들어가지 <u>않는</u> 내용은?

① 제목 ② 느낀 점
③ 만든 이 ④ 재생 시간
⑤ 제작 날짜

**04** 다음과 같은 활동이 이루어지는 단계는?

> • 자기 평가 • 동료 평가 • 제품 평가

① 실행하기 ② 평가하기
③ 문제 확인하기 ④ 아이디어 창출하기
⑤ 아이디어 구체화하기

**05** 스마트폰으로 '학교 소개 동영상 만들기'에서 스마트폰의 동영상 응용 프로그램을 실행 후 가장 먼저 하는 것은 무엇인가?

① 동영상 테마를 선택한다.
② 동영상에 추가할 텍스트를 추가한다.
③ 동영상에 사용할 특수 효과를 선택한다.
④ 자신이 촬영한 동영상과 사진을 선택한다.
⑤ 동영상에 어울리는 배경 음악을 선택한다.

**06** 다음과 같이 과제명과 제한 사항이 제시되는 단계는?

> • 과제명: 빔 프로젝터 만들기
> • 제한 사항
>   – 우드락과 돋보기, 핀을 사용한다. 단, 우드락 이외의 재료도 가능하다.
>   – 렌즈의 초점 거리를 고려하여 최대한 선명한 화질이 나와야 한다.

① 실행하기 ② 평가하기
③ 문제 확인하기 ④ 아이디어 창출하기
⑤ 아이디어 구체화하기

**07** '빔 프로젝터 만들기'의 준비물에 해당하지 <u>않은</u> 것은?

① 자 ② 핀
③ 우드락 ④ 오목 렌즈
⑤ 셀로판테이프

**08** '빔 프로젝터 만들기'를 할 때 주의할 점이 <u>아닌</u> 것은?

① 받침대를 스마트폰 화면의 가운데 고정시킨다.
② 칼을 사용할 때에는 손을 베이지 않도록 주의한다.
③ 핀을 사용할 때에는 손을 찔리지 않도록 주의한다.
④ 돋보기가 떨어지지 않도록 셀로판테이프로 고정한다.
⑤ 스마트폰을 움직여 영상이 가장 잘 보이는 위치를 찾는다.

## 적용 문제

정답과 해설 10쪽

[01~02] 〈보기〉는 정보 통신 기술의 창의적 문제 해결 과정이다. 물음에 답하시오.

보기
ㄱ. 실행하기　ㄴ. 평가하기
ㄷ. 문제 확인하기　ㄹ. 아이디어 창출하기
ㅁ. 아이디어 구체화하기

중요

**01** '스마트폰으로 학교 소개 동영상 만들기' 활동이 이루어지는 순서를 바르게 연결한 것은?

① ㄱ → ㄹ → ㅁ → ㄴ → ㄷ
② ㄱ → ㅁ → ㄴ → ㄷ → ㄹ
③ ㄷ → ㄹ → ㅁ → ㄱ → ㄴ
④ ㄷ → ㅁ → ㄹ → ㄱ → ㄴ
⑤ ㄷ → ㅁ → ㄹ → ㄴ → ㄱ

**02** 〈보기〉는 '스마트폰으로 학교 소개 동영상 만들기' 과정에서 이루어진 친구 간의 대화이다. 〈보기〉에 해당하는 단계는?

보기
철수: 우리 학교를 친구들에게 소개하고 싶은데 어떤 주제로 소개하는 것이 좋을까?
영미: 등교하고 하교할 때까지의 친구들의 학교생활을 표현하면 어떨까?
진영: 그래! 친구들의 다양한 학교생활을 담을 수 있을 거야!
길동: 친구들과 내용을 공유하기 위해서는 어떤 매체가 가장 효과적일까?
효미: 동영상을 찍는 것은 어떨까?

① ㄱ　② ㄴ　③ ㄷ
④ ㄹ　⑤ ㅁ

**03** '스마트폰으로 학교 소개 동영상 만들기'를 할 때 학생들에게 사용되는 스마트폰 응용 프로그램은?

① 일정 활용 프로그램
② 문서 편집 프로그램
③ 음악 실행 프로그램
④ 동영상 응용 프로그램
⑤ 프리젠테이션 응용 프로그램

[04~05] 〈보기〉는 '빔 프로젝터 만들기' 과정이다. 물음에 답하시오.

보기
ㄱ. 완성품은 스스로 또는 친구와 함께 평가한다.
ㄴ. 선정한 아이디어를 스케치하여 구체화한다.
ㄷ. 필요한 재료와 공구를 준비하여 '빔 프로젝터'를 만든다.
ㄹ. 빔 프로젝터 만들기의 제한 사항을 통해 주어진 문제를 확인한다.
ㅁ. 빔 프로젝터를 만들기 위한 관련 정보를 수집하고, 창의적인 아이디어를 구상한다.

**04** '빔 프로젝터 만들기' 활동이 이루어지는 순서를 바르게 연결한 것은?

① ㄴ → ㄷ → ㅁ → ㄹ → ㄱ
② ㄴ → ㄱ → ㅁ → ㄹ → ㄷ
③ ㄹ → ㅁ → ㄷ → ㄱ → ㄴ
④ ㄹ → ㅁ → ㄴ → ㄷ → ㄱ
⑤ ㄹ → ㄴ → ㄷ → ㅁ → ㄱ

**05** '빔 프로젝터 만들기'에서 아이디어 창출하기 단계에 이루어지는 활동은?

① ㄱ　② ㄴ　③ ㄷ
④ ㄹ　⑤ ㅁ

**06** '빔 프로젝터 만들기'에서 동료 평가에 해당하는 평가 항목은?

① 빔 프로젝터의 영상은 선명한가?
② 빔 프로젝터의 완성도가 뛰어난가?
③ 빔 프로젝터의 디자인은 아름다운가?
④ 빔 프로젝터의 원리를 이해하였는가?
⑤ 창의적인 디자인 아이디어를 낸 동료는 누구인가?

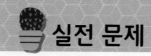

[01~02] 〈보기〉는 정보 기술 시스템을 나타낸 것이다. 다음 물음에 바르게 답하시오.

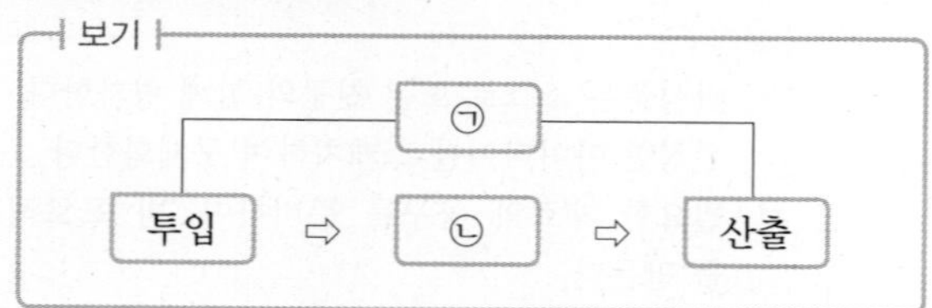


자주 출제되는 문제

**01** ㉠에 들어갈 단계에 대한 설명으로 적절한 것은?

① 정보를 완성하는 단계이다
② 자본과 인력 등을 투입하는 단계이다.
③ 문제가 발견되면 이를 해결하는 단계이다.
④ 각종 기기를 통해 자료를 수집하는 단계이다.
⑤ 소프트웨어를 통해 정보를 가공하는 단계이다.

**02** ㉡ 단계에 속하는 세부 요소로 적절한 것은?

① 자본　② 인력
③ 자료　④ 자료 가공
⑤ 하드웨어와 소프트웨어

**03** 〈보기〉는 라디오 방송 통신 과정에 관한 내용이다. 라디오 방송 통신 과정이 이루어지는 순서를 바르게 나열한 것은?

보기
가. 스피커　나. 마이크로폰
다. 수신 안테나　라. 송신 안테나

① 가 → 나 → 다 → 라　② 나 → 가 → 다 → 라
③ 가 → 라 → 다 → 나　④ 나 → 라 → 다 → 가
⑤ 라 → 나 → 다 → 가

자주 출제되는 문제

**04** 정보 통신 과정에 이용되는 통신 수단이 적절하게 연결된 것은?

① 음성 통신 과정 – 팩시밀리
② 영상 통신 과정 – 라디오
③ 이미지 통신 과정 – 전화기
④ 비디오 통신 과정 – 신문
⑤ 데이터 통신 과정 – 컴퓨터

**05** 다음에서 설명하고 있는 정보 통신 기기는?

모스 부호를 전기 신호로 변환하여 송신하고, 이를 수신하여 다시 모스 부호로 변환한다.

① 전화기　② 라디오
③ 인쇄기　④ 전신기
⑤ 펙시밀리

**06** 전선을 연결하지 않고도 장거리 통신이 가능한 무선 전신기를 최초로 발명한 사람은?

① 벨　② 모스
③ 마르코니　④ 구텐베르크
⑤ 제임스 와트

**07** 멀리 떨어진 지역 간에 빠르고 정확하게 정보를 전달할 수 있는 가장 적절한 정보 통신은?

① 몸짓　② 소리
③ 봉화　④ 전화기
⑤ 인쇄술

**08** 언제 어디서나 네트워크에 접속할 수 있는 네트워크 환경은?

① 펙시밀리 ② 텔레비전
③ 무선 전신기 ④ 유선 전신기
⑤ 유비쿼터스

**09** 인터넷과 정보 통신 기술의 발달로 기존의 통신 매체가 새로운 형태로 발달된 것은?

① 뉴 미디어 ② 통신 매체
③ 이동 통신 ④ 전자 우편
⑤ 유비쿼터스

**10** 학교 소개 자료를 작성하여 학생들에게 발표할 때 이용되는 것은?

① 워드
② 스프레드 시트
③ 그래픽 편집 프로그램
④ 동영상 편집 프로그램
⑤ 프레젠테이션 프로그램

## 서술형 문제

**11** 정보 기술 시스템의 정보 전달 과정을 서술하시오.

**12** 날씨 예측에 이용되는 정보 기술 시스템을 서술하시오.

**13** 정보 통신 기술의 특성을 쓰시오.

**14** 주변에서 사물 인터넷이 이용되는 사례를 쓰시오.

**15** SNS는 정보 통신 과정이 어떻게 이용되는지 서술하시오.

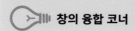

▶ 사진은 고려 후기(1377년)에 만들어진 직지심체요절과 독일의 구텐베르크의 인쇄기(1450년)이다. 다음 물음에 답해 보자.

직지심체요절

독일의 구텐베르크 인쇄기

1. '독일의 구텐베르크 인쇄기'보다 78년 앞서 우리나라가 제작한 직지심체요절이 인류사에 의미 있는 성과를 내지 못한 이유를 기술적 관점에서 이야기해 보자.

2. 독일의 구텐베르크 인쇄기 발명을 통한 인쇄술 발달이 유럽 역사에 끼친 영향에 대해 이야기해 보자.

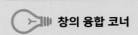

▶ 사진은 종이 책과 전자책이다. 다음 물음에 답해 보자.

종이 책　　　　전자책

1. 종이 책과 전자책은 어떤 통신 매체의 종류인지 이야기해 보자.

2. 전자책은 종이 책에 비해 어떤 장점과 단점을 가지고 있는지 이야기해 보자.

3. 전자책이 종이 책에 비해 가지는 단점을 극복하기 위한 기술적 해결 방안을 제시해 보자.

# 삶을 창조하는 기술

## 이 단원의 성취 기준과 학습 요소

| 섹션 | 성취 기준 | 학습 요소 |
|---|---|---|
| 1. 생명 기술 시스템 | 생명 기술 시스템의 각 단계별 세부 요소 및 생명 기술의 활용 분야를 이해하고, 생명 기술의 발달 전망을 예측한다. | – 생명 기술 시스템의 이해<br>– 생명 기술의 활용 분야<br>– 생명 기술의 발달 과정<br>– 생명 기술의 발달 전망 |
| 2. 생명 기술의 특징과 영향 | 생명 기술의 특징을 이해하고, 생명 기술의 발달이 개인과 사회에 미치는 영향을 구체적으로 설명한다. | – 생명 기술의 특징<br>– 생명 기술의 영향 |

## 1. 생명 기술 시스템의 이해

**① 생명 기술**

생명체의 특성이나 기능을 활용하여 유용한 물질을 만드는 기술

**② 생명 기술 시스템**

㉠ 의미: 생명 기술이 실현되는 데 이용되는 모든 활동을 체계화한 것

㉡ 단계

| 투입 | 과정 | 산출 | 되먹임 |
|---|---|---|---|
| 생명체의 여러 가지 기능을 활용하여 인간에게 유용한 물질을 생산하기 위해 필요한 재료, 자본, 인력, 정보, 설비 등의 요소를 투입한다. | 증식, 성장, 유지, 적응, 수확 등의 절차에 따라 투입 요소를 활용하여 유용한 물질을 생산한다. | 인간에 유용한 생산물이 완성된다. | 문제가 발생하면 이를 해결하기 위해 문제가 되는 단계로 되돌아간다. |

㉢ 단계별 세부 요소

| 투입 | 과정 | 산출 |
|---|---|---|
| • 재료: 동식물 등의 생명체<br>• 자본: 유용한 물질을 만들기 위한 비용<br>• 인력: 유용한 물질을 만들기 위해 필요한 사람<br>• 정보: 유용한 물질을 만들기 위해 필요한 지식<br>• 설비: 유용한 물질을 만들기 위한 시설이나 장치 | • 증식: 생명체를 개발하고 재생산하는 과정<br>• 성장: 생명체를 키우기 위한 과정<br>• 유지: 생명체를 정상적으로 키우기 위해 적절한 환경을 유지해 주는 과정<br>• 적응: 생명체가 환경에 적응하여 변화하는 과정<br>• 수확: 변화된 생명체를 거두어들이는 과정 | 인간에게 유용한 생산물 완성 |

## 2. 생명 기술의 활용 분야

**① 농업 · 축산 · 식품 분야**

㉠ 유전자 변형 농산물: 유전자를 변형시켜 새로운 특성을 갖게 한 농산물(쌀, 옥수수, 토마토, 감자, 콩 등)

㉡ 유전자 변형 동물: 유전자를 변형하여 새로운 특성을 갖게 한 동물(육질과 크기를 개선한 가축, 유전자 변형 어류, 장기 이식용 동물 등)

㉢ 식물 공장: 채소와 꽃을 건물에서 기르는 농업 기술

㉣ 발효 식품: 미생물의 발효 작용을 이용하여 만든 식품(김치, 된장, 젓갈, 치즈, 버터, 요구르트, 빵 등)

**② 보건 · 의료 분야**

㉠ 바이오 의약품: 생물의 세포나 조직 등을 이용하거나 생명 공학 기술을 이용하여 만든 의약품(백신, 인슐린, 인터페론, 성장 호르몬, 바이오시밀러 등)

㉡ 바이오 장기: 인간에게 이식할 수 있는 생체 장기

**③ 환경 · 에너지 분야**

㉠ 생물 정화 기술: 미생물의 생분해 능력을 높여 오염 물질을 제거하는 방법(토양, 하천 및 지하수, 해수 등을 정화하는 데 이용)

㉡ 바이오 에너지: 생물체나 유기성 폐기물을 연료로 얻는 에너지(바이오 디젤, 바이오 메탄 가스, 바이오 수소 등)

## 3. 생명 기술의 발달 과정

① 발효 기술 이용(BC 1700) – 고대 수메르
② 세포 발견(1665) – 영국 로버트 훅(현미경 이용)
③ 백신 개발(1796) – 영국 에드워드 제너(천연두)
④ 유전 법칙 발견(1863) – 멘델의 완두콩 실험
⑤ 페니실린 발견(1928) – 영국 플레밍(항생제)
⑥ DNA 이중 나선 구조 발견(1958) – 제임스 왓슨, 프랜시스 크릭(X선 이용)
⑦ 유전자 재조합 기술(1973) – 스탠리 코헨, 허버트 보이어(현대 생명 기술의 기틀 마련)
⑧ 복제 양 돌리(1996) – 이언 윌머트, 키스 캠벨(핵 치환 기술)
⑨ 인간 게놈 프로젝트(2003) – 인간의 DNA 염기 서열 분석
⑩ 암 발병 억제 유전자 기능 규명(2007)
⑪ 혈관용 마이크로 로봇 개발(2010)
⑫ 인간 배아 줄기세포 복제 성공(2013)

## 4. 생명 기술의 발달 전망

① **3D 바이오 프린팅**: 세포가 포함된 바이오 잉크를 이용하여 살아 있는 조직을 만들 수 있다.
② **유전자 칩**: 심장병, 고혈압, 당뇨, 치매 등의 질병 발생 가능성을 사전에 알 수 있다.
③ **의료용 나노 로봇**: 나노 크기(1/10억 m)의 로봇이 혈관을 청소하거나 박테리아, 바이러스 등을 찾아내어 치료한다.
④ **줄기세포**: 여러 개의 세포로 분화하는 특성이 있어 손상된 장기 재생, 각종 질병 치료에 이용된다.

## 기초 문제

**01** 생명체의 특성이나 기능을 활용하여 유용한 물질을 만드는 기술을 무엇이라고 하는지 쓰시오.

(　　　　　　　　　　　　　)

정답 생명 기술

**02** 다음에서 설명하는 것은 무엇인지 쓰시오.

> 생명 기술이 실현되는 데 이용되는 모든 활동을 체계화한 것으로 투입, 과정, 산출 및 되먹임 등의 단계로 이루어진다.

(　　　　　　　　　　　　　)

정답 생명 기술 시스템

**03** 생명 기술 시스템의 과정 단계에 해당하는 세부 요소로 알맞은 것은?

① 물질을 생산하는 데 필요한 자본
② 물질을 생산하는 데 필요한 인력
③ 물질을 생산하는 데 필요한 정보
④ 물질을 생산하는 데 필요한 증식
⑤ 물질을 생산하는 데 필요한 설비

정답 ④

**04** 다음 설명에 해당하는 생명 기술 시스템의 단계를 쓰시오.

> 인간에게 유용한 생산물이 완성된다.

(　　　　　　　　　　　　　)

정답 산출

**05** 생명 기술 시스템의 과정 단계에서는 기계를 이용한 절삭 가공, 용융 등이 이루어진다.

( ○ , × )

정답 ×

**06** 다음에 해당하는 생명 기술 시스템의 과정 단계의 세부 요소를 쓰시오.

> 생명체를 키우는 과정

(　　　　　　　　　　　　　)

정답 성장

**07** 생명 기술 시스템의 과정 단계에서는 생명체가 환경에 적응하여 변화하는 적응 과정이 필요하다.

( ○ , × )

정답 ○

**08** 생명 기술은 유전자를 변형시켜 만든 농산물과 동물, 식물 공장, 미생물을 이용한 발효 식품 등을 개발하고 생산하는 데 활용되고 있다.

( ○ , × )

정답 ○

**09** 다음에서 설명하는 것이 무엇인지 쓰시오.

- 유전자를 변형하여 새로운 특성을 갖게 한 동물로서, 형질 전환 동물이라고도 한다.
- 육질과 크기를 개선한 가축, 유전자 변형 어류, 장기 이식용 동물 등이 있다.

( )

정답 유전자 변형 동물

**10** 발효 식품이 아닌 것은?

① 김치 ② 된장
③ 간장 ④ 치즈
⑤ 배춧국

정답 ⑤

**11** 다음에서 설명하는 것이 무엇인지 쓰시오.

생물의 세포나 조직 등을 이용하거나 생명 공학 기술을 이용하여 만든 의약품

( )

정답 바이오 의약품

**12** 가축의 분뇨를 발효시켜 발생하는 가스를 바이오 가스라고 한다.

( ○ , × )

정답 ○

**13** 오스트리아의 멘델은 완두콩 실험을 통해 식물의 형질에 대한 ( )을/를 발견하였다.

정답 유전 법칙

**14** 줄기세포는 여러 개의 세포로 분화하는 특성이 있어 손상된 장기 재생, 각종 질병 치료에 이용된다.

( ○ , × )

정답 ○

## 이해 문제

정답과 해설 12쪽

**01** 생명 기술 시스템의 단계에 해당하지 않는 것은?

① 연구 ② 투입
③ 과정 ④ 산출
⑤ 되먹임

**02** (     )에 들어갈 생명 기술 시스템의 투입 단계의 세부 요소는 무엇인지 쓰시오.

> 생명체의 여러 가지 기능을 활용하여 인간에게 유용한 물질을 생산하기 위해 필요한 재료, 자본, 인력, (     ), 설비 등의 요소를 투입한다.

**03** 생명 기술 시스템의 과정 단계에서 생명체를 키우는 과정은?

① 증식 ② 성장
③ 유지 ④ 적응
⑤ 분리

**04** 김치를 담글 때 투입 요소로 적당하지 않은 것은?

① 시간 ② 적응
③ 인력 ④ 재료비
⑤ 담그는 설비

**05** 생명 기술 시스템의 과정 단계에서 생명체를 개발하고 재생산하는 것은?

① 정보 ② 증식
③ 유지 ④ 적응
⑤ 수확

**06** 유전자를 변형하여 새로운 특성을 갖게 한 동물(육질과 크기를 개선한 가축, 유전자 변형 어류, 장기 이식용 동물 등)을 무엇이라고 하는지 쓰시오.

(                    )

**07** 다음에서 설명하는 생명 기술의 활용 분야는?

> • 채소와 꽃을 건물에서 기르는 농업 기술이다.
> • 환경 조건을 인공적으로 제어하여 농산물을 생산한다.

① 식물 공장 ② 발효 기술
③ 유전자 변형 ④ 유전자 변형 동물
⑤ 유전자 변형 농산물

**08** (     )에 들어갈 가장 적당한 말은?

> 유전자 변형 농산물은 유전자를 (     )시켜 새로운 특성을 갖게 한 농산물을 말한다.

① 분리 ② 합성
③ 여과 ④ 변형
⑤ 사멸

**09** 생명 공학 기술을 이용한 바이오 의약품은?

① 치즈 ② 버터
③ 된장 ④ 백신
⑤ 김치

**10** (　　)에 들어갈 가장 적당한 말은?

> 바이오 장기에는 인간의 다양한 신체 조직으로 변화할 수 있는 능력을 가진 (　　)로/으로 만든 장기 등이 있다.

① 체세포
② 표피 세포
③ 생식 세포
④ 특정 세포
⑤ 줄기세포

**11** 다음 설명에 의해 발견된 것은?

> 1675년 네덜란드의 안톤 판 레이 우엔훅이 자신이 만든 고배율 현미경을 이용하여 최초로 미생물을 발견하였다.

① 세포 발견
② 백신 개발
③ 항생제 개발
④ 유전자 발견
⑤ 동식물 복제

**12** 페니실린을 발견하여 질병 치료에 큰 공을 세운 사람은?

① 제너
② 멘델
③ 로버트 훅
④ 제임스 왓슨
⑤ 알렉산더 플레밍

**13** 제임스 왓슨과 프랜시스 크릭이 완성한 DNA 구조 모양은?

① 직선 구조 ② 나선 구조
③ 이중 직선 구조 ④ 이중 나선 구조
⑤ 삼중 나선 구조

**14** 이언 윌머트와 키스 캠벨이 어떤 기술을 이용하여 복제 양 돌리를 탄생시켰는지 쓰시오.

(　　　　　　　　　　　　)

**15** (　　)에 들어갈 알맞은 말은?

> 미래에 (　　　　)은/는 나노 크기($\frac{1}{10억}$ m)의 로봇이 우리 몸속을 돌아다니면서 바이러스 등을 찾아내어 치료하게 될 것이다.

① 유전자 칩 ② 줄기세포
③ 바이오 장기 ④ 의료용 나노 로봇
⑤ 3D 바이오 프린팅

**16** 다음에서 설명하는 생명 기술은?

> 생물체의 유전자를 일부 잘라내고, 그 자리에 다른 생물체의 유용한 유전자를 결합하는 기술이다. 유전자 변형 동식물을 만드는 데 이용된다.

① 발효 기술 ② 핵 치환 기술
③ 세포 적응 기술 ④ 조직 배양 기술
⑤ 유전자 재조합 기술

## 적용 문제

정답과 해설 12쪽

**01** 생명 기술 시스템에서 문제가 발생하면 이를 해결하기 위해 문제가 되는 단계로 되돌아가는 단계는?

① 투입　② 설계
③ 산출　④ 과정
⑤ 되먹임

**02** 생명 기술 시스템에서 과정 단계에 포함되는 요소는?

① 재료　② 자본
③ 인력　④ 유지
⑤ 정보

중요

**03** 다음에서 설명하는 생명 기술 시스템의 단계는?

> 증식, 성장, 유지, 적응, 수확 등의 절차에 따라 투입 요소를 활용하여 유용한 물질을 생산한다.

① 투입　② 과정
③ 산출　④ 되먹임
⑤ 판매

**04** 다음에서 설명하는 생명 기술 시스템의 단계는?

> 인간에게 유용한 생산물이 완성된다.

① 증식　② 성장
③ 유지　④ 적응
⑤ 산출

[05~06] 〈보기〉를 읽고 물음에 답하시오.

> 보기
> ㄱ. 정보　ㄴ. 증식
> ㄷ. 유지　ㄹ. 설비
> ㅁ. 인력

**05** 〈보기〉에서 과정 단계의 요소로만 짝지어진 것은?

① ㄱ, ㄴ　② ㄴ, ㄷ
③ ㄷ, ㄹ　④ ㄹ, ㅁ
⑤ ㄱ, ㅁ

중요

**06** 다음 설명에 해당하는 과정 단계의 요소를 〈보기〉에서 고르면?

> 생명체를 개발하고 재생산하는 과정이다.

① ㄱ　② ㄴ
③ ㄷ　④ ㄹ
⑤ ㅁ

**07** 생명 기술의 활용 분야 중 농업·축산·식품 분야에서 활용하고 있는 기술로 볼 수 없는 것은?

① 발효 식품
② 식물 공장
③ 바이오 디젤
④ 유전자 변형 동물
⑤ 유전자 변형 농산물

중요

**08** 〈보기〉 중 보건 · 의료 분야에서 활용되는 것은?

| 보기 |

ㄱ. 식물 공장　　ㄴ. 바이오 장기
ㄷ. 바이오 디젤　　ㄹ. 바이오 메탄가스
ㅁ. 바이오 의약품

① ㄱ, ㄴ
② ㄴ, ㄷ
③ ㄷ, ㄹ
④ ㄴ, ㅁ
⑤ ㄹ, ㅁ

**09** 다음에서 설명하는 기술은?

> 미생물의 생분해 능력을 높여 오염 물질을 제거하는 방법을 말한다.

① 바이오 수소　② 인터페론
③ 유전자 조작　④ 바이오 디젤
⑤ 생물 정화 기술

**10** 영국의 알렉산더 플레밍이 발견하였으며, 박테리아로 발생한 병을 치료하는 데 사용된 것은?

① 백신　② 인슐린
③ 유전자　④ 페니실린
⑤ 줄기세포

**11** (　　) 안에 들어갈 알맞은 말은?

> 1675년 네덜란드의 안톤 판 레이 우엔훅이 자신이 만든 고배율 (　　　)을/를 이용하여 최초로 미생물을 발견하였다.

① 온도계　② 주사기
③ 망원경　④ 비이커
⑤ 현미경

중요

**[12~14]** 〈보기〉는 생명 기술에 대한 설명이다. 문제를 읽고 물음에 답하시오.

| 보기 |

ㄱ. 세포가 포함된 '바이오 잉크'를 이용하여 살아 있는 조직을 만들 수 있다.
ㄴ. 우리 몸속을 돌아다니면서 혈관을 청소하거나 해로운 박테리아, 바이러스 등을 찾아내어 치료한다.
ㄷ. 여러 개의 세포로 분화하는 특성이 있어 손상된 장기 재생, 각종 질병 치료에 이용된다.
ㄹ. 인간의 피부 세포에서 배아 줄기세포를 복제하여 다른 조직으로 분화시키는 데 성공하였다.
ㅁ. 혈관용 마이크로 로봇을 살아 있는 미니 돼지의 혈관에 주입하여 이동하는 데 성공하였다.

**12** 〈보기〉에서 의료용 나노 로봇과 관련이 있는 것은?

① ㄱ　② ㄴ　③ ㄷ
④ ㄹ　⑤ ㅁ

**13** 〈보기〉에서 3D 바이오 프린팅과 관련이 있는 것은?

① ㄱ　② ㄴ　③ ㄷ
④ ㄹ　⑤ ㅁ

**14** 다음 내용과 관련 있는 것은?

> 미국의 미탈리포프 박사팀이 인간의 피부 세포에서 배아 줄기세포를 복제하여 다른 조직으로 분화시키는 데 성공하였다.

① ㄱ　② ㄴ　③ ㄷ
④ ㄹ　⑤ ㅁ

# 02 생명 기술의 특징과 영향

## 1. 생명 기술의 특징

**① 친환경적인 기술이다.**

제품 생산에 필요한 에너지가 다른 것에 비해 적게 들고, 제조 과정에서 환경 오염 물질이 거의 발생하지 않는다.

**② 다른 학문과 융합한다.**

생물학, 화학, 유전 공학, 농학 등의 학문과 정보 기술, 나노 기술, 환경 기술 등이 서로 융합된 종합 기술이다.

※ 나노 기술: 10억분의 1m 크기에서 원자나 분자의 조직을 통한 새로운 극미세 소자를 탐구하는 기술

**③ 부가 가치가 매우 높다.**

원료나 시설 등에 드는 비용이 비교적 적게 들지만, 생산되는 제품의 가치는 매우 높다.

**④ 살아 있는 생명체를 대상으로 한다.**

지구상에 존재하는 모든 생명체를 대상으로 한다.

**⑤ 사회 · 윤리적 논쟁이 있다.**

㉠ 생명 윤리 문제
㉡ 생태계 파괴
㉢ 식량 자원의 과다 사용 등

**⑥ 성장 속도가 빠르다.**

㉠ 미래 국가 경쟁력을 좌우하게 될 첨단 산업 중 가장 높은 성장이 예상되는 분야이다.

㉡ 인구 증가와 노령화로 인한 삶의 질과 복지 및 의료 서비스에 대한 요구 증가로 성장 잠재력이 크다.

## 2. 생명 기술의 영향

**① 긍정적 영향**

㉠ 식량 문제의 해결

- 유전자 변형 작물을 이용해 식량 문제를 해결할 수 있고, 병충해를 예방할 수 있다.
- 자연 상태에서 존재하는 작물의 특성을 생물학적으로 변형하여 인류가 더 나은 삶을 영위할 수 있게 된다.

㉡ 질병과 장애의 극복

- 생명 기술을 이용하여 일반 질병과 난치병을 조기 발견하고 치료하여 건강하게 오래 살 수 있다.
- 개인 맞춤형 의료 서비스 및 생명 연장이 가능해진다.

㉢ 환경과 에너지 문제의 극복

미생물을 이용하여 석유로 인한 오염 물질이나 기름을 분해할 수 있고, 바이오 에탄올, 바이오 디젤 등은 화석 연료의 사용을 줄여 준다.

**② 부정적 영향**

㉠ 생명 윤리 문제(인간의 존엄성 문제)

- 인간 복제에 이용되는 수정란과 배아는 생명체이기 때문에 실험이나 질병 치료의 수단이 되어 생명 존엄성을 훼손할 우려가 있다.
- 인간의 배아 복제나 맞춤형 아기 등 인간을 대상으로 하는 생명 기술이 발달함에 따라 인간의 존엄성이 훼손될 수 있다.

㉡ 생태계 파괴 위험

- 유전자 변형 생물체(GMO)가 유전자 조작 과정에서 예측하지 못한 질병에 감염
- 새로운 품종이 나타나 생태계가 교란될 가능성

㉢ 개인의 유전 정보 문제

- 바이오 인증 기술은 사고 발생 시 재발급이 매우 제한된다.
- 유출된 정보는 영구적으로 악용될 우려가 있다.
- 개인의 유전자 정보가 노출되거나 무분별하게 이용됨으로써 개인의 사생활이 침해되거나 유전적 차별을 받을 수 있다.

㉣ 기술의 독점

- 유전체 연구와 관련된 특허 비중의 증가
- 경쟁력을 갖추지 못한 경우 막대한 사용료 부담

## 기초 문제

**01** 생명 기술은 생명체를 대상으로 하기 때문에 그 응용 범위가 대단히 넓고, 다양한 학문 분야를 아우르는 종합적인 응용 기술이다.

( ○ , × )

정답 ○

**02** 다음에서 설명하는 생명 기술의 특징을 쓰시오.

> 원료나 시설 등에 드는 비용이 비교적 적게 들지만, 생산되는 제품의 가치는 매우 높다.

(                                        )

정답 부가 가치가 매우 높다.

**03** 생명 기술은 다른 학문과 융합한다.

( ○ , × )

정답 ○

**04** 생명 기술의 발달로 개인 (          ) 의료 서비스 및 생명 연장이 가능해진다.

정답 맞춤형

**05** (          )이/가 유전자 조작 과정에서 예측하지 못한 질병에 감염되거나 새로운 품종이 나타나 생태계가 교란될 가능성이 있다.

정답 유전자 변형 생물체(GMO)

**06** (      )에 들어갈 말은?

> 미생물을 이용하여 석유로 인한 오염 물질이나 기름을 분해할 수 있고, 바이오 에탄올, (          ) 등은 화석 연료의 사용을 줄여준다.

정답 바이오 디젤

**07** 현대의 생명 기술 발달로 개인의 유전 정보가 노출되어 개인의 사생활이 침해되거나 유전적 차별을 받을 가능성은 없다.

( ○ , × )

정답 ×

# 이해 문제

정답과 해설 **13쪽**

**01** 생명 기술의 특징으로 적당하지 않은 것은?

① 친환경적인 기술이다.
② 다른 학문과 융합한다.
③ 부가 가치가 매우 높다.
④ 산출물이 구조물 형태이다.
⑤ 살아 있는 생명체를 대상으로 한다.

**02** 다음에서 설명하는 생명 기술의 특징은?

> 원료나 시설 등에 드는 비용이 비교적 적게 들지만, 생산되는 제품의 가치는 매우 높다.

① 친환경적인 기술이다.
② 다른 학문과 융합한다.
③ 부가 가치가 매우 높다.
④ 살아있는 생명체를 대상으로 한다.
⑤ 다른 산업 발전에 큰 영향을 끼친다.

**03** 생명 기술이 융합되는 기술과 관계가 적은 것은?

① 화학　② 문학
③ 농학　④ 생물학
⑤ 유전 공학

**04** (　　)에 들어갈 가장 적당한 기술은?

> 생명 기술은 생물학, 화학, 유전 공학, 농학 등의 학문과 정보 기술, (　　　　) 기술, 환경 기술 등이 서로 융합된 종합 기술이다.

① 나노　② 제조
③ 수송　④ 건설
⑤ 토목

**05** 다음에서 밑줄 친 내용을 극복하기 위한 생명 기술로 알맞은 것은?

> 생명 기술은 식량 문제를 해결하고, 질병과 장애를 극복하며 환경과 에너지 문제를 해결할 수 있다.

① 화석 연료
② 바이오 에탄올
③ 바이오 디젤
④ 유전자 변형 식물
⑤ 개인 맞춤형 의료 서비스

**06** 다음 설명은 생명 기술의 어떠한 위험성에 대한 것인지 쓰시오.

> 유전자 변형 생물체(GMO)가 유전자 조작 과정에서 예측하지 못한 질병에 감염되거나 새로운 품종이 나타날 수 있다.

(　　　　　　　　　　　　　　　　)

**07** 생명 기술은 (　　　　　　　)이/가 노출되거나 무분별하게 이용됨으로써 개인의 사생활이 침해되거나 유전적 차별을 받을 수 있다.

**08** 다음은 생명 기술의 영향 중 환경과 에너지 문제의 극복에 관한 내용이다. (ㄱ)과 (ㄴ)에 들어갈 내용으로 바르게 짝지어진 것은?

> (　ㄱ　)을/를 이용하여 석유로 인한 오염 물질이나 기름을 분해할 수 있고, 바이오 에탄올, (　ㄴ　) 등은 화석 연료의 사용을 줄여준다.

| | (ㄱ) | (ㄴ) |
|---|---|---|
| ① | 미생물 | 줄기세포 |
| ② | 나노 로봇 | 줄기세포 |
| ③ | 줄기세포 | 나노 로봇 |
| ④ | 미생물 | 나노 로봇 |
| ⑤ | 미생물 | 바이오 디젤 |

## 적용 문제

정답과 해설 13쪽

중요

**01** 다음에서 (ㄱ)과 (ㄴ)에 들어갈 말을 쓰시오.

> 생명 기술은 ( ㄱ )을/를 대상으로 하기 때문에 그 응용 범위가 대단히 넓고, 다양한 학문 분야를 아우르는 종합적인 ( ㄴ ) 기술이다.

( )

**02** 생명 기술의 특징 중에서 부가 가치와 관계있는 것은?

① 대상물이 생명체이다.
② 자연에서 필요한 재료를 얻는다.
③ 다른 산업 발전에 큰 영향을 끼친다.
④ 산출물이 약품으로 나타나기도 한다.
⑤ 원료나 시설에 드는 비용이 적으나, 제품의 가치가 매우 높다.

**03** 다음에서 설명하는 생명 기술의 특징은?

> 제품 생산에 필요한 에너지가 다른 것에 비해 적게 들고, 제조 과정에서 환경 오염 물질이 거의 발생하지 않는다.

① 친환경적 기술
② 융합 종합 기술
③ 부가 가치 높은 기술
④ 대상이 생명체인 기술
⑤ 주거 형태를 만드는 기술

중요

**[04~05]** 문제를 읽고 〈보기〉에서 해당하는 것을 고르시오.

> 보기
> ㄱ. 식량 문제의 해결
> ㄴ. 생태계 파괴 위험
> ㄷ. 질병과 장애의 극복
> ㄹ. 개인의 유전 정보 문제
> ㅁ. 환경과 에너지 문제의 극복

**04** 〈보기〉에서 바이오 에탄올, 바이오 디젤 등과 관계있는 것은?

① ㄱ ② ㄴ ③ ㄷ
④ ㄹ ⑤ ㅁ

**05** 〈보기〉에서 생명 기술의 부정적인 영향으로만 짝지어진 것은?

① ㄱ, ㄴ ② ㄴ, ㄷ ③ ㄷ, ㄹ
④ ㄱ, ㄹ ⑤ ㄴ, ㄹ

**06** 유전자를 조작하면 새로운 형질의 생물을 만들 수 있는데, 유전자를 조작하여 만든 생물체를 무엇이라고 하는지 쓰시오.

( )

**07** 생명 기술의 발달에 따른 영향으로 볼 수 없는 것은?

① 환경 문제 극복
② 식량 문제 해결
③ 질병으로부터 해방
④ 개인 유전 정보 누출
⑤ 스트레스로 인한 수명 단축

# 실전 문제

자주 출제되는 문제

**01** 다음에서 설명하는 것은 무엇인지 쓰시오.

> 생명체의 특성이나 기능을 활용하여 유용한 물질을 만드는 것을 말한다.

(　　　　　　　　　　　　)

**02** 생명 기술 시스템에 대한 설명으로 옳은 것은?

① 생명 기술 시스템 – 구조물을 만드는 데 이용되는 모든 활동을 체계화한 것을 말한다.
② 되먹임 – 구조물을 만드는 데 필요한 재료, 자본, 인력, 에너지, 설비, 시간 등의 요소를 투입한다.
③ 과정 – 증식, 성장, 유지, 적응, 수확 등의 절차에 따라 투입 요소를 활용하여 유용한 물질을 생산한다.
④ 산출 – 제조 과정의 결과로 제품이 완성된다.
⑤ 투입 – 문제가 발생하면 이를 해결하기 위해 문제가 되는 단계로 되돌아간다.

**03** 〈보기〉는 생명 기술 시스템의 과정 단계에 관한 내용이다. (가), (나), (다)가 설명하는 것을 바르게 연결한 것은?

> 보기
> (가) 생명체를 개발하고 재생산하는 과정
> (나) 생명체를 키우기 위한 과정
> (다) 생명체를 정상적으로 키우기 위해 적절한 환경을 유지해 주는 과정

| | (가) | (나) | (다) |
|---|---|---|---|
| ① | 증식 | 성장 | 유지 |
| ② | 증식 | 유지 | 성장 |
| ③ | 유지 | 성장 | 증식 |
| ④ | 유지 | 증식 | 성장 |
| ⑤ | 성장 | 증식 | 유지 |

**04** 생명 기술 시스템의 투입 요소에 대한 설명으로 알맞게 짝지어진 것은?

① 자본: 동식물 등의 생명체
② 재료: 유용한 물질을 만들기 위한 비용
③ 인력: 유용한 물질을 만들기 위해 필요한 사람
④ 설비: 유용한 물질을 만들기 위해 필요한 지식
⑤ 정보: 유용한 물질을 만들기 위한 시설이나 장치

**05** 〈보기〉에서 생명 기술 시스템의 과정 단계를 모두 고르면?

> 보기
> ㄱ. 재료　　　ㄴ. 유지
> ㄷ. 적응　　　ㄹ. 수확
> ㅁ. 정보

① ㄱ, ㄴ　　② ㄱ, ㄴ, ㄷ
③ ㄱ, ㄴ, ㄹ　　④ ㄴ, ㄷ, ㄹ
⑤ ㄱ, ㄴ, ㄷ, ㅁ

**06** 생명 기술 시스템의 산출 단계에 해당하는 것은?

① 재료　　② 시간
③ 가공　　④ 조립
⑤ 완성

자주 출제되는 문제

**07** 다음에서 설명하는 생명 기술의 활용 분야는?

> • 채소와 꽃을 건물에서 기르는 새로운 농업 기술을 말한다.
> • 환경 조건을 인공적으로 제어하고 조직 배양, 세포 배양 등의 생명 기술을 활용하여 농작물을 생산할 수 있다.

① 발효 식품　　② 식물 공장
③ 유전자 변형　　④ 바이오 장기
⑤ 바이오 에너지

# 실전 문제

**08** 다음에서 설명하는 생명 기술의 생산품으로 볼 수 없는 것은?

> • 생물의 세포나 조직 등을 이용하거나 생명 공학 기술을 이용하여 만든 의약품을 말한다.
> • 특정 질환에 대한 효과가 뛰어나고 합성 의약품보다 안전성이 높다.

① 백신 ② 인슐린
③ 인터페론 ④ 바이오 디젤
⑤ 성장 호르몬

**09** 다음에서 설명하고 있는 생명 기술은?

> 미생물의 생분해 능력을 높여 오염 물질을 제거하는 방법을 말한다.

① 발효식품 ② 바이오 에너지
③ 바이오 장기 ④ 생물 정화 기술
⑤ 유전자 변형 농산물

**10** 발효 식품이 아닌 것은?

① 우유 ② 김치
③ 치즈 ④ 버터
⑤ 요구르트

**11** 식물 공장에 대한 설명으로 바르지 않은 것은?

① 식물을 건물에서 재배한다.
② 환경 조건을 인공적으로 제어한다.
③ 조직 배양 기술 등을 활용하는 농업 기술이다.
④ 환경 오염 등 외부 환경에 많은 영향을 받는다.
⑤ 예측할 수 없는 기후 변화에 대비한 농업 기술이다.

**12** (　　)에 들어갈 알맞은 말은?

> 오스트리아의 멘델은 (　　　)의 유전 실험을 통해 식물의 형질에 대한 유전 법칙을 발견하였다.

① 땅콩 ② 보리
③ 사과 ④ 바나나
⑤ 완두콩

자주 출제되는 문제

**13** 〈보기〉는 생명 기술의 발달에 관한 내용이다. 생명 기술의 발달 순서가 올바른 것은?

> 보기
> ㄱ. 페니실린 발견
> ㄴ. 발효 이용 기술
> ㄷ. 유전 법칙 발견
> ㄹ. DNA 이중 나선 구조 발견
> ㅁ. 인간 게놈 프로젝트

① ㄱ → ㄴ → ㄷ → ㄹ→ ㅁ
② ㄱ → ㄷ → ㄴ → ㄹ→ ㅁ
③ ㄴ → ㄱ → ㄷ → ㅁ→ ㄹ
④ ㄴ → ㄷ → ㄱ → ㄹ→ ㅁ
⑤ ㄷ → ㄱ → ㄴ → ㅁ→ ㄹ

**14** 천연두 백신을 만들어 다양한 백신 연구의 계기를 만든 사람은?

① 제너 ② 왓슨
③ 플레밍 ④ 보이어
⑤ 월머트

**15** 다음에서 설명하고 있는 생명 기술은?

> 인간의 DNA 서열을 분석하여 데이터로 만든 것으로, 2003년에 완성되었다.

① 유전 법칙　② 복제 기술
③ 발효 기술　④ 유전자 재조합
⑤ 인간 게놈 프로젝트

**16** (　　)에 들어갈 알맞은 말은?

> 이언 윌머트와 키스 캠벨이 (　　　　) 기술을 이용하여 복제 양 돌리를 탄생시켰다.

① 핵 복제　② 핵 감속
③ 핵 융합　④ 핵 치환
⑤ 핵 분열

자주 출제되는 문제

**17** 다음에서 설명하는 미래의 생명 기술은?

> 생물의 유전 정보를 검출할 수 있는 장치인 유전자 칩을 이용하여 질병을 사전에 예방할 수 있다.

① 유전자 칩
② 나노 로봇
③ 줄기세포
④ 3D 바이오 프린팅
⑤ 인간 게놈 프로젝트

**18** 다음에서 설명하는 생명 기술의 특징은?

> 제품 생산에 필요한 에너지가 다른 것에 비해 적게 들고, 제조 과정에서 환경 오염 물질이 거의 발생하지 않는다.

① 융합적인 기술이다.
② 경제적인 기술이다.
③ 친환경적인 기술이다.
④ 부가 가치가 높은 기술이다.
⑤ 생명체를 대상으로 하는 기술이다.

**19** 〈보기〉에서 생명 기술의 특징을 모두 고르면?

> 보기
> ㄱ. 융합 기술이다.
> ㄴ. 친환경 기술이다.
> ㄷ. 응용 범위가 넓다.
> ㄹ. 대상이 무생물이다.
> ㅁ. 비용이 대단히 많이 든다.

① ㄱ, ㄴ, ㄷ　② ㄱ, ㄷ, ㄹ
③ ㄱ, ㄴ, ㅁ　④ ㄴ, ㄷ, ㄹ
⑤ ㄴ, ㄹ, ㅁ

**20** 생명 기술과 융합하는 기술로서 관계가 적은 것은?

① 생물학　② 화학
③ 농학　④ 항공학
⑤ 유전 공학

**21** 〈보기〉에서 생명 기술과 밀접하게 관련된 기술을 모두 고르면?

> 보기
> ㄱ. 수송 기술　ㄴ. 항공 기술
> ㄷ. 나노 기술　ㄹ. 환경 기술
> ㅁ. 정보 기술

① ㄱ, ㄴ　② ㄱ, ㄴ, ㄷ
③ ㄱ, ㄴ, ㄹ　④ ㄷ, ㄹ, ㅁ
⑤ ㄱ, ㄴ, ㄷ, ㅁ

22 석유로 인한 환경 오염 물질이나 기름을 분해하는 데 이용되는 것은?

① 미생물
② 바이러스
③ 나노 기술
④ 줄기세포
⑤ 인플루엔자

자주 출제되는 문제

23 그림의 대화에서 알 수 있는 생명 기술의 부정적 영향은?

① 식량 문제의 해결
② 생명 윤리 문제
③ 생태계 파괴 위험
④ 질병과 장애의 극복
⑤ 개인의 유전 정보 문제

24 다음에서 설명하는 생명 기술의 영향은?

> 자연 상태에서 존재하는 작물의 특성을 생물학적으로 변형하여 인류가 더 나은 삶을 영위할 수 있게 한다.

① 식량 문제의 해결
② 생명 윤리 문제
③ 생태계 파괴 위험
④ 질병과 장애의 극복
⑤ 개인의 유전 정보 문제

서술형 문제

25 생명 기술 시스템의 뜻을 서술하고, 생활 속의 제품을 예로 들어 생명 기술 시스템을 설명하시오.

26 유전자 변형 농산물의 뜻을 서술하고, 현재 우리가 이용하고 있는 것을 예로 들어 유전자 변형 농산물을 설명하시오.

27 현미경의 발명이 생명 기술에 어떠한 영향을 끼쳤는지 서술하시오.

28 생명 기술의 긍정적인 영향에 대하여 서술하시오.

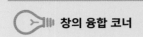

## ▶ 고흐의 작품을 감상해 보고, 생명체를 활용하는 기술을 생각해 보자,

### 고흐와 고갱의 일화

고흐는 예술 활동을 위해 화가들끼리 공동체 생활을 하고 싶었지만, 모두들 고흐를 피하고, 단 한 명만 고흐에게 손을 내민다. 그가 바로 폴 고갱이었다. 그러나 고흐와 고갱은 화풍도 성격도 극단적으로 달랐다. 두 사람의 생활은 이내 불화와 긴장으로 이어지다가 결국 두 달 만인 어느 날 고흐가 자신의 귀를 자르는 끔찍한 사건이 터지고 만다.

사건이 발생한 이유는 고갱과 함께 살던 당시, 고흐는 유명한 〈해바라기〉라는 작품을 그렸다. 고갱은 해바라기를 그리는 고흐의 모습을 그림으로 그렸는데 그림 속 자신의 모습이 마음에 들지 않은 고흐는 신경 발작과 함께 자신의 귀를 자르게 된다. 이후 고갱과 결별하게 된다.

▲ 고흐가 고갱을 위해 그린 작품 <해바라기>

고흐 <귀를 자른 자화상>

빈센트 반 고흐(1853~1890)는 네덜란드의 화가이다. 인상파의 영향을 받아 강렬한 색채와 격정적인 붓 터치로 독특한 화풍을 확립하였고, 20세기 미술에 큰 영향을 주었다.

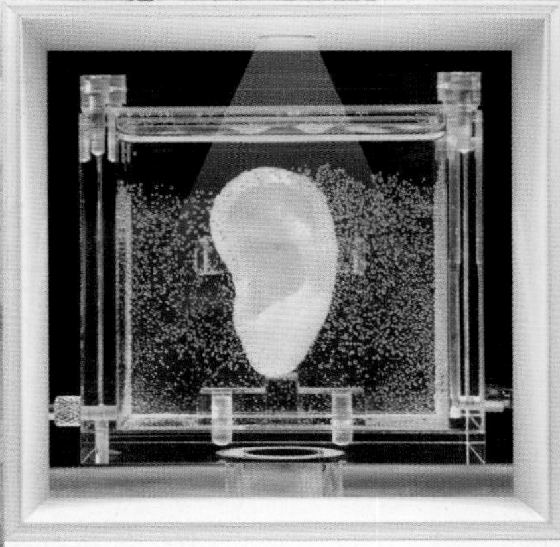

▲ 고흐의 후손이 제공한 세포를 복제하여 만든 귀

이 복제 귀는 고흐의 동생인 테오의 고손자가 제공한 세포를 증식시켜 만든 것으로, 예술과 과학 기술의 융합을 표현하고자 하였다. 고흐가 정신 질환으로 고생하던 중에 자신의 귀를 잘랐다는 이야기는 그의 예술적인 생애에서 중요한 부분을 차지한다.

● 생명체를 활용하는 기술을 어떤 분야와 융합하고 싶은지 이야기해 보자.

현대의 생명 기술로 빈센트 반 고흐의 귀를 치료할 수 있는지 생각해 보자.

### 빈센트 반 고흐가 자신의 귀를 자르게 된 이유

고흐는 예술 활동을 위해 화가들끼리 공동체 생활을 하고 싶었지만, 모두들 고흐를 피하고, 단 한 명만 고흐에게 손을 내민다. 그가 바로 폴 고갱이었다. 그러나 고흐와 고갱은 화풍도 성격도 극단적으로 달랐다. 두 사람의 생활은 이내 불화와 긴장으로 이어지다가 결국 어느 날 고흐가 자신의 귀를 자르는 끔찍한 사건이 터지고 만다. 사건이 발생한 당시, 고흐는 유명한 〈해바라기〉라는 작품을 그렸다. 고갱은 해바라기를 그리는 고흐의 모습을 그림으로 그렸는데 그림 속 자신의 모습이 마음에 들지 않는다는 이유로 신경 발작과 함께 자신의 귀를 자르게 된다. 이후 고갱과 고흐는 결별하게 된다.

# 모두를 위한 지속 가능한 기술

01. 적정 기술과 지속 가능 발전의 이해

02. 적정 기술의 창의적 문제 해결

## 이 단원의 성취 기준과 학습 요소

| 섹션 | 성취 기준 | 학습 요소 |
|---|---|---|
| 1. 적정 기술과 지속 가능 발전의 이해 | 적정 기술과 지속 가능 발전의 의미를 이해한다. | – 적정 기술의 이해<br>– 적정 기술의 사례<br>– 지속 가능 발전의 의미 |
| 2. 적정 기술의 창의적 문제 해결 | 적정 기술 체험 활동을 통하여 문제를 창의적으로 탐색하고 실현하며 평가한다. | – '나만의 해피 볼'과 '나만의 해피 데스크' 만들기 |

# 01 적정 기술과 지속 가능 발전의 이해

## 1. 적정 기술의 이해

**① 적정 기술의 뜻:** 첨단 기술보다 해당 지역의 환경이나 경제, 사회 여건에 맞도록 만들어낸 기술

**② 적정 기술의 특징**

㉠ 누구나 쉽게 쓸 수 있어야 한다.

㉡ 사용자가 해당 기술을 이해할 수 있어야 한다.

㉢ 그것을 쓰게 될 사람들의 처한 상황에 맞아야 한다.

㉣ 많은 돈이 들지 않아야 한다.

## 2. 적정 기술의 사례

**① 물 자원 관련**

㉠ 큐 드럼

- 물이 담긴 무거운 통을 굴려서 운반할 수 있게 만든 물통이다.
- 많은 양의 물을 머리에 이거나 들어서 옮기는 것보다 훨씬 쉽게 운반할 수 있다.

㉡ 라이프 스트로

- 오염된 물을 빨대처럼 빨면 맑은 물을 마실 수 있는 간이 정수기이다.
- 빨대 하나로 약 700L의 물을 정수할 수 있다. 바이러스나 박테리아, 기생충 등을 대부분 제거할 수 있다.

**② 보건 · 의료 관련**

㉠ 어드스펙스

- 사용자가 스스로 도수를 조절하여 사용할 수 있게 만든 안경이다.
- 주사기에 들어 있는 실리콘 오일이 렌즈 사이로 들어가 굴절률에 변화를 주는 원리이다.

㉡ 팟인팟 쿨러

- 크기가 다른 두 개의 항아리와 모래를 이용하여 기화열의 원리를 응용한 냉장고이다.
- 모래가 머금은 물이 증발하면서 작은 항아리 속의 열을 빼앗아 그 속의 온도를 낮춘다. 약 3주 정도 신선함을 유지할 수 있다.

㉢ 퍼머넷

- 살충 능력이 있는 모기장이다.
- 모기장에 살충제를 함유한 것으로, 세탁을 하더라도 3~4년 살충 효과가 지속된다.

**③ 에너지 관련**

㉠ 페트병 조명

- 페트병 속의 물을 반사하면서 들어오는 태양의 빛을 이용한 조명이다.
- 전기가 전혀 필요 없고, 설치 작업이 간단하다. 페트병 하나가 55W가량의 전등을 켠 것과 비슷하다.

㉡ 사탕수수 숯

- 설탕을 만들고 남은 사탕수수 찌꺼기로 만든 숯이다.
- 나무를 태우는 것에 비해 연기가 적게 나고, 숯 3kg당 1달러 정도면 살 수 있다.

㉢ 바이슬아 바도라

- 전기 없이 사람의 힘으로 세탁을 할 수 있는 세탁기이다.
- 변속이 가능하여 작동하는 데 힘이 들지 않는다. 약 10년 동안 쓸 수 있다.

## 3. 지속 가능 발전

**① 지속 가능 발전의 의미**

미래의 후손이 자연을 적절하게 사용할 수 있도록 훼손하지 않으면서 현재의 사람들도 자연을 적절히 이용할 수 있는 발전

**② 지속 가능 발전을 위한 실천**

㉠ 소비 실천

- 충동구매 삼가기, 과도하게 포장된 제품이나 일회용품을 사용하지 않기
- 물건을 살 때는 환경에 피해를 주지 않는지, 지역 경제에 도움을 주는지, 공정한 방법으로 생산 · 유통된 것인지 확인하기

㉡ 자원 순환 실천

- 중고 물품, 이면지, 재생 용지 사용하기
- 쓰레기 분리 배출하기

㉢ 에너지 행동 실천

- 전기를 아끼기, 대중교통 이용하기
- 계절별 냉난방 적정 온도 지키기

㉣ 먹을거리 선택 실천

- 재료를 너무 많이 구매하거나, 주문하지 않기, 친환경적인 먹을거리 선택하기
- 로컬 푸드 선택하기

## 기초 문제

**01** 첨단 기술보다 해당 지역의 환경이나 경제, 사회 여건에 맞도록 만들어낸 기술을 무엇이라고 하는지 쓰시오.

(                                        )

정답 적정 기술

**02** (      )에 알맞은 말은 무엇인지 쓰시오.

적정 기술은 누구나 (          ) 쓸 수 있어야 한다.

정답 쉽게

**03** 적정 기술은 안전을 위해 많은 돈을 들여야 한다.

( ○ , × )

정답 ×

**04** 물 자원과 관련된 적정 기술 사례는?

① 큐 드럼 ② 퍼머넷
③ 어드스펙스 ④ 페트병 조명
⑤ 팟인팟 쿨러

정답 ①

**05** 미래의 후손이 자연을 적절하게 사용할 수 있도록 훼손하지 않으면서 현재의 사람들도 자연을 적절히 이용할 수 있는 발전을 (                    )(이)라고 한다.

정답 지속 가능 발전

**06** 쓰레기 분리 배출을 잘 하면 자원이 순환되어 지속 가능 발전을 이룰 수 있다.

( ○ , × )

정답 ○

**07** (      )에 알맞은 말은 무엇인지 쓰시오.

지속 가능 발전을 이루기 위한 방법 중 일상생활 속에서 전기를 아끼는 행동을 꾸준히 실천하는 것은 (                ) 실천에 해당된다.

정답 에너지 행동

# 이해 문제

정답과 해설 15쪽

**01** 첨단 기술보다 해당 지역의 환경이나 경제, 사회 여건에 맞도록 만들어낸 기술은?

① 생산 기술　② 정보 기술
③ 건설 기술　④ 적정 기술
⑤ 제조 기술

**[02~03] 다음 설명을 읽고 물음에 답하시오.**

> 첨단 기술보다 해당 지역의 ㉠환경이나 ㉡경제, 사회 여건에 맞도록 만들어낸 기술을 적정 기술이라 한다.

**02** 밑줄 친 ㉠과 관계있는 것은?

① 많은 돈이 들지 않아야 한다.
② 첨단 기술을 사용하여야 한다.
③ 누구나 쉽게 쓸 수 있어야 한다.
④ 사용자가 해당 기술을 이해할 수 있어야 한다.
⑤ 그것을 쓰게 될 사람들의 처한 상황에 맞아야 한다.

**03** 밑줄 친 ㉡과 관계있는 것은?

① 많은 돈이 들지 않아야 한다.
② 첨단 기술을 사용하여야 한다.
③ 누구나 쉽게 쓸 수 있어야 한다.
④ 사용자가 해당 기술을 이해할 수 있어야 한다.
⑤ 그것을 쓰게 될 사람들의 처한 상황에 맞아야 한다.

**04** 다음에서 설명하는 적정 기술 제품을 쓰시오.

> 물이 담긴 무거운 통을 굴려서 운반할 수 있게 만든 물통이다.

(　　　　　　　　　　)

**05** 전기 없이 사람의 힘으로 세탁할 수 있는 세탁기는?

① 퍼머넷　② 팟인팟 쿨러
③ 어드스펙스　④ 라이프 스트로
⑤ 바이슬아 바도라

**06** 다음에서 설명하는 적정 기술 제품은?

> 사용자가 스스로 안경의 도수를 조절하여 사용할 수 있게 만든 안경이다.

① 퍼머넷　② 팟인팟 쿨러
③ 어드스펙스　④ 라이프 스트로
⑤ 바이슬아 바도라

**07** 모기장에 살충제를 함유한 살충 능력이 있는 모기장으로 세탁을 하더라도 3~4년 살충 효과가 지속되는 적정 기술 제품은?

(　　　　　　　　　　)

**08** (　　)에 들어갈 알맞은 말은?

> 미래의 후손이 자연을 적절하게 사용할 수 있도록 훼손하지 않으면서 현재의 사람들도 자연을 적절히 이용할 수 있는 발전을 (　　　　) 발전이라고 한다.

① 환경 기술　② 적정 기술
③ 제조 기술　④ 생명 기술
⑤ 지속 가능

# 적용 문제

정답과 해설 15쪽

중요

**01** 적정 기술은 (           )보다 해당 지역의 환경이나 경제, 사회 여건에 맞도록 만들어낸 기술이다.

**02** 〈보기〉에서 적정 기술을 적용할 때 고려해야 할 요소를 모두 고르면?

ㄱ. 첨단 기술　　ㄴ. 해당 지역 환경
ㄷ. 사회적 여건　　ㄹ. 성별
ㅁ. 인구 수

① ㄱ, ㄴ　　② ㄱ, ㅁ
③ ㄴ, ㄷ　　④ ㄴ, ㅁ
⑤ ㄷ ,ㅁ

**03** 다음에서 설명하는 적정 기술 제품은?

• 빨대 하나로 약 700L의 물을 정수할 수 있다.
• 바이러스나 박테리아, 기생충 등을 대부분 제거할 수 있다.

① 큐 드럼
② 퍼머넷
③ 페트병 조명
④ 사탕수수 숯
⑤ 라이프 스트로

**04** 다음에서 설명하는 적정 기술 제품은?

• 물을 반사하면서 들어오는 태양의 빛을 이용한 조명이다.
• 전기가 전혀 필요 없고, 설치 작업이 간단하다.

① 퍼머넷　　② 큐 드럼
③ 페트병 조명　　④ 어드스펙스
⑤ 팟인팟 쿨러

중요

**[05~06]** 〈보기〉를 읽고 물음에 답하시오.

보기

ㄱ. 충동구매를 삼가고, 나에게 꼭 필요한 물건인지 생각한 후에 구입한다.
ㄴ. 과도하게 포장된 제품이나 일회용품을 사용하지 않는다.
ㄷ. 중고 물품, 이면지, 재생 용지 등을 사용한다.
ㄹ. 자원이 제대로 순환되기 위해 쓰레기 분리 배출을 잘 한다.
ㅁ. 대중교통을 이용한다.

**05** 〈보기〉에서 지속 가능 발전을 위한 에너지 행동 실천을 고르면?

① ㄱ　　② ㄴ
③ ㄷ　　④ ㄹ
⑤ ㅁ

**06** 〈보기〉에서 지속 가능 발전을 위한 소비 실천을 모두 고르면?

① ㄱ, ㄴ　　② ㄴ, ㄷ
③ ㄷ, ㄹ　　④ ㄹ, ㅁ
⑤ ㄱ, ㅁ

## 1. 문제 확인하기

- **과제명**: 나만의 해피볼 만들기
- **제한 사항**
  - 포장 끈, 글루건, 글루건 심 등을 사용한다.
  - 한 가지의 구기 종목(축구, 야구, 배구, 핸드볼 등)에 사용할 수 있어야 한다.
  - 튼튼하고, 탄력이 좋아야 한다.

- **과제명**: 나만의 해피 데스크 만들기
- **제한 사항**
  - 택배 상자, 벨크로 테이프, 자, 칼 등을 사용한다.
  - 분리와 조립이 쉽고, 휴대가 가능해야 한다.

## 2. 아이디어 창출하기

### ① 정보 수집

㉠ 드림 볼 프로젝트는 구호 물품을 담는 상자를 버리지 않고, 아이들이 갖고 놀 수 있는 공의 형태로 변경할 수 있도록 만들어졌다.

㉡ 헬프 데스크는 골판지를 재활용하여 책상 또는 가방으로 변신 가능하도록 제작되었다.

### ② 창의적 아이디어 구상

아이디어는 제한 없이 구상하도록 하고, 구상한 아이디어를 바탕으로 나타난 문제점을 해결한다.

포장 끈과 택배 상자를 재활용하면 어떨까? ▶ 교육 환경이 제대로 갖추어지지 않은 학교에 공을 만들어 주는 건 어때? ▶ 끈을 이용해 공을 만들면 어떨까? ▶ 상자를 이용해 책상도 만들어 보자. ▼ 그럼 포장 끈으로 공을 만들고, 택배 상자로 책상을 만들자! ◀ 그렇지! 공은 붙이는 것만으로도 만들 수 있게 하고, 책상은 접는 것만으로도 사용이 가능하게 하자! ◀ 친구들의 사정에 맞게 많은 도구와 장비가 필요 없이 최대한 쉽게 만들 수 있어야 해!

## 3. 아이디어 구체화하기

선정한 아이디어를 프리핸드로 스케치하여 구체화한다.

## 4. 실행하기

필요한 재료와 공구를 준비하여 '나만의 해피볼'과 '나만의 해피 데스크'를 만든다.

### ① 준비물

| 나만의 해피볼 만들기 | 나만의 해피 데스크 만들기 |
|---|---|
| 준비물: 색을 칠한 포장 끈, 칼, 글루건 심, 글루건 등 | 준비물: 택배 상자, 벨크로 테이프, 자, 칼 등 |

### ② 만들기

**나만의 해피볼 만들기**
- 5개의 끈을 각각 엇갈려 놓는다.
- 끈을 살짝 틀어 별 모양이 되도록 만든다.
- 원 모양의 끈을 별 모양의 중앙에 놓는다.
- 끈을 원 안으로 넣는다.
- 글루건을 사용하여 같은 색 끈끼리 붙인다.

**나만의 해피 데스크 만들기**
- 상자의 좁은 면을 자른다.
- 상자를 접는다.
- 고정 판을 꽂을 수 있도록 위치를 정한다.
- 몸체와 고정 판에 홈을 자른다.
- 책상의 몸체에 고정 판을 끼운다.
- 몸체에 상판을 결합한다.

## 5. 평가하기

평가를 거치면서 적정 기술에 맞는 새로운 물건을 만드는 방법이 있는지 생각해 본다.

### ① 자기 평가

㉠ 적정 기술의 뜻을 이해하였는가?

㉡ 적정 기술의 특징을 이해하였는가?

㉢ 작업할 때 안전 및 유의 사항을 잘 지켰는가?

### ② 동료 평가

㉠ 창의적인 디자인 아이디어를 낸 동료는 누구인가?

㉡ 가장 적극적으로 실습에 참여한 동료는 누구인가?

### ③ 제품 평가

㉠ 해피 볼로 놀이를 할 수 있을 만큼 튼튼하고 탄력이 좋은가?

㉡ 해피 데스크는 분리와 조립이 간편한가?

㉢ 해피 데스크는 휴대가 가능한가?

㉣ 해피 볼과 해피 데스크를 해당 지역의 학생들이 이용할 수 있겠는가?

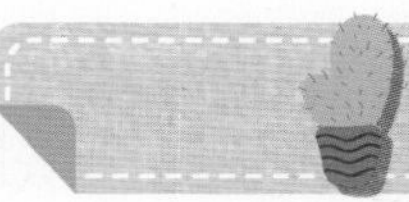

# 기초 문제

**01** 드림 볼 프로젝트란 구호 물품을 담는 상자를 버리지 않고, 아이들이 갖고 놀 수 있는 공의 형태로 변경할 수 있도록 만든 것을 말한다.

( ○ , × )

정답 ○

**02** '나만의 해피볼 만들기'의 제한 사항에 해당하지 않는 것은?

① 튼튼해야 한다.
② 탄력이 좋아야 한다.
③ 손쉽게 만들 수 있어야 한다.
④ 복잡한 재료나 공구가 있어야 한다.
⑤ 한 가지의 구기 종목에 사용할 수 있어야 한다.

정답 ④

**03** 헬프 데스크란 골판지를 재활용하여 책상 또는 가방으로 변신 가능하도록 제작된 것이다.

( ○ , × )

정답 ○

**04** 적정 기술의 창의적 문제 해결 과정에서 아이디어 구체화하기 단계에서는 선정한 아이디어를 ( )로 스케치하여 구체화한다.

정답 프리핸드

**05** '나만의 해피볼' 만들기의 실행 단계에서 못을 이용하여 끈을 붙인다.

( ○ , × )

정답 ×

**06** 다음은 자기 평가에 대한 내용이다. ( )에 공통으로 들어갈 말은 무엇인지 쓰시오.

- ( ) 기술의 뜻을 이해하였는가?
- ( ) 기술의 특징을 이해하였는가?

정답 적정

**07** 적정 기술의 창의적 문제 해결 과정의 평가하기 단계에 관한 설명이다. 어떤 평가에 해당하는지 쓰시오.

- 해피 볼로 축구, 야구 등의 놀이를 할 수 있을 만큼 튼튼하고 탄력이 좋은가?
- 해피 데스크는 분리와 조립이 간편한가?
- 해피 데스크는 휴대가 가능한가?
- 해피 볼과 해피 데스크를 해당 지역의 학생들이 이용할 수 있겠는가?

( )

정답 제품 평가

# 이해 문제

정답과 해설 **15쪽**

**01** 적정 기술의 창의적 문제 해결 과정의 '나만의 해피볼' 만들기에서 다음과 같이 과제명과 제한 사항이 제시되는 단계는?

> • 과제명: 나만의 해피 볼 만들기
> • 제한 사항
> – 포장 끈, 글루건, 글루건 심 등을 사용한다.
> – 한 가지의 구기 종목(축구, 야구, 배구, 핸드볼 등)에 사용할 수 있어야 한다.
> – 튼튼하고, 탄력이 좋아야 한다.

① 평가하기　② 실행하기
③ 문제 확인하기　④ 아이디어 창출하기
⑤ 아이디어 구체화하기

**02** 적정 기술의 창의적 문제 해결 과정 중 다음과 같은 활동이 이루어지는 단계는?

> 선정한 아이디어를 프리핸드로 스케치하여 체계화한다.

① 실행하기　② 평가하기
③ 문제 확인하기　④ 아이디어 창출하기
⑤ 아이디어 구체화하기

**03** 프리핸드 스케치는 아이디어를 구상할 때 정확한 치수와 모양을 나타내는 것이 아니라, 대략의 모양을 나타내는 방법이다.

( ○ , × )

**04** 〈보기〉는 '나만의 해피볼' 만들기에서 실행하기 단계를 나타낸 것이다. 순서대로 바르게 나열한 것은?

> 보기
> 가. 끈 자르기
> 나. 끈 엇갈려 놓기
> 다. 끈 별 모양으로 놓기
> 라. 원 모양의 끈을 별 모양의 중앙에 놓기
> 마. 글루건으로 붙이기

① 가 – 나 – 다 – 라 – 마
② 나 – 다 – 마 – 가 – 라
③ 나 – 마 – 라 – 다 – 가
④ 다 – 라 – 마 – 가 – 나
⑤ 라 – 나 – 다 – 마 – 가

**05** '나만의 해피 볼'을 만들 때 끈 붙이기 단계에서 발생할 수 있는 안전사고를 쓰시오.

( )

**06** 다음은 '나만의 해피볼' 만들기의 평가 항목을 나열한 것이다. 자기 평가, 동료 평가, 제품 평가 중에서 어떤 평가의 항목인지 쓰시오.

> • 적정 기술의 뜻을 이해하였는가?
> • 적정 기술의 특성을 이해하였는가?
> • 작업할 때 안전 및 유의 사항을 잘 지켰는가?

( )

**07** '나만의 해피 볼' 만들기에서 동료 평가 항목은?

① 적정 기술의 뜻을 이해하였는가?
② 적정 기술의 특징을 이해하였는가?
③ 작업할 때 안전 및 유의 사항을 잘 지켰는가?
④ 가장 적극적으로 실습에 참여한 동료는 누구인가?
⑤ 해피볼을 해당 지역의 학생들이 이용할 수 있겠는가?

## 적용 문제

정답과 해설 15쪽

**01** 드림 볼 프로젝트란 구호 물품을 담는 상자를 버리지 않고, 아이들이 가지고 놀 수 있는 공의 형태로 변경할 수 있도록 만든 것이다.

( ○ , × )

**02** 헬프 데스크는 골판지를 재활용하여 책상 또는 가방으로 변신 가능하도록 제작된 것이다.

( ○ , × )

**03** '나만의 해피 데스크' 만들기의 제한 사항을 모두 고른 것은?

① 튼튼해야 한다.
② 탄력이 좋아야 한다.
③ 휴대가 가능해야 한다.
④ 분리와 조립이 쉬워야 한다.
⑤ 택배 상자, 벨크로 테이프, 자, 칼 등을 사용한다.

중요

**04** 적정 기술의 창의적 문제 해결 과정에서 아이디어 창출하기 단계에서는 선정한 아이디어와 관련된 (　　　　) 을/를 수집하고 창의적인 (　　　　)을/를 구상하는 단계이다.

**05** 다음은 적정 기술의 창의적 문제 해결 과정의 평가하기 단계에 관한 설명이다. 어떤 평가에 해당하는지 쓰시오.

- 적정 기술의 뜻을 이해하였는가?
- 적정 기술의 특징을 이해하였는가?
- 작업할 때 안전 및 유의 사항을 잘 지켰는가?

(　　　　　　　　　　)

**06** 다음과 같이 과제명과 제한 사항이 제시되는 단계는?

- 과제명: 나만의 해피 데스크 만들기
- 제한 사항
  - 택배 상자, 벨크로 테이프, 자, 칼 등을 사용한다.
  - 분리와 조립이 쉽고, 휴대가 가능해야 한다.

① 평가하기
② 실행하기
③ 문제 확인하기
④ 아이디어 창출하기
⑤ 아이디어 구체화하기

**07** 〈보기〉는 적정 기술의 창의적 문제 해결 과정의 실행하기 단계를 나타낸 것이다. 순서대로 바르게 나열하시오.

보기

가. 상자의 좁은 면을 자른다.
나. 상자를 접는다.
다. 고정 판을 꽂을 수 있도록 위치를 정한다.
라. 몸체와 고정 판에 홈을 자른다.
마. 책상의 몸체에 고정 판을 끼운다.
바. 몸체에 상판을 결합한다.

(　　　　　　　　　　)

**08** '나만의 해피 데스크'를 만들 때 상자를 쉽게 접으려면 어떻게 해야 하는지 쓰시오.

(　　　　　　　　　　)

# 실전 문제

자주 출제되는 문제

**01** 적정 기술의 특징으로 적당하지 않은 것은?

① 많은 돈이 들지 않아야 한다.
② 누구나 쉽게 쓸 수 있어야 한다.
③ 만드는 사람들의 경제적 여건이 중요하다.
④ 사용자가 해당 기술을 이해할 수 있어야 한다.
⑤ 그것을 쓰게 될 사람들의 처한 상황에 맞아야 한다.

**02** 적정 기술 제품 중 라이프 스트로의 용도로 알맞은 것은?

① 물 운반　② 물 저장
③ 물 정수　④ 물 끓임
⑤ 물 얼림

**03** 〈보기〉는 적정 기술 제품들이다. 에너지 관련 제품을 모두 고르면?

보기
ㄱ. 퍼머넷　ㄴ. 사탕수수 숯
ㄷ. 큐 드럼　ㄹ. 페트병 조명
ㅁ. 어드스펙스

① ㄱ, ㄴ　② ㄱ, ㄴ, ㄷ
③ ㄱ, ㄴ, ㄹ　④ ㄴ, ㄹ
⑤ ㄴ, ㄷ, ㅁ

**04** 지속 가능 발전을 위한 자원 순환 실천에 대한 설명으로 바른 것은?

① 충동구매를 삼가한다.
② 일회용품을 사용하지 않는다.
③ 과도하게 포장된 제품을 쓰지 않는다.
④ 나에게 꼭 필요한 물건인지 생각한 후에 구입한다.
⑤ 자원이 제대로 순환되기 위해 쓰레기 분리 배출을 잘 한다.

**05** 〈보기〉는 지속 가능 발전의 실천 내용이다. 에너지 행동 실천을 모두 고르면?

보기
ㄱ. 전기 아끼기
ㄴ. 대중교통 이용하기
ㄷ. 음식 재료 적당량 구입하기
ㄹ. 계절별 냉난방 실내 적정 온도 지키기
ㅁ. 친환경적인 먹을거리 선택하기

① ㄱ, ㄴ, ㄷ　② ㄱ, ㄴ, ㄹ
③ ㄴ, ㄷ ㄹ　④ ㄴ, ㄷ, ㅁ
⑤ ㄷ, ㄹ, ㅁ

**06** (　　)에 가장 적당한 말은?

지속 가능한 발전을 위해서는 환경, (　　　), 사회 분야를 함께 고려해야 한다. 그 이유는 인류가 당면한 모든 문제가 서로 영향을 끼치고 있으며 연관되어 있기 때문이다.

① 군사　② 인구
③ 경제　④ 이익
⑤ 노인 문제

자주 출제되는 문제

**07** 다음 설명에 해당하는 '나만의 해피 볼 만들기'의 창의적 문제 해결 과정의 단계를 쓰시오.

나만의 해피 볼과 해피 데스크를 만들기 위해 관련 정보를 수집하고, 창의적인 아이디어를 구상한다.

(　　　　　　　　　　　　　　)

**08** 〈보기〉에서 '나만의 해피 볼' 만들기의 제한 사항을 모두 고른 것은?

보기
ㄱ. 튼튼하고, 탄력이 좋아야 한다
ㄴ. 포장 끈, 글루건, 글루건 심 등을 사용한다.
ㄷ. 지금까지 없었던 새로운 물건을 만드는 활동이다
ㄹ. 이미 있는 물건을 좀 더 편리하게 만드는 활동이다.
ㅁ. 한 가지의 구기 종목(축구, 야구, 배구, 핸드볼 등)에 사용할 수 있어야 한다.

① ㄱ, ㄴ　② ㄴ, ㄹ
③ ㄱ, ㄷ, ㅁ　④ ㄱ, ㄴ, ㅁ
⑤ ㄴ, ㄷ, ㅁ

**09** 다음 그림에 해당하는 '나만의 해피 볼' 만들기의 창의적 문제 해결 과정의 단계는?

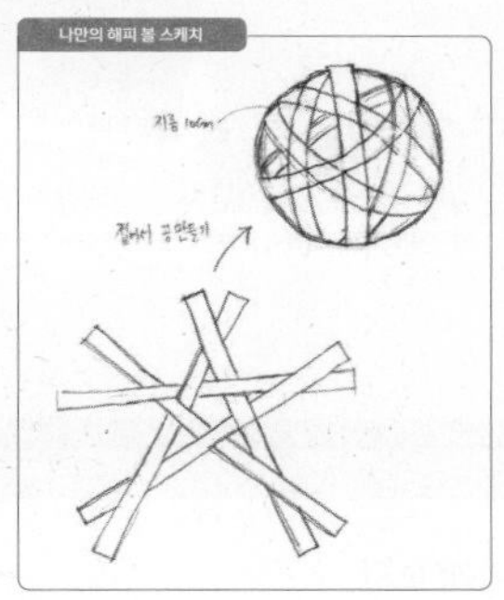

① 문제 확인하기
② 아이디어 창출하기
③ 아이디어 구체화하기
④ 실행하기
⑤ 평가하기

**10** '나만의 해피 볼' 만들기를 할 때 가장 주의해야 할 안전 사항은?

① 감전　② 추락
③ 화상　④ 부딪힘
⑤ 미끄러짐

## 서술형 문제

**11** 적정 기술의 의미를 서술하고, 적정 기술의 사례를 들어 용도와 특징을 설명하시오.

**12** 지속 가능 발전의 의미와 실천 방향을 서술하시오.

**13** 드림 볼 프로젝트의 의미를 서술하시오.

**14** 적정 기술의 특징을 간단하게 서술하시오.

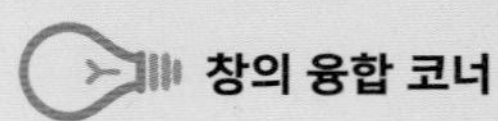

## 창의 융합 코너

정답과 해설 **16쪽**

▶ 사진은 경제적으로 어려움을 겪고 있는 나라들의 모습이다. 다음 물음에 답해 보자.

세계 최빈민 국가 지도(파란색)를 보면 대부분 아프리카 지역이 해당한다. 사진을 보면서 이들에게 필요한 것은 무엇인지 이야기해 보자.

<출처: United Nations, 2016.>

세계 모든 사람들이 안전하고 행복하게 살아가는 모습을 상상해 보자.

이 지역에서 적정 기술이 필요한 이유와 그 기술이 가지는 의미에 관하여 이야기해 보자.

---

---

---

**적정 기술의 역사**

적정 기술은 간디의 비폭력 운동의 일환에서 유래되었다고 보고 있다. 이후 경제학자 에른스트 슈마허(E.F. Schumacher)가 그의 저서 《작은 것이 아름답다》에서 소규모 지역 기술을 의미하는 중간 기술을 소개하게 된다. 자연 친화적인 분위기 덕분에 대안 기술의 영역으로 발전하다가 냉전의 영향으로 인하여 거대 기술이 강세를 보였고, 활발하던 적정 기술은 쇠퇴하기 시작하며 명맥을 유지하는 수준이었다. 그러다가 2007년 뉴욕에서 《누구를 위한 디자인인가?(Design 4 the other 90%)》라는 전시회가 열리며 다시 주목받게 되었다.

MEMO

MEMO

MEMO

MEMO

# 정답과 해설

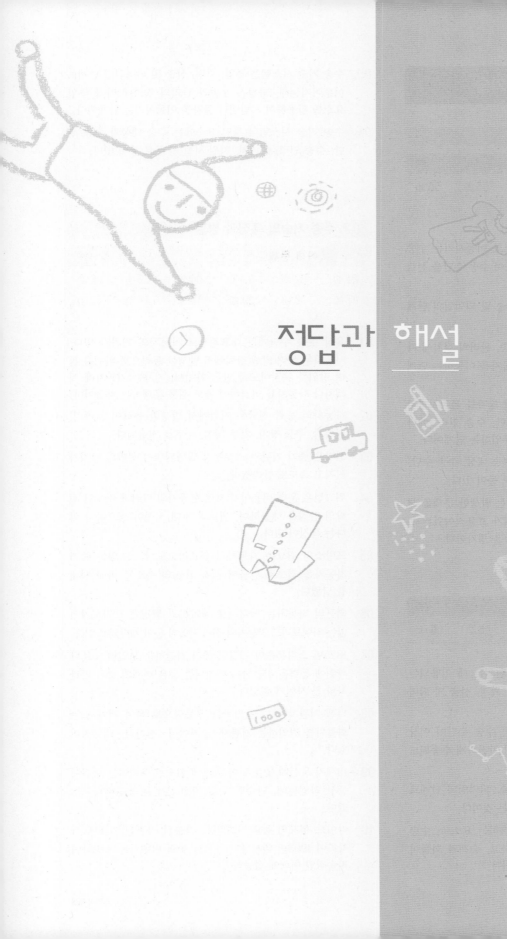

# V 효율적인 이동을 위한 기술

## 01 수송 기술 시스템

### 이해 문제 8쪽

01 ③ 02 ① 03 되먹임 04 ② 05 ⑤ 06 ④
07 ④

01 사람이나 물건, 동물 등을 다른 장소로 이동시키는 수송 기술은 시간, 장소, 비용 등을 고려하여 수송 수단을 선택하고 이용한다.

02 수송 기술 시스템은 투입－과정－산출 및 되먹임의 단계로 이루어진다.

04 수송 기술 시스템의 과정 단계는 수송, 관리의 절차에 따라 투입 요소를 활용하여 사람이나 물자를 이동하는 단계이다.

05 수송 기술 시스템의 투입은 사람이나 물자를 목적지까지 이동하기 위해 수송 대상과 수송 수단, 수송 인력, 에너지, 지원 시설 및 통로 등의 요소를 투입하는 단계이다.

06 수송 기술 시스템의 투입 요소에는 수송 대상, 수송 수단, 수송 인력, 에너지, 지원 시설 및 통로 등이 있다.

07 수송 기술 시스템의 되먹임 단계에서는 발생한 문제를 해결하기 위한 것으로, 수송의 전 단계가 효율적이었는지, 안전했는지, 고객의 반응이 좋은지 등을 평가한다.

### 적용 문제 9쪽

01 ① 02 ④ 03 ① 04 ③ 05 ② 06 ③

01 수송 기술 시스템은 수송 기술이 실현되는 데 이용되는 모든 활동을 체 계화한 것으로, 투입, 과정, 산출 및 되먹임 등의 단계로 이루어진다.

02 수송 기술 시스템의 관리 단계에서는 수송 수단이 이상 없이 운영되도록 하며, 승객과 화물이 안전하게 수송되도록 한다.

03 수송 기술 시스템은 투입, 과정, 산출, 되먹임의 단계로 이루어지며, 산출은 목적지에 도착하는 것이다.

04 수송 기술 시스템의 관리는 과정에 속하는 요소로, 수송 수단이 이상 없이 운영되도록 관리하고, 승객과 화물이 안전하게 수송되도록 관리하는 활동이다.

05 수송 기술 시스템은 투입, 과정, 산출 및 되먹임의 단계로 이루어지는데, 과정은 수송과 관리의 절차에 따라 투입 요소를 활용하여 사람이나 물자를 이동시키는 단계이다.

06 수송 기술 시스템의 투입 요소에는 수송 대상과 수송 수단, 수송 인력, 에너지, 지원 시설 및 통로 등이 있다.

## 02 수송 기술의 특징과 발달

### 이해 문제 13~14쪽

01 ② 02 ③ 03 ① 04 ④ 05 ④ 06 ③
07 ④ 08 ④ 09 ⑤ 10 ⑤ 11 ① 12 ①

01 육상 수송 수단에는 대표적으로 자동차와 기차가 있다. 자동차는 동력 발생 장치에서 발생한 동력으로 바퀴를 돌려 땅위를 움직이도록 만든 차이며, 기차는 기관차에 여객차나 화물차를 연결하여 궤도 위를 운행하는 차량이다.

02 자동차의 동력 전달은 기관에서 발생한 동력이 클러치, 변속기, 구동 장치, 차동 장치, 바퀴로 전달된다.

03 선박은 증기 기관과 스크루가 발명되면서 선박의 크기가 커지고 속도도 빨라졌다.

04 위그선은 운송 비용이 고가인 항공기의 단점과 저속인 선박의 단점을 해결하며, 별도의 부대 시설이 필요하지 않다는 특징이 있다.

05 프랑스의 퀴뇨는 자동차의 원조라고도 할 수 있는 증기 자동차를 최초로 만들어 시속 4km의 속도로 파리 시내를 달렸다.

06 최근의 자동차는 에너지를 절약하고 환경을 오염시키지 않는 하이브리드 자동차와 전기 자동차 등이 개발되고 있다.

07 1825년 스티븐슨이 개발한 증기 기관차는 보일러 구조나 바퀴에 동력을 전달하는 메커니즘 등은 현재의 증기 기관차와 큰 차이가 없었다.

08 디젤 기관차는 디젤 기관을 구동력으로 하여 객차 또는 화물차를 견인하는 기관차로, 기어식 · 전기식 · 액체식이 있다.

09 13세기 목선에 돛을 달아 바람에 힘으로 움직이는 범선이 등장 하였는데, 단순한 돛을 가진 범선은 돛단배라고도 했다.

10 라이트 형제의 동력 비행기는 가솔린 기관을 기체에 장착하여 1903년 역사상 처음으로 동력 비행기를 조종하여 지속적인 비행에 성공하였다.

11 1783년 프랑스의 몽골피에 형제는 사람이 탑승한 최초의 열기구 비행에 성공하였다.

12 스푸트니크는 1957년 소비에트 연방이 발사한 세계 최초의 인공위성으로, 이를 계기로 우주 개발이 시작되었다.

### 적용 문제 15~16쪽

| | | | | | |
|---|---|---|---|---|---|
| 01 ① | 02 ① | 03 ② | 04 ② | 05 ① | 06 ④ |
| 07 ④ | 08 ③ | 09 ④ | 10 ② | 11 ⑤ | 12 ③ |

01 수송 기술은 수송 규칙, 수송 수단, 수송 공간, 지원 시설과 인력을 필요로 한다.

02 기차는 철도 위를 달리는 수송 수단으로 자동차에 비해 많은 양의 짐을 안전하게 나를 수 있다.

03 잠수함은 잠수할 수 있다고 하여 영어로 submarine이라고 한다.

04 비행기 날개를 보면 윗면은 볼록하고 아랫면은 오목한데 이로 인해 공기의 흐름이 달라져 날개 윗면과 아랫면의 압력 차가 발생하여 양력이 얻어진다.

05 4행정 사이클 기관은 피스톤이 실린더 내를 왕복하는 사이에 흡입, 압축, 폭발, 배기의 4행정을 하면서 동력을 얻는 기관이다.

06 프랑스의 퀴뇨는 증기 기관을 이용하여 증기 자동차를 만들었는데, 이는 동력을 이용한 최초의 자동차이다.

07 미국의 포드는 컨베이어 벨트 방식을 이용하여 자동차를 대량 생산하면서 오늘날과 같은 자동차의 대중화 시대를 이루었다.

08 1802년 영국의 트레비식이 발명한 것으로 무게가 5톤이나 되었다.

09 마차 철도는 최초의 기차로, 18세기경 영국이 북부 탄광 지방에서 목재로 만든 궤도 위로 말이 직접 석탄차를 끌었다.

10 범선은 선체 위에 돛을 달아 풍력을 이용하며, 증기선은 증기 기관을 이용하여 항해하는 배이다. 디젤 기관선은 디젤 기관을 추진 기관으로 하는 배이다.

11 2011년에 발사한 큐리오시티는 화성 탐사용 로봇이다.

12 1969년 미국은 아폴로 11호를 달에 착륙시킴으로써 인간의 활동 영역을 우주까지 넓히는 계기를 만들었다.

## 03 수송 수단의 안전한 이용

### 이해 문제 20~21쪽

| | | | | | |
|---|---|---|---|---|---|
| 01 ⑤ | 02 ② | 03 ① | 04 ③ | 05 ④ | 06 ② |
| 07 ② | 08 ③ | 09 ④ | 10 ① | 11 ③ | 12 ① |

01 차를 기다릴 때에는 줄을 서서 질서를 지키고, 차례로 타고 내리며, 차를 탈 때에는 차가 완전히 멈출 때까지 차도에 내려서면 안 된다.

02 자동차 사고는 사람, 환경, 차량 자체에 의한 원인에 의해 발생한다.

03 안전사고 발생 시 안전띠를 착용하면 승차한 사람들의 안전을 보호받을 수 있다.

04 자전거는 내 몸에 맞는 자전거를 이용하고, 주기적으로 점검을 한다. 횡단보도에서는 끌고 건너며, 시속 20km의 안전 속도를 준수한다.

05 자전거 수신호에는 왼쪽으로 이동하기, 오른쪽으로 이동하기, 정지하기, 속도 줄이기, 앞지르기 등이 있다.

06 사고 현장을 사고 발생 상태로 보존하며, 사고 목격자를 확보하여 연락처와 이름을 알아둔다.

07 선박 사고 예방을 위해서는 부두에 선박이 완전히 정지한 후, 승무원의 안내에 따라 질서 있게 내린다.

08 저체온증에 걸리지 않도록 구명조끼를 착용하고 물속에 뛰어든 사람은 신속하게 육지쪽으로 이동하거나 부유품을 이용한다.

09 저체온증에 걸리지 않도록 구명조끼를 착용하고, 물속에서 행동이 쉽도록 가능한 한 신발을 벗는다.

10 항공기 이착륙 시에는 꼭 안전띠를 착용해야 하며, 테이블과 의자를 제자리에 놓아야 한다.

11 항공기 이착륙 시에만 안전띠를 착용하고, 비행 시에는 안전띠를 매지 않아도 된다.

12 항공기 사고 발생 시 충돌 전 웅크린 자세로 충격을 최소화하고, 생존자끼리 모여 있어야 구조될 가능성이 높아진다.

### 적용 문제 22~23쪽

| | | | | | |
|---|---|---|---|---|---|
| 01 ⑤ | 02 ② | 03 ⑤ | 04 ② | 05 ③ | 06 ④ |
| 07 ② | 08 ⑤ | 09 ③ | 10 ① | 11 ⑤ | 12 ① |
| 13 ⑤ | | | | | |

01 안전띠는 복부가 아닌 어깨와 골반뼈를 지나는 곳에 바르

게 위치하도록 한다.

02 차량 자체에 의한 사고 원인으로는 타이어 및 브레이크 파열 등 물리적인 요소 등이 해당한다.

03 다친 사람이 있으면 119에 신고를 하고, 구조 · 구급 차량이 올 때까지 무리한 이송이나 구조를 하지 않는다.

04 자전거는 자신의 능력을 과신하지 말고, 신호를 준수해야 한다. 좁은 길에서 큰 길로 나갈 때에는 속도를 줄이고, 교차로에서는 뒤쪽 차량에 수신호를 해 준다.

05 자전거 운전자는 앞의 자동차, 자전거와 안전 거리를 충분히 두어야 한다. 자전거와는 평지에서 자전거 1대가 충분히 들어갈 정도(약 3m), 내리막에서는 3대 이상의 거리를 두고 주행한다.

06 안전한 자전거 타기를 위한 수신호 중 오른쪽으로 이동하라는 수신호는 오른팔을 수평으로 펴거나 왼팔의 팔꿈치를 굽혀 수직으로 올린다.

07 자동차를 타면 안전띠를 꼭 매야 하며, 차 안에서는 장난을 하지 않는다. 자전거는 안전 장비를 꼭 착용하고 타기 전에 안전 점검 ABC를 확인한다.

08 선박 사고를 위한 안전한 이용 방법으로 비나 눈이 오거나 바람이 심하게 부는 경우에는 위험하므로 갑판으로 나가지 않으며, 부두에 선박이 완전히 정지한 후, 승무원의 안내에 따라 질서 있게 내린다.

09 항공기 사고 원인에는 조종사의 판단 및 조작 실수, 정비 과실, 장치의 고장, 항공 교통관제의 착오 및 기상의 영향 등이 있다.

10 선박 사고 시 위험한 상황이 되었을 때에는 구명조끼를 입고, 물속에서 행동이 쉽도록 가능한 신발을 벗는다.

11 항공기 사고 원인에는 조종사의 판단 및 조작 실수, 정비 과실, 장치의 고장, 항공 교통관제의 착오 및 기상의 영향 등이 있다.

12 항공기 사고 발생 시 생존자끼리 모여 있어야 멀리서 눈에 잘 띄어 구조될 가능성이 높다.

13 항공기 사고 대처 방법으로 구명조끼는 반드시 탈출 후 부풀린다. 생존자는 한 군데 모여 있어야 구조될 가능성이 높아진다. 또한 일행을 찾지 말고 먼저 신속히 탈출해야 한다.

## 04 수송 기술의 창의적 문제 해결

### 이해 문제 26쪽

01 ④ 02 ⑤ 03 ② 04 ② 05 ③ 06 ③

01 바퀴 없는 진동카 만들기에서 아이디어 창출하기는 관련 정보를 수집하고, 창의적인 아이디어를 구상하는 단계이다.

02 아이디어 구체화하기는 바퀴 없는 진동카를 만들기 위해 선정한 아이디어를 프리핸드로 스케치하여 구체화하는 단계이다.

03 송곳을 사용할 때에는 손을 찔리지 않도록 주의하며, 구멍을 다양하게 뚫어 진동카가 가장 잘 이동하는 위치를 찾는다.

04 송곳을 사용하여 병뚜껑에 구멍을 뚫으며, 송곳을 사용하여 구멍을 뚫을 때에는 안전에 주의하도록 한다.

05 평가하기에는 자기 평가, 동료 평가, 제품 평가가 있다.

06 평가하기는 완성품을 적절한 기준에 따라 평가하여 새로운 개선 방향과 활용 방안을 찾고, 이를 통해 더욱 뛰어난 결과물을 만들 수 있다.

### 적용 문제 27쪽

01 ③ 02 ③ 03 ④ 04 ⑤ 05 ④ 06 ④

01 바퀴 없는 진동카 만들기에서 아이디어 창출하기 단계에서는 창의적인 방법을 이용하여 확인된 문제를 해결한다.

02 아이디어 창출하기는 다양한 아이디어 중에서 최적의 아이디어를 찾는 단계이고, 아이디어 구체화하기는 창출된 아이디어를 다른 사람이 알아볼 수 있도록 표현하는 단계이다.

03 아이디어 창출하기는 아이디어를 완성품으로 만들기 위해 창출된 아이디어를 다른 사람이 알아볼 수 있도록 표현하는 단계이다.

04 수송 기술의 창의적 문제 해결 과정은 기술적 문제 해결 과정을 통해 창의적으로 해결할 수 있다.

05 실행하기는 완성품을 만드는 단계이다.

06 평가하기는 완성품을 적절한 기준에 따라 평가하여 새로운 개선 방향과 활용 방안을 찾는 단계이다.

## 05 신·재생 에너지의 이해

### 이해 문제 31~32쪽

01 ④ 02 ① 03 ② 04 ③ 05 ⑤ 06 ② 07 ① 08 ③ 09 ⑤ 10 ② 11 에너지 소비 효율 등급 표시 제도 12 ⑤

01 석탄 액화 기술은 고체 연료인 석탄을 휘발유 또는 경유와 같은 액체 연료로 전환하는 기술이다.

02 수소 에너지, 석탄 액화 기술, 석탄 가스화 기술, 연료 전지는 신에너지이다.

03 연료 전지 자동차는 연료 전지에서 발생하는 전기를 동력으로 사용한다.

04 태양열 발전기는 반사광을 통해 집열 탑에 모인 태양열로 증기를 만들고, 그 증기가 터빈을 돌려 전기를 생산한다.

05 풍력 발전기는 바람이 지니고 있는 에너지를 우리가 유용하게 사용할 수 있는 전기 에너지로 바꿔 주는 장치이다.

06 지열 에너지는 깊은 땅속의 열로 얻은 증기로 터빈을 돌려 전기를 얻는 에너지이다.

07 식물의 기름으로 만든 바이오 디젤 연료로 움직이는 자동차가 바이오 디젤 자동차이다.

08 파력 발전은 연안 또는 심해의 파랑 에너지를 이용하여 전기를 생산한다.

09 조력 발전은 조수 간만의 차를 동력원으로 해수면의 상승 · 하강 운동을 이용하여 전기를 생산한다.

10 냉장고 안에 음식량은 60%만 채운다. 음식량이 10% 증가할 경우, 전기 소비가 4% 정도 증가한다.

11 에너지 소비 효율 등급 표시 제도

12 에너지 소비 효율 1등급 제품을 사용하면 5등급 제품과 비교하여 약 30~40%의 에너지를 절감할 수 있다.

**적용 문제** 33~34쪽

| | | | | | |
|---|---|---|---|---|---|
| 01 ⑤ | 02 ① | 03 ④ | 04 ③ | 05 ③ | 06 ① |
| 07 ② | 08 ② | 09 ⑤ | 10 ④ | 11 ③ | 12 ③ |
| 13 ③ | | | | | |

01 신 · 재생 에너지는 대부분 초기 시설 투자를 위해 많은 비용이 들고, 에너지 생산 효율이 떨어진다.

02 연료 전지는 수소와 산소의 화학 반응으로 생기는 화학 에너지를 전기 에너지로 변환하는 장치이다.

03 석탄 가스화 기술은 석탄을 합성 가스로 만들어 터빈을 돌려 전기를 생산한다.

04 신에너지에는 연료 전지, 수소 에너지, 석탄 액화 및 가스화 기술 등이 있다.

05 태양광 에너지는 태양 전지를 이용하여 전기를 얻는 에너지로, 낮에 충전한 전기를 저장하여 사용할 수 있어서 흐린 날이나 밤에도 사용할 수 있다.

06 태양열의 흡수 · 저장 · 열 변환 등의 과정을 거쳐 건물의 냉난방 및 급탕 등에 활용한다.

07 수력 에너지는 물이 떨어지는 힘, 즉 위치 에너지를 이용하여 터빈(수차)을 돌려 전기를 얻는 에너지이다.

08 풍력 발전기는 바람이 지니고 있는 에너지를 우리가 유용하게 사용할 수 있는 전기 에너지로 바꿔 주는 장치이다.

09 바이오 에너지는 식물, 가축의 분뇨, 음식물 쓰레기 등을 고체, 액체, 기체 형태의 연료로 만들어 사용하는 에너지로, 바이오 디젤 연료로 움직이는 자동차 등에 활용된다.

10 조력 발전소는 밀물과 썰물의 힘을 이용하여 터빈을 돌려 전기를 얻는다.

11 여름철 실내 적정 온도는 26~28℃를 유지하며, 겨울철 실내 적정 온도는 20℃ 이하를 유지한다.

12 냉장고 안에 음식량은 60%만 채우며, 여름철 실내 적정 온도는 26~28℃를 유지한다.

13 에너지 소비 효율 등급 표시 제도는 소비자들이 효율이 높은 에너지 절약형 제품을 쉽게 구입할 수 있도록 하기 위한 것이다.

## 06 에너지 문제의 창의적 해결

**이해 문제** 37쪽

| | | | | | |
|---|---|---|---|---|---|
| 01 ② | 02 ③ | 03 마름질 | 04 ③ | 05 ④ | 06 ② |
| 07 ⑤ | | | | | |

01 에너지 문제의 창의적 해결 과정의 아이디어 창출하기는 관련 정보를 수집하고, 창의적인 아이디어를 구상하는 단계이다.

02 에너지 문제의 창의적 해결 과정의 실행하기는 필요한 재료와 공구 등을 준비하여 구산한대로 도면을 보고 제품을 만드는 단계이다.

04 에너지 문제의 창의적 해결 과정의 아이디어 구체화하기는 창출된 아이디어를 다른 사람이 알아볼 수 있도록 표현하는 단계이다.

05 라디오 펜치로 USB 케이블을 자르고, USB 케이블의 선과 태양 전지의 전선 중에서 같은 색의 선끼리 서로 연결한다.

06 에너지 문제의 창의적 해결 과정의 평가하기 단계에서는 스스로 평가를 하거나 친구와 완성품에 대하여 평가를 한다.

07 일상생활 속에서 태양 전지는 스마트폰 충전기, 헤드폰, 쓰레기통, 버스 정류장, 텐트 등 다양하게 활용된다.

## 적용 문제

38쪽

| 01 ② | 02 ② | 03 ③ | 04 ⑤ | 05 ① | 06 ⑤ |
|---|---|---|---|---|---|

01 에너지 문제의 창의적 해결 과정의 문제 확인하기는 개선하려는 대상의 특성과 불편한 점을 찾는 단계이고, 아이디어 구체화하기는 창출된 아이디어를 다른 사람이 알아볼 수 있도록 표현하는 단계이다.

02 에너지 문제의 창의적 해결 과정의 아이디어 창출하기에서는 확인된 문제를 창의적 사고 기법을 이용하여 해결할 수 있다.

03 에너지 문제의 창의적 해결 과정의 아이디어 구체화하기는 완성품으로 만들기 위해 창출된 아이디어를 다른 사람이 알아볼 수 있도록 표현하는 단계이다.

04 에너지 문제의 창의적 해결 과정은 기술적 문제 해결 과정을 통해 창의적으로 해결할 수 있다.

05 칼을 사용할 때에는 손을 베이지 않도록 주의하며, 글루건을 사용할 때에는 손을 데지 않도록 주의한다.

06 제품 평가에는 태양광 스마트폰 충전기 커버의 디자인은 창의적인가, 태양광 스마트폰 충전기는 견고하게 제작되었는가, 충전 시 태양 전지를 세울 수 있는가, 태양광 스마트폰 충전기로 스마트폰 충전이 되는가 등이 있다.

## 실전 문제

39~44쪽

| 01 ③ | 02 ⑤ | 03 ① | 04 ④ | 05 ② | 06 ① |
|---|---|---|---|---|---|
| 07 ⑤ | 08 ③ | 09 ③ | 10 ③ | 11 ④ | 12 ④ |
| 13 ⑤ | 14 ① | 15 ② | 16 ④ | 17 ③ | 18 ④ |
| 19 ① | 20 ② | 21 ④ | 22 ③ | 23 ② | 24 ② |
| 25 ⑤ | 26 ⑤ | 27 ① | 28 ④ | 29 ② | 30 ① |
| 31 ② | 32 ③ | 33 ④ | 34 ① | | |

[서술형 문제] 35~40 해설 참조

01 수송 기술 시스템은 수송 기술이 실현되는 데 이용되는 모든 활동을 체계화한 것으로, 투입, 과정, 산출 및 되먹임 등의 단계로 이루어진다.

02 수송 기술은 사람이나 물건 등을 한 장소에서 다른 장소로 이동시키는 수단이나 활동이다.

03 ②, ③, ④는 과정 단계의 관리 과정, ⑤는 투입 단계에 해당한다.

04 수송 기술은 수송 규칙, 수송 수단, 수송 공간 그리고 지원 시설과 인력이 필요하다는 특징이 있다.

05 잠수함은 물속에 잠겨 이동할 수 있는 수송 수단으로, 부력을 조절하는 탱크가 있어 뜨거나 가라앉을 수 있다.

06 육상 수송 수단에는 대표적으로 자동차, 기차 등이 있고, 해상 수송 수단에는 선박, 잠수함 등이 있으며, 항공 · 우주 수송 수단에는 비행기, 로켓 등이 있다.

07 연료를 연소하여 발생하는 높은 온도와 압력을 이용하여 동력을 얻는 동력 기관에는 가솔린 기관, 디젤 기관, 제트 기관, 로켓 기관 등이 있다.

08 폭발 행정은 점화 플러그에서 전기 불꽃이 발생하여 혼합기가 폭발하면 피스톤이 아래로 내려가면서 동력을 얻는다.

09 로켓 기관은 제트 기관과 같은 원리이나, 산소를 발생시키는 산화제가 있어 공기가 없는 우주에서도 비행할 수 있어 로켓에 이용된다.

10 수레바퀴는 기원전 3,500년 전 무렵 메소포타미아, 동유럽, 중앙아시아 등지에서 만들어졌다.

11 1769년, 프랑스의 퀴뇨는 증기 기관을 이용하여 증기 자동차를 만들었는데, 이는 동력을 이용한 최초의 자동차이다.

12 디젤 기관차는 디젤 기관을 구동력으로 하여 객차 또는 화차를 견인하는 기관차로, 우리나라는 전기식 기관차를 사용하고 있으므로, 일반적으로 디젤 전기 기관차라 부른다.

13 통나무 배는 통나무의 속을 파서 만들었으며, 범선은 선체 위에 돛을 달아 풍력을 이용하여 항해하는 배이다.

14 디젤 기관선은 디젤 기관을 추진 기관으로 하는 배이다. 디젤 기관은 내연 기관 중 가장 우수한 것으로, 1912년 처음 원양 어선에 채택된 이래 배의 추진 기관으로 널리 보급되었다.

15 범선은 선체 위에 돛을 달아 풍력을 이용하여 항해하는 배이다.

16 독일 출생의 릴리엔탈은 새의 비상 관찰을 기초로 하여 1877년 철 글라이더를 시험 제작, 1891년 처음으로 사람이 탈 수 있는 글라이더를 개발하였다.

17 라이트 형제가 직접 만든 가솔린 기관을 기체에 장치하여 1903년 12월 17일 키티호크에서 역사상 처음으로 동력 비행기를 조종하여 지속적인 비행에 성공하였다.

18 1957년, 소비에트 연방이 최초의 인공위성 스푸트니크를 발사하였는데, '스푸트니크'란 러시아어로 '여행의 동반자'라는 뜻을 가지고 있다.

19 자동차를 탈 때에는 완전히 멈출 때까지 차도에 내려서면 안 되며, 차를 타면 안전띠를 꼭 맨다.

20 안전등이 너무 밝으면 다른 운전자의 시야를 방해하기 때문에 5~10m 앞의 아래를 향하게 한다.

21 자전거는 주기적으로 점검하며, 타기 전에는 안전 점검 Air(공기), Brake(브레이크), Chain(체인)을 확인한다.

22 자전거 수신호에는 왼쪽으로 이동하기, 오른쪽으로 이동하기, 정지하기, 속도 줄이기, 앞지르기 등이 있다.

23 선박 사고 시 저체온증에 걸리지 않도록 구명조끼를 착용하고, 물속에 뛰어든 사람은 신속하게 육지 쪽으로 이동하거나 부유품을 이용해 체온이 떨어지지 않도록 보온을 유지한다.

24 선박 사고로 인해 위험한 상황이 되었을 때 구명조끼를 입고, 물속에서 행동이 쉽도록 가능한 한 신발을 벗는다.

25 항공기 사고의 원인으로는 조종사의 판단 및 조작 실수와 정비 과실, 장치의 고장 그리고 항공 교통관제의 착오 및 기상의 영향 등이 있다.

26 항공기 사고 발생 시 일행을 찾지 말고 먼저 신속히 탈출하고, 구명조끼는 반드시 탈출 후 부풀리며, 생존자끼리 모여 있어야 구조될 가능성이 높다.

27 바퀴 없는 진동카는 편심의 원리를 이용하여 전동기에 금속 회전 추를 고정하여 회전시켜 진동이 발생하게 한다.

28 글루건을 사용할 때에는 손을 데지 않도록 주의한다.

29 신에너지에는 연료 전지, 수소 에너지, 석탄 액화 및 가스화 기술 등이 있다.

30 수소 에너지는 물, 유기물, 화석 에너지 등과 같은 화합물 형태로 존재하는 수소를 분리, 생산하여 이용하는 것이다.

31 태양광 에너지는 태양 전지를 이용하여 전기를 얻는 에너지이다.

32 풍력 에너지는 바람으로 풍차를 돌려 전기를 얻는 에너지이며, 조력 발전은 조수 간만의 차를 동력원으로 해수면의 상승 · 하강 운동을 이용하여 전기를 생산한다.

33 가전제품의 플러그를 뽑는 것만으로 연간 11%의 대기 전력을 줄일 수 있으며, 냉장고 안에 음식량은 60%에서 10%씩 증가할 경우, 전기 소비가 4% 정도 증가한다.

34 평가 항목에 따라 자기 평가, 동료 평가, 제품 평가를 하도록 한다. 특히 자기 평가나 동료 평가를 할 때에는 객관적인 평가가 되도록 한다.

### 서술형 문제

35 수송 기술 시스템은 투입, 과정, 산출, 되먹임의 단계로 이루어진다. 투입은 사람이나 물자를 목적지까지 이동하기 위해 요소를 투입하는 단계이다. 과정은 수송, 관리의 절차에 따라 투입 요소를 활용하여 사람이나 물자를 이동하는 단계이며, 산출은 목적지에 도착, 즉 계획했던 수송 과정이 실행되는 단계이다. 이러한 결과는 적절한 되먹임으로 앞 요소들의 평가나 조정에 활용된다.

36 버스 운행을 예로 수송 기술의 특징을 설명하면, 버스를 안전하고 효율적으로 운행하기 위한 교통 신호 · 법규 등의 수송 규칙, 버스의 수송 수단, 버스가 다닐 수 있는 도로 등의 수송 공간, 버스 정류장과 버스 운전사 등의 지원 시설과 인력이 필요하다는 특징이 있다.

37
- 사고 발생 시 즉시 큰 소리로 외치거나 비상벨을 눌러 사고 발생 사실을 알린다.
- 위험한 상황이 되었을 때 구명조끼를 입고, 물속에서 행동이 쉽도록 가능한 한 신발을 벗는다.
- 저체온증에 걸리지 않도록 구명조끼를 착용하고, 물속에 뛰어든 사람은 신속하게 육지 쪽으로 이동하거나 부유품을 이용해 체온이 떨어지지 않도록 보온을 유지한다.
- 선체가 한쪽으로 기울 경우 반대 방향의 높은 쪽으로 대피한다.

38 항공기 사고 시 충돌 전 웅크린 자세로 있어야 충격을 최소화할 수 있으며, 생존자끼리 모여 있어야 구조될 가능성이 높아진다.

39
- 창의적인 디자인 아이디어를 낸 동료는 누구인가?
- 가장 적극적으로 실습에 참여한 동료는 누구인가?

40 가전제품 플러그를 사용하지 않을 때 플러그를 뽑는 것만으로 연간 11%의 대기 전력을 줄일 수 있다.

## 창의 융합 코너 45쪽

**문제 해결 과정**

- **한 손에 번개를 들고 있는 제우스의 조각상:** 그리스 로마 신화에 등장하는 신으로 천둥, 번개, 비, 바람 등을 관장하는 신으로 여겼고, 번개를 무기로 사용하였다.
- **양산을 든 여인:** 따뜻한 햇살 아래 양산을 든 여인의 스카프와 치마가 바람에 흔들리고, 들판의 풀들도 흔들리고 있다.
- **씨 뿌리는 농부:** 태양이 꿈틀거리는 듯한 모습에서 태양의 강한 열기가 느껴진다.
- **가나가와 앞바다의 파도:** 서양의 원근법과 청색 안료를 처음 사용하여 파도 치는 바다를 입체적으로 재현한 판화 작품이다.

• **박연 폭포**: 자연을 있는 그대로 그리는 것이 아니라, 회화적으로 재해석하여 그린 그림이다. 마치 그림에서 폭포 소리가 들리는 듯하다.

예시 답안

• **한 손에 번개를 들고 있는 제우스의 조각상**: 바람을 이용한 에너지
• **양산을 든 여인**: 태양, 바람을 이용한 에너지
• **씨 뿌리는 농부**: 태양 · 바이오 에너지 등
• **가나가와 앞바다의 파도**: 해양 에너지(파도, 조류 등)
• **박연 폭포**: 물이 떨어지는 힘을 이용한 에너지

# VI 세상과 소통하는 기술

## 01 정보 기술 시스템

### 이해 문제 50쪽

| | | | | | |
|---|---|---|---|---|---|
| 01 ⑤ | 02 의미 | 03 ① | 04 ⑤ | 05 ② | 06 ① |
| 07 ② | 08 ③ | | | | |

01 ① 건설 기술: 생활하는 데 필요한 구조물을 만드는 기술
② 생명 기술: 생명체의 특성이나 기능을 활용하여 유용한 물질을 만드는 기술
③ 수송 기술: 사람이나 물건을 다른 장소로 이동하는 기술
④ 제조 기술: 재료를 가공하여 우리 생활에 필요한 제품을 만드는 기술

03 정보 기술 시스템은 투입, 과정, 산출 및 되먹임의 단계로 이루어진다.

05 음성 통신은 가장 오래된 통신 방식이며, 현재까지 널리 이용되고 있다.

07 음성 통신: ① 전화기, ⑤ 라디오 방송
영상 통신: ③ 영상 통화, ④ 텔레비전 방송

08 데이터 통신은 신호 변환 장치를 통해 데이터를 전송 매체에 적합한 형태의 신호로 바꾸거나, 받은 전기 신호를 컴퓨터에 적합한 형태의 데이터로 바꾼다.

### 적용 문제 51쪽

| | | | | | |
|---|---|---|---|---|---|
| 01 ④ | 02 ② | 03 ④ | 04 ④ | 05 ④ | 06 ⑤ |
| 07 ③ | 08 ⑤ | | | | |

01 정보란 여러 가지 자료를 사용자가 의미 있게 활용할 수 있도록 가공한 것이다.

03 인력, 자본, 하드웨어, 소프트웨어는 정보 기술 시스템의 투입 단계의 세부 요소이다.

04 (ㄱ), (ㄴ)은 투입 단계 / (ㄷ)은 과정 단계 / (ㄹ)은 산출 단계

06 음성 통신: 전화기, 라디오 방송 / 이미지 통신: 팩시밀리
영상 통신: 텔레비전 방송, 영상 통화 / 데이터 통신: 컴퓨터 통신

07 컴퓨터 통신을 통해 과제를 주고받는 모습이다. 컴퓨터 통신은 데이터 통신의 한 예이다.

08 안테나: 주파수를 주고받는 장치
스피커: 전기 신호 → 음성 신호
통신 회선: 전기 신호가 지나가는 통로
마이크로폰: 음성 신호 → 전기 신호

## 02 정보 통신 기술의 특성과 발달

### 이해 문제 54~55쪽

| | | | | | |
|---|---|---|---|---|---|
| 01 ⑤ | 02 ② | 03 ④ | 04 ⑤ | 05 ⑤ | 06 ⑤ |
| 07 ② | 08 ④ | 09 ⑤ | 10 ③ | 11 ⑤ | |
| 12 모스 부호 | | 13 ⑤ | 14 ③ | | |

01 ① 정보의 저장 기간은 무한하다.
②, ③ 정보를 신속하고 정확하게 전달할 수 있다.
④ 정보를 여러 사람들이 공유할 수 있다.

02 ① 개인 생활이 편리해지고 있다.
③, ④ 시간과 공간에 제약을 덜 받게 되었다.
⑤ 교육, 문화, 산업, 행정 등 모든 분야에 큰 변화를 가져왔다.

03 정보 통신 기술 발달이 다른 산업 분야에 영향을 미쳐 변화된 모습을 제시한 내용이다. 집에서 회사 업무를 보는 재택근무, 컴퓨터로 제어하는 공장 자동화는 산업 분야의 예이다.

04 초기의 인류는 동물의 소리를 흉내 내거나 몸짓을 이용하여 의사소통을 하였다.

05 직지심체요절은 고려 시대에 금속 활자로 인쇄된 책이다.

06 전화기의 발명으로 음파를 전류로 바꾸어 전송한 후, 다시 음파로 바꾸는 방법으로 음성을 직접 전달할 수 있게 되었다.

07 음성, 영상, 데이터 모두를 전달하는 장치는 스마트폰이나 IPTV이다.

08 통신 위성은 어느 한 위치로부터 신호를 수신하여 중계하는 역할을 한다.

10 광 통신은 정보를 빛의 형태로 변환하여 통신하는 방법으로, 대량의 정보를 빠르고 멀리까지 전달할 수 있다.

11 ⑤ 컴퓨터(애니악) 이후로, 아날로그 신호 대신에 디지털 신호를 활용해서 정보 처리를 한다.

13 ① 빅 데이터의 활용이 증가한다.
② SNS 사용으로 정보의 공유가 더욱 늘어난다.
③ 유선망보다 무선망의 사용이 더욱 늘어난다.
④ 정보의 처리 및 전송 속도가 더욱 가속화된다.

14 ① GPS: 지구 궤도를 돌고 있는 인공위성과 통신하며 현재 위치를 파악할 수 있는 장치이다. ② 가상 현실(VR): 컴퓨터 그래픽 등으로 만든 가상 세계를 마치 현실 세계처럼 체험할 수 있도록 하는 기술이다. ④ 빅 데이터: 기존의 방법으로는 처리하기 어려운 막대한 양의 데이터를 말한다. 빅 데이터를 효과적으로 분석하면 미래를 예측하여 최적의 대응 방안을 찾을 수 있다.

**적용 문제** 56~57쪽

01 ① 02 ② 03 ⑤ 04 ④ 05 ② 06 ③
07 ② 08 ④ 09 ③ 10 ⑤ 11 ② 12 ③
13 ⑤ 14 ⑤

01 많은 사람들이 경기 응원을 하는 것은 정보를 공유할 수 있다는 특성을 나타낸다.

02 가족과 함께 한 순간을 사진으로 저장 및 보존하여 언제나 볼 수 있는 것은 정보를 저장하고 보존할 수 있다는 특성을 나타낸다.

04 목판 인쇄가 금속 활자를 이용한 인쇄보다 먼저 사용되었다.

05 인쇄술의 발명으로 정보나 지식을 효과적으로 보존하고, 문서를 대량으로 빠르게 보급할 수 있게 되었다.

06 〈보기〉 중에서 인쇄기가 가장 먼저 발명되고, 라디오가 가장 늦게 발명되었다.

07 ㄱ, ㄷ, ㄹ, ㅁ은 전기 통신 이후의 발명들이다.

08 라디오는 전파를 음성으로 변환하는 기계로, 라디오의 발명으로 정보를 멀리까지 전달할 수 있게 되었으며, 텔레비전의 발명으로 전파를 이용하여 음성과 영상을 동시에 멀리까지 전달할 수 있게 되었다.

09 위성 통신은 무선 통과 휴대 전화의 발달에 큰 영향을 끼쳤다.

10 컴퓨터 발명 이후, 연속적인 값인 아날로그 신호 대신에 0과 1을 이용한 디지털 신호를 사용하여 정보를 처리하고 전달하는 통신이 주로 활용되었다.

12 가상 현실(VR)은 컴퓨터 그래픽 등으로 만든 가상 세계를 마치 현실 세계처럼 체험할 수 있도록 하는 기술이다. 이를 통해 유명 박물관이나 미술관을 인터넷상에서 재현하여 간접 체험할 수 있다.

13 장소에 상관없이 언제 어디서나 인터넷에 쉽게 접속하여 원하는 정보를 얻을 수 있는 것이 현대 정보 통신 기술의 특징이다.

14 사물 인터넷(IoT)을 활용한 사례들이다. 사물 인터넷이란 모든 사물이 인터넷으로 서로 연결되어 정보가 생성, 수집, 공유, 활용되는 초연결 인터넷을 말한다.

## 03 통신 매체의 이해

**이해 문제** 60쪽

01 ③ 02 ③ 03 사물의 움직임과 소리를 실시간으로 전달하기 때문에 정보 전달 효과가 매우 뛰어나다. 04 ③ 05 ①
06 ④ 07 ⑤ 08 ③

02 문자 통신 매체에 대한 설명이다.

06 뉴 미디어는 기존의 통신 매체와 전혀 다른 것은 아니며, 통신 매체의 형태가 발전한 것이라 할 수 있다.

07 ① 기억 장치: 컴퓨터의 프로그램과 데이터를 저장하는 장치이다. ② 입력 장치: 데이터를 입력하는 장치이다. ③ 출력 장치: 컴퓨터가 처리한 결과물을 나타내는 장치이다. ④ 통신 장치: 컴퓨터 간의 데이터를 주고받는 전송 장치이다.

08 출력 장치는 컴퓨터가 처리한 결과물을 나타내는 장치이다. 예로는 모니터, 스피커, 프린트 등이 있다.

**적용 문제** 61쪽

01 ② 02 ① 03 ③ 04 ③ 05 ④ 06 ①
07 ③ 08 ⑤

01 ① 뉴 미디어는 가장 최근에 나온 통신 매체이다. 가장 먼저 나온 통신 매체는 음성 통신 매체이다.

③ 문자 통신 매체는 적은 용량으로 많은 내용을 전달할 수 있는 것이 특징이다.
④ 스마트폰은 문자, 음성, 동영상, 그래픽 등 모든 기능을 할 수 있다.
⑤ 동영상 통신 매체는 사물의 움직임과 소리를 실시간으로 전달하기 때문에 정보 전달 효과가 매우 뛰어나다.

02 (ㄱ)은 음성 통신 매체 설명이다. 카메라와 팩시밀리는 그래픽 통신 매체 기기, 텔레비전은 동영상 통신 매체 기기, 전자 신문은 뉴 미디어(새 매체)에 해당한다.

03 (ㄴ)은 뉴 미디어(새 매체)에 대한 설명이다. 팩시밀리는 그래픽 통신 매체이다.

04 컴퓨터 본체는 중앙 처리 장치, 기억 장치, 통신 장치가 함께 들어 있다. 마우스와 키보드는 입력 장치, 모니터와 스피커는 출력 장치이다.

05 블루투스는 근거리 통신만 할 수 있는 스마트폰 통신 장치이다.

06 화면과 스피커는 출력 장치, 블루투스는 통신 장치, 내장 메모리는 기억 장치이다.

07 화면과 스피커는 출력 장치, 블루투스는 통신 장치, 내장 메모리는 기억 장치이다.

08 내장 메모리와 외장 메모리 칩은 기억 장치이다.

## 04 정보 통신 기술의 창의적 문제 해결

### 이해 문제 64쪽

01 ② 02 ⑤ 03 ② 04 ② 05 ① 06 ③
07 ④ 08 ①

01 ① 녹음 기능 - 음성 공유, ② 문자 전송 기능 - 텍스트 공유, ④ 카메라 촬영 기능 - 사진 및 그림 공유, ⑤ 동영상 촬영 및 편집 기능 - 동영상 공유

02 스토리 보드는 아이디어 구체화하기 단계에서 작성한다.

03 스토리 보드에서 서론은 시작 부분으로 제목, 만든 이, 재생 시간, 제작 날짜 등을 넣는다. 본론 부분에는 전달하고자 하는 내용을 넣는다. 결론 부분에는 느낀 점을 바탕으로 제작 후기를 넣고, 도움을 준 사람들의 이름을 넣는다.

04 평가하기 단계에서는 스스로 평가하거나 친구와 완성품에 대한 평가를 한다.

05 동영상 테마 선택 후에는 자신이 촬영한 동영상 및 사진과 배경 음악을 선택한다.

06 문제 확인하기 단계에서 과제명이나 제한 사항을 제시하여, 문제 사항을 확인한다.

07 오목 렌즈는 가까운 거리에 있는 물체를 작게 보여 주고, 볼록 렌즈는 가까운 거리에 있는 물체를 크게 보여 준다. 따라서 스마트폰의 재생 화면을 크게 키워야 하므로 볼록 렌즈, 즉 돋보기를 재료로 사용한다.

08 받침대는 스마트폰 화면을 가리지 않게 만들어야 영상을 재생할 때 가리는 부분이 생기지 않는다. 받침대는 스마트폰 화면을 가리지 않게 만든다.

### 적용 문제 65쪽

01 ③ 02 ④ 03 ④ 04 ④ 05 ⑤ 06 ⑤

01 문제 확인하기 → 아이디어 창출하기 → 아이디어 구체화하기 → 실행하기 → 평가하기의 순으로 정보 통신 기술의 문제 해결 활동이 이루어진다.

02 모둠 간의 창의적 아이디어 구상을 위한 대화이다. 창의적 아이디어 구상은 아이디어 창출하기 단계에서 실시한다.

03 스마트폰의 동영상 응용 프로그램으로 '학교 소개 동영상'을 제작한다.

04 문제 확인하기 - 아이디어 창출하기 - 아이디어 구체화하기 - 실행하기 - 평가하기의 순으로 창의적 문제 해결 활동이 이루어진다.

05 아이디어 창출하기 단계에서는 정보 수집 및 창의적 아이디어 구상을 한다.

06 ①, ②, ③은 제품 평가, ④는 자기 평가에 해당한다.

### 실전 문제 66~67쪽

01 ③ 02 ④ 03 ④ 04 ⑤ 05 ④ 06 ③
07 ④ 08 ⑤ 09 ① 10 ⑤
[서술형 문제] 11~15 해설 참조

01 정보 기술 시스템의 되먹임은 문제가 발생하면 이를 해결하기 위해 문제가 되는 단계로 되돌아가는 단계이다.

02 정보 기술 시스템은 투입, 과정, 산출 및 되먹임 등으로 이루어진다.

03 라디오 방송은 음성 통신에 해당한다.
마이크로폰: 음성 신호를 전기 신호로 바꾼다.

송신 안테나: 전기 신호를 높은 주파수에 실어 보낸다.
수신 안테나: 높은 주파수에 실린 전기 신호를 받는다.
스피커: 받은 전기 신호를 음성으로 바꾼다.

**04** 팩시밀리는 이미지 통신, 전화기 · 라디오는 음성 통신에 해당한다.

**05** 유선 전신기의 발명으로 전류를 이용한 모스 부호를 전달할 수 있게 되었다.

**06** 미국의 모스는 유선 전신기를, 이탈리아의 마르코니는 무선 전신기를 만들었다.

**07** 전신기와 전화기가 발명되어 전기 통신이 사용되기 시작하였고, 멀리 떨어진 지역 간에도 빠르게 정보를 전달할 수 있게 되었다.

**08** 유비쿼터스는 '언제 어디에나 존재한다'는 뜻으로 장소에 상관없이 자유롭게 네트워크에 접속할 수 있는 환경을 말한다.

**09** 인터넷과 정보 통신 기술의 발달로 기존의 통신 매체가 뉴 미디어로 발달하였다.

### 서술형 문제

**11**
- 투입: 정보를 생산하기 위해 자료, 자본, 인력, 소프트웨어, 하드웨어 등의 요소를 투입한다.
- 과정: 자료 수집, 자료 가공, 저장 등의 절차에 따라 투입 요소를 활용하여 정보를 생산한다.
- 산출: 정보를 완성한다.
- 되먹임: 문제 발생 시 이를 해결하기 위한 단계로 되돌아간다.

**12**
- 투입: 기상 관측 장비 및 위성을 통해 온도, 습도, 바람, 구름 등의 자료를 수집한다.
- 과정: 수집한 자료를 종합하여 분석한다.
- 산출: 일기 예보 자료가 산출된다.
- 되먹임: 일기 예보 자료에 문제가 발생하면 이를 해결하기 위해 문제가 되는 단계로 되돌아간다.

**13** ① 정보 통신 매체는 서로 연결 및 통합되어 있다.
② 정보를 여러 사람이 공유할 수 있다.
③ 정보를 신속하고 정확하게 전달할 수 있다.
④ 정보를 저장하고 보존할 수 있다.

**14** 교통 정보 시스템

**15**
- 친구들과 공유하고 싶은 내용을 키보드를 통해 입력한다.
- 입력한 정보를 전송 매체에 적합한 형태의 신호로 바꾼다.
- 전기 신호를 보낸다.
- 받은 전기 신호를 적합한 형태의 데이터로 바꾼다.
- 모니터를 통해 데이터를 출력해 친구들이 내가 공유한 내용을 볼 수 있다.

## 창의 융합 코너

68~69쪽

**예시 답안** 독일에서는 목판에서 금속 활자로 넘어가면서 한 단계 기술의 진전(반기계식)이 있었기에 인쇄 속도가 빨라질 수 있었다. 하지만 우리나라에서는 금속이라는 재질을 이용해 활자를 만들었을 뿐, 제작 방법은 목판 활자와 같이 여전히 수작업에 의존하고 있었기에 생산 속도에서 큰 진전을 이룰 수 없었고 대량 생산으로 이어질 수도 없었다. 서양과 달리 우리나라에서 금속 활자는 대량 인쇄를 목적으로 한 것이 아니라, 다종 소량 제작에 사용되었다. 목판은 일단 새겨지기만 하면 책을 복제하기에 유리했지만 새로운 수요에 대응하기에는 속도가 너무 더디었다. 또한 책의 종류만큼 별도의 목판을 제작해야 하는 번거로움이 있었다. 반면 금속 활자는 새로운 수요에 신속하게 응할 수 있다는 것이 장점이었다. 우리나라는 다종 소량 생산이 금속 활자본의 존재 의의였다.
독일의 구텐베르크 인쇄술의 등장으로 책을 만드는 일이 종전과는 비교할 수 없을 만큼 쉬워졌으며 대량 생산이 가능하여 보다 싼값으로 책을 구해 볼 수 있게 되었다. 따라서 일부 계층에만 국한되었던 교육과 지식의 보급이 일반인들에게까지 널리 이루어지게 되었으며, 이는 사회 전반에 걸쳐 변혁을 일으키는 원동력이 되었다.

**예시 답안** 인쇄술의 보급은 서구 사회에 있어 정치적으로는 절대 왕권 사회가 근대 시민 사회로 바뀌는 원동력이 되었다. 종교적으로는 성서의 보급을 확대시켜 마침내 종교 개혁까지 가능하게 했으며, 사회적으로는 권위주의가 무너지고 자유주의가 싹트게 되었다.
인쇄술은 교육의 보급과 종교 개혁, 나아가서는 문예 부흥의 길을 열게 하였으며, 근대 사회를 형성하는 데 결정적인 작용을 하였다. 이러한 일련의 변혁들은 모두가 정신 문화를 수용해서 메시지화하고 널리 보급시킬 수 있었던 인쇄가 있었기 때문에 가능했다. 즉, 인쇄물을 통해 사상이나 이념을 널리 전파할 수 있었고, 기존의 문화를 보존하고 전승시킴으로써 지식과 정보를 확대, 재생산시켜 나갈 수 있었던 것이다.
인쇄술은 또한 언어나 지적 개념의 표준화를 가능하게 했다. 유럽에서 인쇄술이 발명되기 전에는 수도원이나 대학에서 사용하는 책은 모두 손으로 써서 만든 필사본이었다. 필사본은 오랜 기간 되풀이되면서 베끼는 사이에 잘못 표기되는 경우도 있었고, 지역이나 저자에 따라 용어의 개념이 달리 전해지기도 했다.
그러나 인쇄술의 발명으로 인해 법률과 언어와 지적 구성 개념이 규격화되고 표준화된 서적들이 대량으로 보급됨에 따라 학문과 인식의 방법에도 많은 영향을 주었다.

**예시 답안** 종이 책 – 문자 통신 매체, 전자책 – 뉴 미디어(새 매체)

예시 답안 장점

1. 분석적인 독서 가능
2. 쉬운 다운로드, 일부분 구독 가능
3. 환경 오염 감소
4. 창작 및 출판 활성화
5. 보관 및 휴대 편리
6. 수시로 내용 업데이트 가능

단점

1. 전용 단말기 필요, 가격이 비싸다.
2. 전기 및 통신 상태 등 부가적 요소가 충족되어야 한다.
3. 가독성이 떨어진다.
4. 높은 저작권 침해 위반(불법 복제)
5. 감수성 충족이 떨어진다.
6. 콘텐츠가 부족하다.

예시 답안 1. 저렴한 단말기 보급 및 다양한 콘텐츠 보급을 통해 소비자의 접근성을 높인다.
2. 효율적인 검색 및 정리 시스템, 메모 기능을 강화해 전자책만의 편의성을 부각시킨다.
3. 책장을 넘기는 소리를 실제와 비슷하게 하여 생동감을 주어 감성적 만족을 채워 준다.

# Ⅶ 삶을 창조하는 기술

## 01 생명 기술 시스템

### 이해 문제 75~76쪽

01 ① 02 정보 03 ② 04 ② 05 ②
06 유전자 변형 동물 07 ① 08 ④ 09 ④ 10 ⑤
11 ① 12 ⑤ 13 ④ 14 핵 치환 기술 15 ④
16 ⑤

01 생명 기술 시스템은 생명 기술이 실현되는 데 이용되는 모든 활동을 체계화한 것으로, 투입, 과정, 산출 및 되먹임의 단계로 이루어진다.

03 생명 기술 시스템의 과정 단계는 증식, 성장, 유지, 적응, 수확 등의 절차에 따라 투입 요소를 활용하여 유용한 물질을 생산한다.

04 적응은 생명 기술 시스템의 과정 단계의 요소로 생명체를 키울 때 환경에 적응하여 변화하는 과정이다.

05 증식은 생명체를 개발하고 재생산하는 과정, 유지는 생명체를 정상적으로 키우기 위해 적절한 환경을 유지해 주는 과정, 적응은 생명체가 환경에 적응하여 변화하는 과정, 수확은 변화된 생명체를 거두어들이는 과정이다.

07 식물 공장에서는 이상 기후에 대비하여 외부 환경에 영향을 받지 않고 식물을 생산할 수 있다.

08 유전자 변형 농산물은 유전자를 변형시켜 새로운 형질을 갖게 한 농작물을 말한다.

09 바이오 의약품에는 백신, 인슐린, 인터페론, 성장 호르몬, 바이오시밀러 등이 있다.

10 줄기세포는 몸을 구성하는 여러 기관이나 조직을 구성하는 세포로 분화할 수 있는 미분화 세포이다.

11 현미경을 이용하여 영국의 로버트 훅이 세포를 발견하였다.

12 페니실린의 발명으로 전염병에 걸린 수많은 사람들의 목숨을 살렸다.

13 제임스 왓슨과 프랜시스 크릭이 X선을 이용하여 DNA가 이중 나선 구조로 되어 있음을 발견하고, DNA 구조 모형을 완성하였다.

15 앞으로 나노 크기($\frac{1}{10억}$ m)의 로봇이 우리 몸속을 돌아다니면서 혈관을 청소하거나 해로운 박테리아, 바이러스 등을 찾아내어 치료할 것이다.

16 핵 치환 기술은 복제하려는 생물체의 세포에서 핵을 채취한 다음, 다른 동물에 이식하여 우수한 품종을 만드는 기술이다. 조직 배양 기술은 생물체의 세포나 조직의 일부를 떼어 내어 인공적인 환경에서 분화, 증식시키는 기술이다.

### 적용 문제 77~78쪽

01 ⑤ 02 ④ 03 ② 04 ⑤ 05 ② 06 ②
07 ③ 08 ④ 09 ⑤ 10 ④ 11 ⑤ 12 ②
13 ① 14 ③

01 문제가 발생하면 이를 해결하기 위해 문제가 되는 단계로 되돌아가는 것을 되먹임이라 한다.

02 유지는 생명체를 정상적으로 키우기 위해 적절한 환경을 유지해 주는 과정을 말한다.

03 생명 기술 시스템은 투입 – 과정 – 산출 – 되먹임 단계로 이루어진다.

04 생명 기술 시스템에서 산출물에 결함이 있거나 문제가 발생하면 되먹임 단계를 통해 해결한다.

05 ㄱ, ㄹ, ㅁ은 생명 기술 시스템의 투입 단계의 요소이다.

06 유지는 생명체를 정상적으로 키우기 위해 적절한 환경을 유지해 주는 과정이다.

07 바이오 디젤은 환경 · 에너지 분야에서 활용되는 생명 기술이다.

08 식물 공장은 농업 분야, 바이오 디젤과 바이오 메탄가스는 환경 · 에너지 분야에서 활용 되는 기술이다.

09 생물 정화 기술은 원유 산업 시설의 오염을 정화하거나 오염된 토양, 하천 및 지하수, 해수 등을 정화하는 데 이용되고 있다.

10 알렉산더 플레밍은 페니실린을 발견하여 박테리아로 발생한 병을 치료하는 데 사용되었으며, 이후 페니실린은 전염병에 걸린 수많은 사람들의 목숨을 살렸다.

11 영국의 로버트 훅이 현미경을 이용하여 세포를 발견하였다.

12 나노 크기($\frac{1}{10억}$ m)의 로봇이 몸을 돌아다니면서 바이러스 등을 찾아 치료한다.

13 3D 바이오 프린팅을 생명 기술에 적용하여 살아 있는 조직을 만들 수 있다.

14 줄기세포는 다른 장기로 분화할 수 있는 세포이다.

## 02 생명 기술의 특징과 영향

### 이해 문제 81쪽

01 ④ 02 ③ 03 ② 04 ① 05 ⑤
06 생태계 파괴 위험 07 개인의 유전 정보 08 ⑤

01 생명 기술의 산출물은 제품 또는 생물의 형태로 나타난다.

02 생명 기술은 투입되는 비용과 설비에 비해 얻는 이익이 매우 크다.

03 생명 기술은 생물학, 화학, 유전 공학, 농학 등의 학문과 서로 융합된 종합 기술이다.

04 생명 기술은 생물학, 화학, 유전 공학, 농학 등의 학문과 정보 기술, 나노 기술, 환경 기술 등이 서로 융합된 종합 기술이다.

05 생명 기술을 이용하여 일반 질병과 난치병을 조기 발견하고 치료하여 건강하게 오래 살 수 있다.

08 환경 오염 문제 해결과 에너지 문제 극복을 위해 미생물, 바이오 에탄올, 바이오 디젤 등을 이용한다.

### 적용 문제 82쪽

01 (ㄱ) 생명체, (ㄴ) 응용 02 ⑤ 03 ① 04 ⑤
05 ⑤ 06 유전자 변형 생물체(GMO) 07 ⑤

02 ①은 생명 기술의 대상, ②와 ③은 제조 기술의 특징 ④는 생명 기술의 산출을 나타낸다.

03 ⑤는 건설 기술에 대한 설명이다.

04 바이오 에탄올, 바이오 디젤 등은 화석 연료의 사용을 줄여준다.

05 유전자 조작 과정에서 예측하지 못한 질병에 감염되거나 새로운 품종이 나타나 생태계가 교란될 가능성이 있다. 또한 유전자 조작으로 인한 새로운 질병의 발생이나 유전 정보가 노출되어 사생활이 침해될 수 있다.

07 생명 기술의 발달로 신약이나 유전자 기술이 등장하여, 인간의 수명 연장이 가능하다.

### 실전 문제 83~86쪽

01 생명 기술 02 ③ 03 ① 04 ③ 05 ④
06 ⑤ 07 ② 08 ④ 09 ④ 10 ① 11 ④
12 ⑤ 13 ④ 14 ① 15 ⑤ 16 ④ 17 ①
18 ③ 19 ① 20 ④ 21 ④ 22 ① 23 ⑤
24 ①
[서술형 문제] 25~28 해설 참조

02 생명 기술 시스템은 생명 기술이 실현되는 데 이용되는 모든 활동을 체계화한 것으로, 투입, 과정, 산출 및 되먹임의 단계로 이루어진다.

03 생명체를 개발하고 재생산하는 과정을 증식이라 한다.

04 생명 기술 시스템의 투입 요소는 자본, 재료, 인력, 설비, 정보 등이 있다.

05 생명 기술의 과정 단계는 증식, 성장, 유지, 적응, 수확 등의 절차에 따라 투입 요소를 활용하여 유용한 물질을 생산한다.

06 생명 기술 시스템의 산출 단계에 제품이 완성된다.

07 식물 공장은 지구의 환경 오염이나 예측할 수 없는 기후 변화에 대비하여 외부 환경에 영향을 받지 않고 식물을 생산할 수 있는 기술이다.

08 바이오 에너지는 에너지 생산에 이용할 수 있는 생물체나 유기성 폐기물을 연료로 얻는 에너지를 말한다.

09 생물 정화 기술은 원유 산업 시설의 오염을 정화하거나 오염된 토양, 하천 및 지하수, 해수 등을 정화하는 데 이용되고 있다.

10 발효 식품은 유산균, 효모 등 미생물의 발효 작용을 이용하여 만든 식품을 말한다.

11 식물 공장에서는 지구의 환경 오염이나 예측할 수 없는 기후 변화에 대비하여 외부 환경에 영향을 받지 않고 식물을 생산할 수 있다.

12 오스트리아의 멘델은 완두콩의 유전 실험을 통해 식물의 형질에 대한 유전 법칙을 발견하였다. 이후 유전학 및 육종학의 발달에 크게 이바지하였다.

13 발효 기술 이용(BC 1700년경), 유전 법칙 발견(1863년), 페니실린 발견(1928년), DNA 이중 나선 구조 발견(1958년), 인간 게놈 프로젝트(2003년)

14 천연두 백신은 영국의 에드워드 제너가 만들었으며, 다양한 백신 연구의 계기를 마련하였다.

15 인간 게놈 프로젝트는 의약품 개발, 유전자 치료, 생명 현상 연구 등에 큰 도움이 될 것으로 기대하고 있다.

16 핵 치환 기술을 이용하여 우수 품종의 가축을 대량 생산하거나 멸종 동물종을 복제할 수도 있지만, 인간 복제에 활용될 수 있다는 우려를 낳았다.

17 유전자 칩을 이용하면 심장병, 고혈압, 당뇨, 치매 등의 질병 발생 가능성을 사전에 알 수 있다.

18 생명 기술은 제조 과정에서 환경 오염 물질의 배출이 적다.

19 생명 기술은 생명체를 대상으로 하며, 원료나 시설에 드는 비용이 비교적 적다.

20 생명 기술은 생물학, 화학, 유전 공학, 농학 등의 학문 등이 서로 융합된 종합 기술이다.

21 생명 기술은 정보 기술, 나노 기술, 환경 기술 등이 서로 융합된 종합 기술이다.

22 환경 문제를 해결하기 위해 미생물을 이용하여 석유나 각종 기름 등 환경 오염 물질을 분해할 수 있다.

23 개인의 유전자 정보가 노출되거나 무분별하게 이용됨으로써 개인의 사생활이 침해되거나 유전적 차별을 받을 수 있다.

24 인류는 생명 기술을 활용하여 식량 생산을 증대할 수 있다.

### 서술형 문제

25 생명 기술 시스템: 생명 기술이 실현되는 데 이용되는 모든 활동을 체계화한 것으로, 투입, 과정, 산출 및 되먹임의 단계로 이루어진다.

예: 김치
- 투입: 재료(배추, 소금, 고춧가루, 파, 마늘 등), 항아리, 가족
- 과정: 배추를 절이고 양념을 배추 속에 잘 넣는다.
- 산출: 김치 완성
- 되먹임: 너무 싱거우면 소금을 좀 더 넣는다.

26 유전자 변형 농산물: 유전자를 변형시켜 새로운 특성을 갖게 한 농산물을 말한다.
- 일반 쌀에 부족한 영양소인 비타민 A 함량을 크게 높인 황금 쌀
- 해충에 해를 입지 않도록 만들어진 유전자 변형 옥수수
- 쉽게 무르지 않게 만들어진 유전자 변형 토마토

27 17세기, 현미경이 발명되면서 세포와 미생물을 관찰하게 되었다. 이때부터 생명 기술은 빠르게 발전하기 시작하여 18세기에 백신이 개발되었고, 20세기에 페니실린이 발견되면서 생명 기술은 비약적으로 발달하였다.

28 생명 기술의 발달은 개인 맞춤형 의료 서비스 및 신약 개발을 통해 질병과 장애를 극복할 수 있게 하였으며, 유전자 조작 등을 통한 식량 증산으로 식량 문제를 해결하고, 미생물에 의한 오염 물질 분해나 바이오 연료 등은 화석 연료 사용을 줄여준다.

## 창의 융합 코너 87쪽

예시 답안

1. 봉합 기술과 성형 수술을 통해 귀를 접합할 수 있다.

2. 바이오 장기의 이용: 귀가 접합할 수 없는 상태로 훼손되었다면 인간에게 이식할 수 있는 부작용 없는 생체 장기인 바이오 장기를 이용할 수 있을 것이다. 즉, 사람의 것과 비슷한 장기를 가진 동물로부터 얻은 동물 장기를 이용할 수 있을 것이다.

3. 줄기세포의 이용: 다양한 신체 조직으로 변화할 수 있는 능력을 가진 줄기세포로 만든 장기를 이용하여 귀를 성장시켜 재생할 수 있을 것이다.

# Ⅷ 모두를 위한 지속 가능한 기술

## 01 적정 기술과 지속 가능 발전의 이해

**이해 문제** 92쪽

01 ④ 02 ⑤ 03 ① 04 큐 드럼 05 ⑤
06 ③ 07 퍼머넷 08 ⑤

**01** 적정 기술은 개발 도상국이나 빈곤층을 위한 기술을 의미한다.

**02** 적정 기술은 모두를 위한 기술이라는 측면에서 살펴보았을 때, 재난, 재해 상황에서 이용할 수 있음을 인식하는 공감대 형성이 필요하다.

**03** 적정 기술은 개발 도상국이나 이미 산업화된 국가의 소외 지역에 알맞은 효용성 있는 기술이다.

**05** 바이슬아 바도라는 변속이 가능하여 작동하는 데 큰 힘이 들지 않는다. 약 10년 동안 쓸 수 있다.

**06** 어드스펙스는 주사기에 들어 있는 실리콘 오일이 렌즈 사이로 들어가 굴절률에 변화를 주는 원리로 만들어진다.

**08** 지속 가능한 발전을 위해서는 환경, 경제, 사회 분야를 함께 고려해야 한다.

**적용 문제** 93쪽

01 첨단 기술 02 ③ 03 ⑤ 04 ③ 05 ⑤
06 ①

**02** 적정 기술은 첨단 기술보다 해당 지역의 환경이나 경제, 사회 여건에 맞도록 만들어낸 기술이다.

**03** 라이프 스트로는 오염된 물을 빨대처럼 빨면 맑은 물을 마실 수 있는 간이 정수기이다.

**04** 페트병 조명은 페트병 조명 하나가 55W가량의 전등을 켠 것과 비슷하다.

**05** 지속 가능 발전을 위한 에너지 행동 실천에는 일상생활 속에서 전기 아끼기, 대중교통 이용하기, 계절별로 냉난방 실내 적정 온도 지키기 등이 있다.

**06** 물건을 사야 할 때 그 물건이 환경에 피해를 덜 주는지, 지역 경제에 도움을 주는지, 공정한 방법으로 생산되고 유통된 것인지 등을 따져 보고 선택하는 것은 지속 가능 발전을 위한 소비 실천에 해당한다.

## 02 적정 기술의 창의적 문제 해결

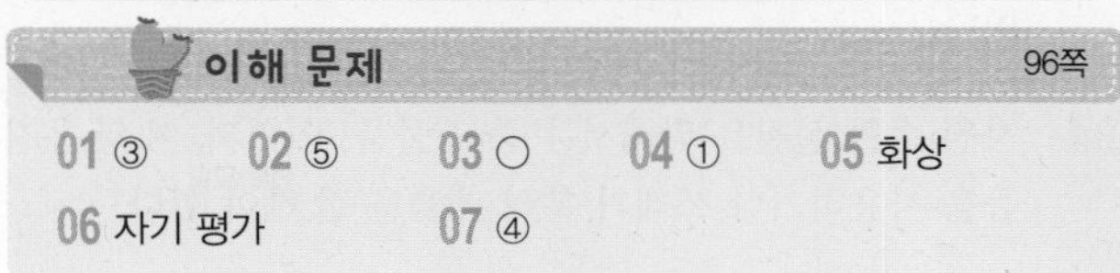

**이해 문제** 96쪽

01 ③ 02 ⑤ 03 ○ 04 ① 05 화상
06 자기 평가 07 ④

**01** 적정 기술의 창의적 문제 해결 과정의 문제 확인하기 단계에서는 과제명과 제한 사항을 제시하여 문제 사항을 확인한다.

**02** 적정 기술의 창의적 문제 해결 과정의 아이디어 구체화하기 단계에서는 아이디어 창출하기 단계에서 구상한 아이디어를 도면으로 나타낸다.

**04** '나만의 해피볼' 만들기에서 실행하기 단계는 선 자르기 - 선 배열하기(별 모양 - 원 모양 끈 중앙에 놓기) - 조립하기 - 글루건으로 붙이기 – 완성의 순서로 이루어진다.

**07** ①, ②, ③은 자기 평가, ⑤는 제품 평가 항목이다.

**적용 문제** 97쪽

01 ○ 02 ○ 03 ③, ④, ⑤ 04 정보, 아이디어
05 자기 평가 06 ③ 07 가–나–다–라–마–바
08 상자에 칼집을 내면 쉽게 접을 수 있다.

**02** ①과 ②는 '나만의 해피볼 만들기'의 제한 사항이다.

**06** 적정 기술의 창의적 문제 해결 과정의 문제 확인하기 단계에서는 과제명과 제한 사항을 확인한다.

**실전 문제** 98~99쪽

01 ③ 02 ③ 03 ④ 04 ⑤ 05 ② 06 ③
07 아이디어 창출하기 08 ④ 09 ③ 10 ③
[서술형 문제] 11~14 해설 참조

**01** 적정 기술은 첨단 기술보다 해당 지역의 환경이나 경제, 사회 여건에 맞도록 만들어낸 기술을 말한다.

**02** 라이프 스트로는 오염된 물을 빨대처럼 빨면 맑은 물을 마실 수 있는 간이 정수기이다.

**03** 퍼머넷은 모기장, 어드스펙스는 도수 조절이 가능한 안경이다.

**04** 자원 순환 실천을 위해서는 중고 물품, 이면지, 재생 용지 등을 사용하거나 쓰레기 분리 배출을 잘 해야 한다.

**05** ㄷ, ㅁ은 지속 가능 발전을 위한 실천 행동 중 먹을거리 선택 실천이다.

**06** 지속 가능 발전을 위해서는 환경, 경제, 사회 분야를 함께 고려해야 한다.

**08** ㄷ, ㄹ은 발명의 특성에 관한 내용이다.

**09** '나만의 해피 볼' 만들기의 아이디어 구체화하기 단계에서는 선정한 아이디어를 프리핸드로 스케치하여 구체화한다.

**10** 글루건을 사용할 때는 노즐이 뜨거우므로 주의해야 한다.

### 서술형 문제

**11** 적정 기술은 첨단 기술보다 해당 지역의 환경이나 경제, 사회 여건에 맞도록 만들어낸 기술을 말한다.
예: 라이프 스토로
- 오염된 물을 빨대처럼 빨면 맑은 물을 마실 수 있는 간이 정수기이다.
- 빨대 하나로 약 700L의 물을 정수할 수 있다. 바이러스나 박테리아, 기생충 등을 대부분 제거할 수 있다.

**12** 지속 가능 발전의 의미: 미래의 후손이 자연을 적절하게 사용할 수 있도록 훼손하지 않으면서 현재의 사람들도 자연을 적절히 이용할 수 있는 발전을 지속 가능 발전이라고 한다.
지속 가능 발전의 실천 방향: 지속 가능 발전을 위해서는 환경, 경제, 사회 분야를 함께 고려해야 한다. 즉, 현명한 소비 실천, 자원을 아끼는 자원 순환 실천, 에너지를 아끼는 에너지 행동 실천, 적절한 먹을거리 선택 실천 등을 통해서 지속 가능한 발전을 이루는 사회를 만들어야 한다.

**13** 드림 볼 프로젝트는 구호 물품을 담는 상자를 버리지 않고, 아이들이 갖고 놀 수 있는 공의 형태로 변경할 수 있도록 만들어진 것으로, 자원의 순환 효과를 기대하며, 지속 가능한 사회를 위한 적정 기술의 의미를 갖고 있다.

**14** 적정 기술은 첨단 기술보다 해당 지역의 환경이나 경제, 사회 여건에 맞도록 만들어낸 기술을 말하며, 누구나 쉽게 쓸 수 있어야 하며, 사용자가 해당 기술을 이해할 수 있어야 하고, 그것을 쓰게 될 사람들의 처한 상황에 맞아야 하며, 많은 돈이 들지 않아야 하는 특징이 있다.

### 창의 융합 코너 100쪽

**예시 답안** 이 지역의 성장을 저해한 근본적 원인은 전쟁, 종족 간 갈등 등의 정치적 문제와 제도적 요인이었다. 사하라 이남의 아프리카 국가들은 1960~1970년대에 독립된 후 냉전의 영향, 군사 독재, 민족 간 갈등으로 정치적 혼란과 부정 부패가 지속되었다. 식민지 시절 노예 무역으로부터 시작된 제도적 기반은 재산권 보호에 매우 취약하였고, 독립 이후 사회주의의 강력한 영향으로 재산권의 불안정은 더욱 심화되었다. 또한, 관료주의와 제도적 미비로 인한 열악한 기업 환경으로 비공식 부문 비중이 높았고, 소규모 공동체를 벗어난 거래, 교역 등은 이를 뒷받침할 만한 제도적 기반이 부족해 경제 성장을 제약하였다. 이에 따라 국민들의 생활 수준은 열악하여, 인간이 누려야 할 기본 수준의 삶도 힘겨운 실정이다. 이를 해결하기 위해 적은 비용으로 기본적인 삶을 영위할 수 있는 적정 기술이 필요하게 되었다.

2015 개정 교육과정

학교시험대비 평가 시리즈

중학교 **기술·가정② 평가문제집**

**기술편**


**발행일** · 2018년 5월 15일 초판 발행 / 2024년 3월 1일 7쇄 발행
**발행인** · 김무상
**발행처** · 금성출판사
**주소** · 서울특별시 마포구 만리재옛길 23 (우)04210
**등록** · 1965년 10월 19일 제10-6호
**구입문의** · TEL 02-2077-8144~6 / mall.kumsung.co.kr
**내용문의** · TEL 02-2077-8902


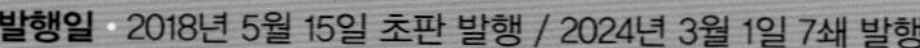

**mall.kumsung.co.kr**
오류 신고 및
정오표 다운로드 안내




**www.kumsung.co.kr**
**금성출판사**